FOGO E FÚRIA

Michael Wolff

Fogo e fúria

Por dentro da Casa Branca de Trump

TRADUÇÃO
Cássio de Arantes Leite
Débora Landsberg
Donaldson Garschagen
Leonardo Alves
Renata Guerra

Grafia atualizada segundo o Acordo Ortográfico da Língua Portuguesa de 1990, que entrou em vigor no Brasil em 2009.

Título original
Fire and Fury: Inside the Trump White House

Capa
Rick Pracher

Foto de capa
Jonathan Ernst/ Reuters/ Latinstock

Foto de quarta capa
Drew Angerer/ Getty Images

Preparação
Gustavo de Azambuja Feix

Índice remissivo
Probo Poletti

Revisão
Jane Pessoa
Clara Diament

Dados Internacionais de Catalogação na Publicação (CIP)
(Câmara Brasileira do Livro, SP, Brasil)

Wolff, Michael
Fogo e fúria: por dentro da Casa Branca de Trump / Michael Wolff – 1ª ed. – Rio de Janeiro: Objetiva, 2018.

Vários tradutores
Título original: Fire and Fury: Inside the Trump White House.
ISBN 978-85-470-0055-4

1. Candidatos a presidente – Estados Unidos – Biografia – 2. Estados Unidos – História - 2016 – 3. Estados Unidos – Política e governo 4. Partido Republicano (Estados Unidos) – História 5. Presidentes – Estados Unidos – Biografia 6. Trump, Donald, 1946- I. Título.

18-12546 CDD-973.929092

Índice para catálogo sistemático:
1. Estados Unidos: Presidentes: Biografia 973.929092

[2018]

EDITORA SCHWARCZ S.A.
Praça Floriano, 19, sala 3001 — Cinelândia
20031-050 — Rio de Janeiro — RJ
Telefone: (21) 3993-7510
www.companhiadasletras.com.br
www.blogdacompanhia.com.br
facebook.com/editoraobjetiva
instagram.com/editora_objetiva
twitter.com/edobjetiva

Para Victoria e Louise, mãe e filha

Sumário

Nota do autor

A razão para escrever este livro não poderia ser mais óbvia. Com a posse de Donald Trump em 20 de janeiro de 2017, os Estados Unidos entraram no olho do mais extraordinário furacão político desde, pelo menos, Watergate. À medida que o tempo avançava, decidi contar esta história da forma mais minuciosa possível e tentar ver a vida na Casa Branca de Trump pelos olhos de pessoas próximas ao governo.

Minha ideia inicial era fazer um relato dos cem primeiros dias do governo Trump, o critério mais tradicional para se avaliar uma presidência. Porém, durante mais de duzentos dias, houve um atropelo, sem uma pausa natural nos acontecimentos, e as cortinas só se fecharam no fim do primeiro ato da presidência de Trump, quando o general da reserva John Kelly foi designado chefe de gabinete, no fim de julho, e quando o principal estrategista de Trump, Stephen K. Bannon, saiu três semanas depois.

A narrativa destas páginas se baseia em conversas mantidas durante um período de dezoito meses com o presidente, com a maioria de seus principais assessores — alguns conversaram comigo inúmeras vezes — e com muitas pessoas que, por sua vez, tinham conversado com aqueles assessores. A primeira entrevista aconteceu no fim de maio de 2016, na casa de Trump em Beverly Hills, bem antes que eu pudesse imaginar uma Casa Branca de Trump ou um livro sobre seus bastidores. O então candidato devorava um Häagen-Dazs de baunilha e opinava alegre e negligentemente sobre diversos assuntos, enquanto seus assessores Hope Hicks, Corey Lewandowski e Jared Kushner entravam e saíam da sala. As conversas com membros da equipe de campanha continuaram durante a Convenção Republicana em Cleveland, quando ainda era difícil imaginar que Trump seria eleito. Essas pessoas se transferiram para a Trump Tower com o eloquente Steve Bannon, que antes da eleição ainda era visto como uma figura curiosa, mas depois passou a ser encarado como um milagreiro.

Pouco depois do dia da posse, garanti uma espécie de assento permanente em um sofá da Ala Oeste da Casa Branca. Desde então, fiz mais de duzentas entrevistas. Embora o governo Trump tenha praticamente transformado a hostilidade à imprensa em uma política, foi também mais aberto à mídia do que qualquer outro governo na história recente dos Estados Unidos. No início, minha intenção era ganhar certo grau de acesso formal a essa Casa Branca, algo como o status de uma mosquinha na parede. O próprio presidente incentivou essa ideia. No entanto, em vista dos muitos feudos da Casa Branca de Trump que entraram em conflito declarado desde os primeiros dias do governo, parecia que ninguém seria capaz de fazer isso acontecer. Da mesma forma, como não havia ninguém que dissesse "Vá embora!", eu me tornei mais um constante mediador do que um convidado — algo bem próximo à mosca na parede —, sem ter feito nenhum acordo ou juramento sobre o que deveria ou não escrever.

Muitos dos relatos sobre o que aconteceu na Casa Branca de Trump são conflitantes e muitos, ao estilo de Trump, são simplesmente falsos. Esses conflitos — e essa flexibilização da verdade, para não dizer da própria realidade — constituem uma trama essencial deste livro. Algumas vezes, dei voz aos protagonistas para que apresentassem suas versões, deixando o julgamento para o leitor. Em outras, me valendo da coerência entre os relatos e de fontes que julguei confiáveis, cheguei a uma versão dos fatos que acredito ser verdadeira.

Algumas dessas fontes só aceitaram falar sob condição de total sigilo, convenção que requer, nos livros políticos da atualidade, uma narrativa impessoal dos fatos, feita por testemunha anônima. Também recorri a entrevistas não gravadas, o que permitia que determinada fonte fizesse uma citação direta com a certeza de que teria seu nome preservado. Outros aceitaram falar sabendo que o material só se tornaria público no lançamento do livro. Por fim, alguns aceitaram ser gravados, sem reservas.

Também vale a pena ressaltar alguns dos desafios jornalísticos que enfrentei ao lidar com o governo Trump, muitos resultantes da ausência de procedimentos oficiais na Casa Branca e da falta de experiência de seus protagonistas. Entre essas dificuldades, posso citar o trato com material confidencial que mais tarde, por descuido, foi registrado; fontes que falaram de modo confidencial e posteriormente abriram e divulgaram o conteúdo aos quatro ventos, como que libertas das antigas restrições; uma frequente negligência com o estabelecimento de parâmetros para uso de uma conversa; fontes que exigiam anonimato quando suas opiniões eram tão conhecidas e divulgadas que seria risível não lhes dar o crédito; e a divulgação quase clandestina, ou a surpreendente repetição, de conversas que deveriam ser privadas ou secretas. Sem falar, é claro, na voz constante, incansável e descontrolada do próprio presidente, em esfera pública ou privada, compartilhada por outras pessoas todos os dias, às vezes quase ao mesmo tempo que era pronunciada. Essa voz aparece ao longo de todo o livro.

Por um motivo ou outro, quase todos com quem entrei em contato — pessoas com altos cargos na Casa Branca, observadores constantes do governo — me concederam boa parte de seu tempo e empreenderam grandes esforços para me ajudar a esclarecer a natureza singular da vida dentro da Casa Branca de Trump. No fim das contas, testemunhei — e procurei passar isso neste livro — um grupo de pessoas que vêm lutando, cada uma à sua maneira, para chegar a um acordo sobre o que significa trabalhar para Donald Trump.

Tenho uma enorme dívida com cada uma delas.

Prólogo
Ailes e Bannon

A festa começaria às seis e meia, mas Steve Bannon, que de repente se viu entre os homens mais poderosos do mundo e agora se importava cada vez menos com as pressões do horário, estava atrasado.

Bannon tinha prometido comparecer ao jantar organizado por amigos em comum em uma casa de Greenwich Village para rever Roger Ailes, ex-presidente da Fox News, a figura mais importante da mídia direitista e antigo mentor de Bannon. No dia seguinte, 4 de janeiro de 2017 – pouco mais de duas semanas antes de Donald Trump tomar posse como 45º presidente dos Estados Unidos –, Ailes estaria se dirigindo a Palm Beach para uma aposentadoria forçada e, esperava ele, temporária.

A previsão anunciava uma nevasca, e por um momento o jantar parecia ameaçado. No alto de seus 76 anos e de seu longo histórico de problemas na perna e no quadril, Ailes caminhava com dificuldade. Vindo de sua casa à beira do Hudson, no norte do estado, ao chegar a Manhattan com a esposa, Beth, tomava cuidado com as ruas escorregadias. Mas estava ansioso para ver Bannon, cuja assistente, Alexandra Preate, continuava atualizando os presentes sobre a localização e o progresso de Bannon desde que saíra da Trump Tower.

Enquanto o pequeno grupo esperava por Bannon, Ailes roubava a cena. Quase tão perplexo com a vitória do velho amigo Donald Trump quanto qualquer outra pessoa, Ailes ofereceu ao grupo uma pequena palestra sobre o quão a política é absurda e aleatória. Antes de lançar a Fox News, em 1996,

Ailes esteve durante trinta anos entre os principais quadros operacionais do Partido Republicano. Por mais surpreso que estivesse com o resultado da eleição, ele defendeu a existência de um paralelo entre Nixon e Trump. Disse que não tinha certeza de que o próprio Trump, que já havia sido republicano, independente e democrata, pudesse dar conta do recado. Ainda assim, achava que conhecia Trump tão bem quanto qualquer outro e estava ansioso para lhe oferecer ajuda. Estava ansioso também para voltar ao jogo midiático direitista, e falou com entusiasmo das possibilidades de reunir o bilhão de dólares ou algo assim de que precisava para uma nova rede de comunicação.

Os dois homens, Ailes e Bannon, se julgavam estudiosos meticulosos de história, meio autodidatas em teorias universais. Entendiam isso em um sentido carismático — eles tinham uma relação pessoal com a história e com Donald Trump.

Agora, ainda que relutante, Ailes compreendia que pelo menos no momento estava passando a tocha da direita para Bannon. Era uma tocha que, alimentada com ironias, brilhava com força. A Fox News de Ailes, com seu 1,5 bilhão de dólares em lucros anuais, tinha dominado a política republicana durante duas décadas. Agora o Breitbart News, de Bannon, com seu parco 1,5 milhão em lucros anuais, reclamava para si o posto. Durante trinta anos, Ailes — até recentemente a pessoa mais poderosa da política conservadora — tinha sido indulgente e tolerante com Donald, mas no fim quem elegeu Trump foram Bannon e o Breitbart.

Seis meses antes, quando uma vitória de Trump parecia impossível, Ailes, acusado de assédio sexual, foi afastado da Fox News por uma manobra arquitetada pelos filhos liberais de Rupert Murdoch, conservador de 85 anos, acionista controlador da Fox News e o mais poderoso dono de meios de comunicação da época. A queda de Ailes foi motivo de muita comemoração por parte dos liberais: o maior bicho-papão conservador da política moderna fora derrubado pelas novas normas sociais. Pouco tempo depois, Trump, acusado de comportamentos muito mais inconvenientes e abusivos, era eleito presidente dos Estados Unidos.

Ailes gostava de muitas coisas em Trump: seu talento de vendedor, seu perfil de showman e suas fofocas. Admirava o sexto sentido de Trump para o mercado — ou pelo menos suas tentativas incessantes e incansáveis de ganhar sempre. Gostava do jogo de Trump, do impacto que causava, de sua desinibição. "Ele segue em frente", comentou um encantado Ailes a um amigo, depois do primeiro debate entre Trump e Hillary Clinton. "Você acerta Donald na cabeça, e ele segue em frente. Nem percebe que foi atingido."

No entanto, Ailes estava convencido de que Trump não tinha princípios políticos nem formação para tanto. O fato de Trump ter se tornado o símbolo supremo do homem comum revoltado da Fox era outro indício de que os norte-americanos estavam vivendo em um mundo às avessas. A gozação se voltaria contra alguém — e Ailes pensou que podia ser contra ele.

Ainda assim, Ailes tinha observado os políticos durante décadas e, em sua longa carreira, vira praticamente todos os tipos, estilos, esquisitices, baixezas, frivolidades e manias. Quadros operacionais como ele — e agora como Bannon — trabalhavam com toda essa fauna. Era a suprema relação simbiótica e mutuamente dependente. Os políticos eram os homens da vanguarda de um complexo esforço organizacional. Os quadros operacionais conheciam o jogo, assim como a maioria dos candidatos e dos detentores de cargos políticos. Porém, Ailes tinha certeza de que Trump não conhecia esse jogo. Trump era indisciplinado — não tinha capacidade para uma estratégia de jogo. Não podia fazer parte de nenhuma organização, nem provavelmente subscreveria um programa ou um princípio. Para Ailes, Trump era "um rebelde sem causa". Era simplesmente "Donald" — e com isso não era preciso dizer mais nada.

No começo de agosto, menos de um mês depois que Ailes tinha sido afastado da Fox News, Trump pediu a seu velho amigo que assumisse a condução de sua calamitosa campanha. Conhecendo a pouca disposição de Trump a acatar ou mesmo a ouvir conselhos, Ailes recusou. Uma semana depois, o cargo era de Bannon.

Depois da vitória de Trump, Ailes parecia arrependido por não ter aproveitado a oportunidade de comandar a campanha do amigo e, ao mesmo tempo, cético quanto à possibilidade de ter uma nova chance. A ascensão de Trump ao poder, entendia Ailes, fora o improvável triunfo de muita coisa que Ailes e a Fox News representavam. Afinal, Ailes era talvez o principal responsável por romper as correntes dos revoltados, o que levou à vitória de Trump: ele tinha inventado a mídia direitista que se deliciava com o personagem de Trump.

Ailes, membro do restrito círculo de amigos e conselheiros frequentemente convocados por Trump, esperava ter mais tempo com o presidente assim que ele e Beth se mudassem para Palm Beach: sabia que Trump planejava viagens regulares a Mar-a-Lago, próximo da nova casa dos Ailes. Ainda assim, embora soubesse muito bem que em política a vitória muda tudo — o vencedor é o vencedor —, não podia se acostumar com a improvável e estranha ideia de que seu amigo Donald Trump era agora o presidente dos Estados Unidos.

Às nove e meia, com três horas de atraso e boa parte do jantar já consumida, Bannon finalmente chegou. De paletó desalinhado, com uma das duas camisas que eram sua marca e calças militares, o gordo barbudo de 63 anos se juntou aos convidados e assumiu imediatamente o controle da conversa. Recusando um copo de vinho que não pedira — "Não bebo!" —, ele soltou um comentário animado, um download apressado de informações sobre o mundo que estava prestes a assumir.

"Vamos jogar pesado, por isso precisamos ter cada membro do gabinete durante os sete próximos dias nas sessões de confirmação", disse ele a respeito do ministério empresarial-militar estilo anos 1950. "Tillerson tem dois dias, Sessions tem dois dias, Mattis tem dois dias..."

Bannon saltou do Mattis "Cachorro Louco"— o general de quatro estrelas da reserva que Trump tinha nomeado secretário de Defesa — para um discurso sobre tortura, o surpreendente liberalismo dos generais e a estupidez da burocracia civil-militar. Passou para a iminente indicação de Michael Flynn — um dos generais preferidos de Trump, que tinha feito o discurso de abertura de muitos comícios do então candidato — para o cargo de conselheiro de Segurança Nacional.

"Ele é legal. Não é Jim Mattis e não é John Kelly... mas é legal. Só precisa estar bem assessorado." E, então, Bannon declarou: "Se você eliminar todos os caras Trump-jamais que assinaram aquelas cartas e todos os neoconservadores que nos levaram a todas aquelas guerras... não sobra muita gente".

Bannon disse que tinha tentado emplacar John Bolton, o famoso diplomata durão, no cargo de conselheiro de Segurança Nacional. Bolton era também um dos preferidos de Ailes.

"É um incendiário", disse Ailes. "E um babaca esquisitão. Mas é necessário. Quem mais é bom sobre Israel? Flynn é um pouco maluco quanto ao Irã. Tillerson (designado secretário de Estado) só sabe de petróleo."

"O bigode de Bolton é um problema", bufou Bannon. "Trump acha que ele não tem o perfil. Sabe como é, gostar de Bolton leva tempo."

"Bem, ele arrumou problema porque uma noite entrou em uma briga num hotel e também porque assediou umas mulheres."

"Se eu contar isso a Trump, ele ganha o cargo."

Bannon tinha a curiosa capacidade de defender Trump e ao mesmo tempo insinuar que não o levava muito a sério. Conhecera Trump, o sou-candidato-não-sou-candidato, em 2010: em uma reunião realizada na Trump Tower, Bannon tinha proposto a Trump que investisse meio milhão de dólares em apoio a candidatos ao estilo Tea Party, como meio de promover suas próprias ambições presidenciais. Bannon saiu da reunião achando que Trump jamais abriria mão daquele dinheiro, porque simplesmente não era um jogador sério. Entre aquele primeiro contato e meados de agosto de 2016, quando assumiu a campanha de Trump, Bannon, afora umas poucas entrevistas para seu programa do Breitbart, calculava não ter tido mais de dez minutos de conversa direta com Trump.

Mas agora o momento Zeitgeist de Bannon tinha chegado. Por todos os lados havia um sentimento global de dúvida: Brexit no Reino Unido, ondas de imigrantes chegando às costas hostis da Europa, a perda de direitos dos trabalhadores, o espectro de novos desastres financeiros, Bernie Sanders e seu revanchismo liberal — por toda parte havia reações adversas. Mesmo os mais fiéis expoentes da globalização hesitavam. Bannon acreditava que muita gente estava, de uma hora para outra, receptiva a uma nova mensagem: o mundo precisa de fronteiras — ou o mundo deveria retornar a um tempo em que havia fronteiras. Quando os Estados Unidos eram grandes. Trump tinha se tornado a plataforma dessa mensagem.

Naquela noite de janeiro já fazia quase cinco meses que Bannon estava imerso no mundo de Donald Trump. E embora tivesse reunido um considerável catálogo de peculiaridades de Trump, assim como motivos suficientes para possível alarme quanto à imprevisibilidade de seu chefe e de suas opiniões, isso não alterava o extraordinário e carismático apelo que Trump exercia sobre a direita, sobre o Tea Party, sobre a base de memes da internet, nem influenciava agora, na vitória, a oportunidade que Bannon estava recebendo dele.

"Será que *ele* entendeu?", perguntou Ailes de repente, fazendo uma pausa e olhando interrogativamente para Bannon.

Ele queria saber se Trump entenderia. Parecia uma pergunta sobre a agenda da direita: será que o playboy bilionário entenderia a causa populista dos trabalhadores? Mas provavelmente era uma pergunta à queima-roupa sobre a própria natureza do poder. Trump chegaria aonde a história o tinha levado?

Bannon bebeu um gole d'água. "Ele entendeu", disse, depois de hesitar por um tempo talvez longo demais. "Ou entendeu o que entendeu."

Com um olhar de soslaio, Ailes continuou olhando para Bannon, como que à espera de que mostrasse mais cartas.

"Sério", continuou Bannon. "Ele segue o programa. É o programa dele." Desviando-se da pessoa de Trump, enveredou por sua agenda. "No primeiro dia, vamos transferir a embaixada dos Estados Unidos para Jerusalém. Netanyahu está totalmente dentro. Sheldon (Sheldon Adelson, o bilionário dono de cassinos, de extrema direita, defensor de Israel e adepto de Trump) está totalmente dentro. Sabemos para onde estamos indo com isso."

"Donald sabe?", perguntou Ailes.

Bannon sorriu — ainda que quase com uma piscadela — e prosseguiu: "Que a Jordânia fique com a Cisjordânia, e que o Egito fique com Gaza. Que eles resolvam a questão ou afundem tentando. Os sauditas estão no limite, os egípcios estão no limite, todos mortos de medo da Pérsia... Iêmen, Sinai, Líbia... isso é mau... É por isso que a Rússia é tão essencial... Será que a Rússia é tão ruim? Os russos são meninos maus. Mas o mundo está cheio de meninos maus".

Bannon disse tudo isso em um tom que traía sua excitação — um homem refazendo o mundo.

"Mas é bom não esquecer que meninos maus são meninos maus", disse Ailes, provocando Bannon. "Donald pode não saber."

O inimigo real, afirmou um Bannon muito seguro de si, escolhendo as palavras para não defender demais Trump nem diminuí-lo, era a China. Era a primeira frente de batalha na nova Guerra Fria. E isso foi mal entendido nos anos do governo Obama — não compreendíamos nada daquilo que achávamos. Foi erro da inteligência dos Estados Unidos. "Acho que Comey é um cara de terceira linha. Acho que Brennan é de segunda linha", disparou Bannon, depreciando o diretor do FBI e o da CIA.

"A Casa Branca de agora é como a Casa Branca de Johnson em 1968. Susan Rice (conselheira de Segurança Nacional de Obama) está comandando a campanha contra o Estado Islâmico como conselheira de Segurança Nacional. Eles estão atingindo o alvo, ela está escolhendo os alvos dos drones. Quero dizer que eles estão conduzindo a guerra com a mesma eficiência de Johnson em 1968. O Pentágono está totalmente desvinculado de tudo. Os serviços de inteligência estão totalmente desvinculados de tudo. A mídia livrou a cara de Obama. Tirando a ideologia, a estratégia é totalmente amadora. Não sei o que Obama está fazendo. Ninguém no Capitólio o conhece, nenhum empresário o conhece — o que ele realizou, o que está fazendo?"

"Onde Donald se encaixa nisso?", perguntou Ailes, agora com a evidente suposição de que Bannon estava léguas à frente de seu benfeitor.

"Ele está totalmente conosco."

"Focado?"

"Ele assume."

"Eu não deixaria Donald pensar demais no assunto", divertiu-se Ailes.

"De mais, de menos, isso não muda necessariamente as coisas", bufou Bannon.

"Por que ele foi se meter com os russos?", insistiu Ailes.

"Em grande parte porque foi à Rússia achando que ia falar com Pútin. Mas Pútin não lhe deu a mínima. Então ele continua tentando", respondeu Bannon.

"Ele é Donald", disse Ailes.

"É uma coisa grandiosa", comentou Bannon, que tinha começado a ver Trump como uma espécie de paisagem natural, além de qualquer explicação.

Mais uma vez Bannon, no papel que havia imaginado para si, o de autor da presidência de Trump, prosseguiu no ataque, como se estivesse deixando de lado o assunto Trump — uma mera presença, grande e singular, que ambos deviam agradecer e suportar:

"A China é tudo. Nada mais importa. Se não dermos um jeito na China, não daremos jeito em nada. A coisa é muito simples. A China está onde estava à Alemanha nazista de 1929 a 1930. Os chineses, como os alemães, são o povo mais racional do mundo, até deixarem de ser. E eles vão mudar, como a Alemanha nos anos 1930. Você vai ter um Estado hipernacionalista, e quando isso se tornar realidade, não vai conseguir colocar o gênio de volta na garrafa."

"Donald pode não ser Nixon em relação à China", disse Ailes, impassível, insinuando haver pouquíssima probabilidade de Trump tomar as rédeas da transformação global.

Bannon sorriu. "Bannon explica a China", disse, com um misto de notável grandiosidade e autodepreciação sarcástica.

"Como vai o menino?", perguntou Ailes, referindo-se ao genro de Trump e seu principal conselheiro político, Jared Kushner, de 36 anos.

"É meu parceiro", respondeu Bannon, em um tom que dava a entender que, mesmo que tivesse outra opinião, não externaria.

"É mesmo?", pressionou Ailes, cético.

"Está na equipe."

"Ele almoçou um monte de vezes com Rupert."

"Ah, a propósito", disse Bannon, "talvez você possa me ajudar nisso."

Bannon então levou dez minutos tentando convencer Ailes a ajudar a neutralizar Rupert Murdoch. Desde que fora afastado da Fox, Ailes ficara mais amargo em relação a Murdoch, que agora vivia tentando influenciar o presidente eleito e aconselhando moderação – uma inversão completamente estranha entre as sempre estranhas tendências do conservadorismo norte-americano. Bannon queria que Ailes insinuasse a Trump – que entre as inúmeras neuroses tinha horror à perda da memória e à decrepitude – que Murdoch poderia estar ficando senil.

"Vou ligar para ele", concordou Ailes. "Mas Trump faria qualquer coisa por Rupert. Como por Pútin. Puxa o saco e joga a merda. Só não sei quem segura a coleira de quem."

Para a satisfação dos convidados, os dois magos da mídia direitista, um mais velho e um mais novo (embora nem tanto), foram em frente até meia-noite e meia. Ailes, o mais velho, tentava enxergar através do enigma nacional que era Trump – embora dissesse que seu comportamento era sempre previsível –, ao passo que Bannon, o mais jovem, aparentemente estava determinado a não estragar o grande momento que o destino lhe reservara.

"Donald Trump entendeu. É Trump, mas entendeu. Trump é Trump", afirmou Bannon.

"Sim, é Trump", disse Ailes, com ar de incredulidade.

1. Dia da eleição

Na tarde de 8 de novembro de 2016, Kellyanne Conway – diretora de campanha de Donald Trump e personagem central, e com ares de estrela, do mundo Trump – se acomodou em sua sala envidraçada na Trump Tower. Até as últimas semanas da corrida eleitoral, o quartel-general da campanha de Trump era um lugar desanimado. Tudo o que o diferenciava de qualquer escritório comercial eram alguns cartazes com palavras de ordem de direita.

Conway agora não escondia o bom humor, já que não estava mais prestes a presenciar uma derrota retumbante, se não cataclísmica. Donald Trump perderia a eleição – ela tinha certeza –, mas talvez pudesse segurar uma derrota por menos de seis pontos percentuais, o que seria na verdade uma vitória substancial. Quanto à iminente derrota, Conway não estava muito preocupada: era culpa de Reince Priebus, não sua.

Ela tinha passado quase o dia todo ligando para amigos e aliados políticos para responsabilizar Priebus. Agora dava informações a alguns produtores e âncoras de televisão com quem estabelecera laços sólidos – e com quem contava, depois das últimas semanas de constantes entrevistas, para conseguir emprego após as eleições. Vinha cortejando com cuidado muitos deles desde que aderira à campanha de Trump, em meados de agosto, e chegou a se tornar a voz combativa e confiável da campanha, com seus sorrisos espasmódicos e uma estranha mistura de azedume e impassibilidade, além do rosto particularmente telegênico.

Muito além dos demais terríveis equívocos da campanha, o problema real, dizia ela, era o demônio que eles não conseguiam controlar: a Convenção Nacional Republicana, dirigida por Priebus, por Katie Walsh, sua fiel escudeira de 32 anos, e por seu assessor de imprensa, Sean Spicer. Em vez de se lançar de cabeça, a Convenção Nacional Republicana, em última instância instrumento do status quo republicano, vinha reduzindo sua aposta desde que Trump ganhara a indicação, no meio do ano. Quando Trump precisou de apoio, o apoio não veio.

Essa era uma parte da história contada por Conway. A outra era que, apesar de tudo, a campanha tinha realmente se recuperado e saído do buraco. Para uma equipe com graves problemas de financiamento e com, para resumir, o pior candidato da história política moderna — cada vez que o nome de Trump era pronunciado, Conway revirava os olhos ou assumia um olhar de peixe morto —, eles tinham se saído extraordinariamente bem. Conway, que antes de Trump nunca tinha participado de uma campanha nacional e dirigia uma pequena empresa de pesquisa de opinião e trabalhara em campanhas menores, percebeu que, depois da campanha presidencial, se tornaria uma das principais vozes conservadoras dos canais de notícias.

De fato, um dos analistas da campanha de Trump, John McLaughlin, tinha começado a insinuar, mais ou menos durante a semana anterior, que os números em alguns estados importantes, até então desanimadores, podiam estar mudando em favor de Trump. Mas nem Conway, nem o próprio Trump, nem tampouco seu genro Jared Kushner — o verdadeiro diretor de campanha, ou supervisor da campanha designado pela família — tiveram abalada sua certeza: a insólita aventura em breve chegaria ao fim.

Apenas Steve Bannon, com sua visão de um homem que estava sempre em vantagem, insistia que os números virariam a favor deles. Mas como essa era a opinião de Bannon — do Steve maluco —, era o oposto de ser tranquilizadora. Quase todos na campanha, ainda que fizessem parte de uma equipe extremamente reduzida, se consideravam um grupo pé no chão, mais realista sobre suas perspectivas quanto talvez qualquer outra equipe política. Havia um acordo tácito entre eles: Donald Trump não só *não* seria presidente como provavelmente não deveria ser. Por conveniência, a primeira suposição significava que ninguém precisaria lidar com a segunda questão.

Quando a campanha se aproximava do fim, o próprio Trump passou a ficar otimista. Tinha sobrevivido ao vazamento da fita de Billy Bush, quando no tumulto que se seguiu a Convenção Nacional Republicana teve a desfaçatez de pressioná-lo a abandonar a corrida. O diretor do FBI, James Comey, depois da estranha atitude que deixou Hillary em maus lençóis — ao anunciar, onze dias antes da eleição, que reabriria a investigação sobre os e-mails dela —, tinha contribuído para evitar uma vitória acachapante de Clinton.

"Posso ser o homem mais famoso do mundo", disse Trump ao assessor Sam Nunberg, que saía e voltava da equipe, perto do desfecho da campanha.

"Mas você quer ser presidente?", perguntou Nunberg (uma pergunta qualitativamente diferente da que costuma ser feita a um candidato: "Por que você quer ser presidente?").

Nunberg ficou sem resposta.

É que não era necessária uma resposta, porque Trump não seria presidente.

O velho amigo Roger Ailes gostava de dizer que quem pretendesse fazer carreira na televisão deveria concorrer primeiro à presidência. Trump agora, incentivado por Ailes, lançava boatos sobre uma rede Trump. Era um belo futuro.

Trump assegurou a Ailes que sairia da campanha com uma marca muito mais poderosa e incríveis oportunidades. "É muito mais do que eu jamais teria sonhado", confessou a Ailes em conversa uma semana antes da eleição. "Não penso em perder porque isso não é uma derrota. É uma clara vitória." Além do mais, ele já estava preparando sua reação pública à derrota no pleito eleitoral: *a eleição tinha sido roubada*!

Donald Trump e seu minúsculo bando de asseclas de campanha estavam preparados para perder com fogo e fúria. Não estavam preparados para ganhar.

Em política, alguém precisa perder, mas todos invariavelmente pensam que podem ganhar. Quem não acredita na própria vitória provavelmente não ganhará — exceto na campanha de Trump.

O tema preferido de Trump sobre sua própria campanha era como ela era ruim e como todos os envolvidos eram uns perdedores. Ele também estava convencido de que a equipe de Clinton era brilhante e formada por vencedores. "Eles ficaram com os melhores, e nós, com os piores", dizia sempre. O tempo passado com Trump no avião de campanha era sempre uma experiência épica de desrespeito: todos em volta dele eram idiotas.

Corey Lewandowski, o primeiro diretor mais ou menos oficial da campanha de Trump, vivia sendo repreendido pelo candidato. Durante meses, Trump o chamou de "o pior" e, em junho de 2016, acabou demitindo-o. Mas depois declarava que sem Lewandowski sua campanha estava condenada. "Somos todos perdedores", afirmava. "Todos da equipe são péssimos, ninguém sabe o que está fazendo. Queria que Corey voltasse." Logo Trump se decepcionou também com seu segundo diretor de campanha, Paul Manafort.

Em agosto, quando estava doze a dezessete pontos percentuais atrás de Hillary Clinton e enfrentava uma tempestade diária na imprensa demolidora, Trump nem sequer cogitava o improvável cenário de vitória eleitoral. Nesse momento de desespero, Trump, em certo sentido essencial, vendeu a campanha derrotada. O bilionário direitista Bob Mercer, financiador de Ted Cruz, passou a apoiar Trump com uma injeção de 5 milhões de dólares. Acreditando que a campanha estava perdendo força, Mercer e sua filha Rebekah pegaram um helicóptero em sua propriedade de Long Island e compareceram a um evento de captação de recursos — com outros potenciais doadores abandonando o barco a cada segundo — na residência de veraneio de Woody Johnson, dono do New York Jets e herdeiro da Johnson & Johnson, nos Hamptons.

Trump não tinha nenhuma relação com Bob Mercer ou com Rebekah. Tivera poucas conversas com Bob, que era quase sempre monossilábico, e todo o contato com Rebekah se resumia a uma selfie com ela, tirada na Trump Tower. Ainda assim, quando os Mercer apresentaram seu plano de assumir a campanha e instalar seus prepostos Steve Bannon e Kellyanne Conway, Trump não ofereceu resistência. Só demonstrou não entender em absoluto por que alguém poderia querer fazer algo assim. "Já está tudo ferrado", disse ele aos Mercer.

Qualquer indicador confiável atestaria que algo ainda maior do que fracasso assombrava a campanha que Steve Bannon chamou de "aleijada"— havia uma total impossibilidade estrutural.

O candidato que se anunciava bilionário — multibilionário — se recusava a investir o próprio dinheiro na campanha. Quando Bannon assumiu a campanha, disse a Jared Kushner — que à época passava férias na Croácia com sua mulher e David Geffen, inimigo de Trump — que depois do primeiro debate, em setembro, precisariam de uma verba adicional de 50 milhões de dólares para conseguirem chegar ao dia da eleição.

"Não há como conseguir 50 milhões, a menos que possamos garantir a vitória", comentou Kushner, com lucidez.

"Vinte e cinco milhões?", arriscou Bannon.

"Só se pudermos dizer que a vitória é mais que provável."

No final, o melhor que Trump fez foi emprestar 10 milhões de dólares à campanha, que seriam devolvidos assim que conseguissem levantar o dinheiro em outra frente. (Steve Mnuchin, então tesoureiro da campanha, foi pegar o empréstimo com as instruções de depósito já redigidas, pois assim Trump não poderia se "esquecer" de mandar o dinheiro.)

Na realidade, não havia uma campanha de verdade porque não havia uma organização de verdade. No máximo, havia uma organização singularmente disfuncional. Roger Stone, o antigo diretor de fato da campanha, pediu demissão ou foi demitido por Trump — ambos diziam publicamente que tinham esbofeteado o outro. Sam Nunberg, assessor de Trump que trabalhara para Stone, foi ruidosamente despachado por Lewandowski, e Trump depois contribuiu bastante para aumentar a lavagem de roupa suja processando Nunberg. Lewandowski e Hope Hicks, a assessora do Partido Republicano levada à campanha por Ivanka Trump, tiveram um caso que acabou em briga pública na rua — incidente citado por Nunberg no processo movido por Trump. Estava na cara que a campanha não tinha sido pensada para ganhar nada.

Nem mesmo a eliminação dos outros dezesseis pré-candidatos republicanos, por mais improvável que tenha sido, tornava menos disparatado o objetivo final de conquistar a presidência dos Estados Unidos.

E se durante o outono a vitória parecera um pouquinho mais plausível, a esperança foi por água abaixo depois do caso Billy Bush. "Sou automaticamente atraído por mulheres bonitas. Simplesmente começo a beijá-las", disse Trump ao apresentador da NBC Billy Bush em microfone aberto, em meio ao debate sobre assédio sexual no país. "É como um ímã. Vou e beijo. Nem espero. E quando você é um astro, elas deixam. Você pode fazer o que quiser... Pegar elas pela boceta. Você pode fazer o que quiser."

Consertar aquilo foi um problema sério. O acontecimento foi tão estarrecedor que quando Reince Priebus, líder da Convenção Nacional Republicana, foi chamado a Nova York para uma reunião de emergência na Trump Tower, quase não teve coragem para sair da Penn Station. Do outro lado da cidade, a equipe de Trump levou duas horas para convencê-lo.

"Pode ser que a gente nunca mais se veja depois disso", disse Bannon, desesperado, bajulando Priebus pelo telefone, "mas você precisa vir a este edifício e tem que entrar pela porta da frente."

O lado bom da humilhação que Melania Trump precisou suportar depois da história com Billy Bush foi que agora não havia possibilidade de seu marido se tornar presidente.

O casamento de Donald Trump causava perplexidade a quase todos os que o rodeavam — ou pelo menos aos que não tinham jatinhos privados nem uma porção de casas. Melania e ele passavam relativamente pouco tempo juntos e ficavam dias sem manter contato, mesmo quando os dois estavam na Trump Tower. Muitas vezes ela nem sabia por onde ele andava, ou nem dava muita atenção a isso. Seu marido se deslocava entre suas residências como quem muda de sala. Além de pouco saber sobre o paradeiro dele, ela também pouco sabia sobre os negócios e quase não se interessava por eles. Pai ausente para seus quatro primeiros filhos, Trump foi ainda mais ausente para o quinto, Barron, que teve com Melania. Nesse seu terceiro casamento, ele dizia aos amigos que finalmente tinha aperfeiçoado sua arte: viver e deixar viver — "Faça o que você quiser".

Trump era um notório mulherengo, e durante a campanha se tornou talvez o mais famoso conquistador do mundo. Embora ninguém nunca tenha elogiado a sensibilidade de Trump em relação a mulheres, ele se gabava de ter muitas opiniões sobre como se dar bem com elas, inclusive uma teoria de que, quanto maior a diferença de idade entre um homem mais velho e uma mulher, menos esta levava os chifres para o lado pessoal.

No entanto, a ideia de que seu casamento era apenas uma formalidade estava longe da verdade. Ele falava muito de Melania quando ela não estava presente. Adorava elogiar sua aparência — muitas vezes na presença de outros, para constrangimento dela. Como ele dizia a todo mundo, com orgulho e sem qualquer ironia, ela era uma "esposa-troféu". E apesar de não compartilhar muitos momentos com ela, dividia alegremente seu butim. "Uma mulher feliz é uma vida feliz", dizia ele, repetindo um lugar-comum bem conhecido entre homens ricos.

Ele também buscava a aprovação de Melania. (Buscava, na verdade, de todas as mulheres à sua volta, que sabiamente a davam.) Em 2014, quando começou a pensar seriamente em se candidatar a presidente, Melania foi uma das poucas pessoas que acharam que ele podia ganhar. Foi o fim da linha para sua filha, Ivanka, que teve o cuidado de se manter distante da campanha. Com indisfarçável antipatia pela madrasta, Ivanka diria a amigos: *Tudo o que você precisa saber sobre Melania é que ela acha que, se ele concorrer, ele com certeza ganha.*

Apesar de sua convicção, a perspectiva de ver o marido presidente horrorizava Melania. Ela acreditava que isso destruiria sua vida protegida – protegida também, cabe lembrar, da própria família de Trump –, quase totalmente centrada em seu filho pequeno. "Não ponha o carro na frente dos bois", brincava seu marido, mesmo quando passava todos os dias em campanha, dominando o noticiário. Mas o terror e o tormento de Melania aumentavam.

Como soube por amigos, em Manhattan corria na surdina uma campanha contra ela, cruel e engraçada em suas insinuações. Sua carreira de modelo foi revirada de ponta a ponta. Na Eslovênia, onde nasceu e passou a infância, uma revista de celebridades, *Suzy*, publicou boatos sobre ela depois da indicação de Trump. Mais tarde, como um aperitivo desagradável do que estava por vir, o *Daily Mail* espalhou a história mundo afora.

O *New York Post* pôs as garras em sobras de um ensaio fotográfico do começo de sua carreira de modelo, com fotos de Melania nua – um vazamento que qualquer pessoa que não Melania poderia atribuir ao próprio Trump.

Inconsolável, ela enfrentou o marido. O futuro vai ser assim? Ela disse que não seria capaz de suportar. Trump respondeu à sua maneira: "Vamos processar!", e arranjou advogados. Mas também estava muito arrependido. "Falta pouco", disse a ela. "Tudo vai acabar em novembro." E deu à sua mulher uma solene garantia: simplesmente não havia como ele ganhar. E ainda que fosse um infiel crônico – ele diria irremediável –, essa era uma promessa que parecia ter certeza de poder cumprir.

A campanha de Trump tinha, e talvez de propósito, reproduzido o esquema do filme *Os produtores*, de Mel Brooks. Nesse clássico, Max Bialystock e Leo Bloom, os heróis desonestos e burros de Brooks, decidem vender além de 100% das cotas de um musical da Broadway que estão produzindo. Como só seriam descobertos se o espetáculo fosse um sucesso, eles fazem de tudo para que o musical fracasse. Para isso, criam um espetáculo tão estranho que acaba fazendo sucesso, o que termina mal para os heróis.

Levados pela soberba, pelo narcisismo ou por uma fé sobrenatural no destino, na maioria das vezes os candidatos vitoriosos à presidência dedicam grande parte da carreira, quando não da vida, desde a adolescência, a se preparar para o papel. Sobem um a um os degraus dos cargos eletivos, aperfeiçoam a imagem pública, criam e ampliam sua rede de contatos, já que o êxito na política depende muito dos aliados. Trabalham sem trégua. (Até mesmo um desinteressado como George W. Bush se valeu dos homens de confiança de seu pai para trabalhar por ele.) E apagam seus rastros — ou, pelo menos, tomam todo o cuidado para encobri-los. Eles se preparam para ganhar e governar.

Os cálculos de Trump, bastante conscientes, seguiam outra linha. O candidato e seus principais auxiliares acreditavam que podiam usufruir de todas as vantagens de ele quase se tornar presidente sem, para isso, ter que mudar um milímetro de seu comportamento ou de sua visão de mundo: não temos que ser nada além do que somos, porque, é claro, não vamos ganhar.

Muitos candidatos à presidência dos Estados Unidos transformaram em virtude o fato de serem forasteiros em Washington. Na prática, essa estratégia favorece apenas candidatos a governador e senador. Todo candidato sério, por mais que faça pouco-caso de Washington, busca habitués do establishment para orientação e apoio. No entanto, no caso de Trump, praticamente ninguém em seu círculo mais estreito tinha trabalhado em política em âmbito nacional: seus conselheiros mais próximos não tinham trabalhado em política alguma. Durante toda a vida, Trump teve poucos amigos chegados de qualquer área, mas no início da campanha para presidente não tinha quase nenhum na política. Os únicos políticos de verdade próximos de Trump eram Rudy Giuliani e Chris Christie, os dois à sua própria maneira peculiares e isolados. E seria um elogio dizer que Trump não sabia nada — absolutamente nada — sobre os fundamentos essenciais do cargo. No começo da campanha, em uma cena digna de *Os produtores*, Sam Nunberg foi designado para explicar a Constituição ao candidato: "Cheguei até a Quarta Emenda antes que ele começasse a apertar o lábio com o dedo e a revirar os olhos".

Quase todos na equipe de Trump vinham acompanhados de problemas obscuros que podiam constranger um presidente ou seus assessores. Mike Flynn, futuro conselheiro de Segurança Nacional que abria os comícios de campanha de Trump e divertia o candidato reclamando da CIA e da falta de sorte dos espiões norte-americanos, ouviu dizer por amigos que não tinha sido uma boa ideia receber 45 mil dólares dos russos por uma palestra. "Bem, isso só será um problema se ganharmos", ele tranquilizou os interlocutores, sabendo que, portanto, não haveria problema.

Paul Manafort, o lobista internacional e consultor político que Trump nomeara para comandar sua campanha depois da demissão de Lewandowski — e que concordou em não ser pago pelo serviço, suscitando desconfiança quanto a uma possível troca de favores —, tinha passado trinta anos representando ditadores e tiranos corruptos, faturando milhões de dólares em uma sucessão de operações financeiras que há muito chamavam a atenção dos investigadores nos Estados Unidos. Mais ainda: quando aderiu à campanha, estava sendo processado — tendo todas as suas operações financeiras documentadas — pelo bilionário oligarca russo Oleg Deripaska, que o acusava do roubo de 17 milhões de dólares em um negócio imobiliário fraudulento e jurava uma vingança sanguinária.

Por motivos óbvios, poucos políticos — e nenhum presidente antes de Trump — vinham do ramo imobiliário: um mercado pouco regulamentado, baseado em elevado endividamento e exposto a frequentes flutuações, sempre dependendo do favor de governantes e moeda de troca preferencial para solucionar problemas de caixa: lavagem de dinheiro. O genro de Trump, Jared Kushner; o pai deste, Charlie; os filhos de Trump, Don Jr., Eric e Ivanka, assim como o próprio Trump, todos eles basearam seus empreendimentos comerciais, em maior ou menor grau, no limbo duvidoso do fluxo internacional de caixa dos ativos e no dinheiro proveniente da sonegação de impostos. Charlie Kushner — cujas operações imobiliárias estavam estreitamente ligadas ao filho, genro e principal assessor de Trump — já tinha passado uma temporada em uma prisão federal por sonegação de impostos, suborno de testemunhas e doações ilegais para campanhas.

Os políticos modernos e suas equipes investigam os próprios rastros com mais rigor que a oposição. Se a equipe de Trump tivesse avaliado seu candidato, teria concluído com sensatez que estaria em apuros caso um minucioso exame ético fosse realizado. Mas Trump evidentemente não se deu a esse trabalho. Roger Stone, antigo conselheiro político de Trump, explicou a Steve Bannon que a estrutura psíquica de Trump impedia que ele se enxergasse com clareza.

Porém, Trump não aceitaria que outra pessoa ficasse sabendo tantas coisas sobre ele — logo, que fosse em certo sentido superior a ele. Seja como for, para que se submeter a esse olhar tão aprofundado e potencialmente perigoso se não há chance de vitória?

Trump não só ignorou os conflitos potenciais de seus negócios e empresas imobiliárias como, audaciosamente, se negou a divulgar sua declaração de imposto de renda. Por que faria isso se não ia mesmo ganhar?

Mais ainda: Trump se recusou a dedicar algum tempo a analisar, ainda que hipoteticamente, questões referentes à transição, dizendo que isso "dava azar", mas querendo dizer na verdade que seria uma perda de tempo. Nem ele contemplaria, ainda que remotamente, a questão de suas empresas e conflitos.

Ele não ia ganhar! Ou perder seria ganhar.

Trump seria o homem mais famoso do mundo — um mártir da inescrupulosa Hillary Clinton.

Sua filha Ivanka e o genro Jared passariam de meninos ricos mais ou menos à sombra a celebridades internacionais e embaixadores de marcas comerciais.

Steve Bannon se tornaria o líder de fato do Tea Party.

Kellyanne Conway seria uma estrela dos canais de notícias.

Reince Priebus e Katie Walsh teriam seu Partido Republicano de volta.

Melania Trump poderia voltar a almoçar sem ser notada.

Esse era o desfecho sem contratempos que eles esperavam em 8 de novembro de 2016. A derrota faria bem para todos.

Pouco depois das oito da noite, quando a possibilidade inesperada — Trump realmente poderia vencer — estava prestes a se confirmar, Don Jr. disse a um amigo que seu pai, ou DJT, como ele o chamava, parecia ter visto um fantasma. Melania, a quem Donald Trump tinha dado sua solene garantia, não parava de chorar — e não eram lágrimas de alegria.

Em um intervalo de pouco mais de uma hora, na observação jocosa de Steve Bannon, um Trump atordoado se metamorfoseou em um Trump descrente e logo em um Trump apavorado. Mas a transformação final ainda estava por vir: de repente, Donald Trump se tornou um homem convencido de que merecia ser presidente dos Estados Unidos e de que era plenamente capaz de exercer o cargo.

2. A Trump Tower

No sábado depois da eleição, Donald Trump recebeu em seu triplex da Trump Tower um pequeno grupo de pessoas que vinham lhe desejar boa sorte na presidência. Até mesmo seus amigos mais chegados ainda estavam surpresos com o resultado, e o assombro dava a tônica da reunião. Mas o próprio Trump não tirava os olhos do relógio.

Rupert Murdoch, até então indubitavelmente convencido de que Trump era charlatão e tolo, tinha confirmado que ele e sua nova esposa, Jerry Hall, fariam uma visita ao presidente eleito. Mas Murdoch estava atrasado, e muito. Trump continuava garantindo a seus convidados que ele estava a caminho, que logo chegaria. Quando alguns presentes fizeram menção de ir embora, foram persuadidos a ficar um pouco mais: *Vocês vão querer ficar e ver Rupert.* (Ou, como interpretou um dos convidados, vocês vão querer ficar para ver Trump com Rupert.)

Murdoch, que ao lado de sua esposa anterior, Wendi, muitas vezes se encontrara em eventos sociais com Jared Kushner e Ivanka, no passado não se esforçara muito para disfarçar a falta de interesse por Trump. O apreço de Murdoch por Kushner criou uma curiosa dinâmica de poder entre Trump e o genro, que Kushner, com razoável sutileza, manipulava a seu favor, mencionando diversas vezes o nome de Murdoch nas conversas com o sogro. Em 2015, quando Ivanka Trump disse a Murdoch que seu pai efetivamente se candidataria a presidente, Murdoch não levou a sério a possibilidade.

Mas agora o novo presidente eleito — depois da mais incrível reviravolta da história dos Estados Unidos — esperava ansiosamente por Murdoch. "Ele é um dos grandes", disse aos convidados, cada vez mais agitado com a demora. "Realmente, um dos grandes. O último dos grandes, e vocês precisam ficar para vê-lo."

Tratava-se de um conjunto de estranhas inversões de papel — uma irônica simetria. Trump, talvez não avaliando ainda a diferença entre tornar-se presidente e ascender socialmente, tentava a todo custo cair nas graças do magnata da mídia que antes o desdenhava. E Murdoch, ao enfim chegar à festa para a qual estava atrasado em mais de um sentido, parecia tão passivo e indiferente quanto todos os demais, esforçando-se para reformular sua opinião a respeito de um homem que por mais de uma geração não passara de bobo da corte dos ricos e famosos.

Murdoch não era em absoluto o único bilionário a fazer pouco-caso de Trump. Nos anos que antecederam a eleição, Carl Icahn — cuja amizade era motivo de ostentação para Trump, que dissera que o indicaria para o primeiro escalão — ridicularizava abertamente o amigo bilionário (que, nas palavras de Icahn, não era nem de longe bilionário).

Poucas pessoas que conheciam Trump alimentavam ilusões sobre ele. Este era quase o seu charme: Trump era o que era. Brilho nos olhos, pobre no espírito.

Só que ele era agora o presidente eleito, o que, na realidade nua e crua, mudava tudo. Então, podiam dizer o que quisessem a seu respeito, mas ele tinha conseguido. Arrancara a espada fincada na pedra, algo que tem sua importância. *Toda importância.*

Os bilionários precisariam repensar. Assim como todos os da órbita de Trump. Os membros da equipe de campanha, da noite para o dia em posição de abocanhar cargos na Ala Oeste da Casa Branca — cargos que criam história e carreiras —, tinham que olhar sob uma nova luz aquela pessoa esquisita, difícil, ridícula e até, para dizer a verdade, despreparada. Trump tinha sido eleito presidente. Portanto, como Kellyanne Conway gostava de lembrar, ele era, por definição, presidencial.

No entanto, ninguém o tinha visto ainda sendo presidencial, ou seja, fazendo uma reverência pública aos rituais e às conveniências da política. Nem tampouco exercendo um discreto autocontrole.

Outras pessoas tinham sido agora recrutadas e, apesar de suas óbvias impressões a respeito daquele homem, concordaram em aderir: Jim Mattis, general de quatro estrelas da reserva, um dos mais respeitados comandantes das Forças Armadas dos Estados Unidos; Rex Tillerson, CEO da ExxonMobil; Scott Pruitt e Betsy DeVos, seguidores de Jeb Bush. Todos estavam agora centrados no fato de que Trump, sendo uma figura peculiar, até com um jeito meio disparatado, fora eleito presidente.

Podemos fazer isso dar certo, era o que todos os que estavam em sua órbita começavam a dizer. Ou, pelo menos, *isso pode* dar certo.

Na verdade, de perto, Trump não era o homem bombástico e brigão que mobilizara multidões raivosas durante a campanha. Não era bravo nem combativo. Pode ter sido o mais inquietante, o mais assustador e o mais ameaçador candidato à presidência da história moderna, mas pessoalmente se mostrava quase pacato. Sua extrema autossuficiência desaparecia. A vida era luminosa. Trump era um otimista — pelo menos em relação a si mesmo. Era charmoso e lisonjeador, dava atenção às pessoas. Era engraçado — até mesmo autodepreciativo. E incrivelmente enérgico — *Vamos fazer* isso, seja o que for, *vamos fazer*. Não era um sujeito rude. Era um "brutamontes de coração mole", dizia Bannon, em um elogio mais para dissimulado.

Peter Thiel, um dos fundadores do PayPal e membro do conselho do Facebook — na verdade, o único representante de alguma importância do Vale do Silício a apoiar Trump —, foi avisado por outro bilionário e velho amigo de Donald que, em uma enxurrada de adulação, Trump lhe ofereceria sua eterna amizade. *Todo mundo diz que você é maravilhoso, eu e você vamos ter uma surpreendente relação de trabalho, o que você quiser, me ligue e concretizamos isso!* Preveniram Thiel para não levar o oferecimento de Trump muito a sério. Mas ele, que fizera um discurso de apoio a Trump na Convenção do Partido Republicano em Cleveland, contou mais tarde que, apesar de ter sido avisado, ficou absolutamente convencido da sinceridade de Trump quando este dissera que seriam amigos para sempre — só que nunca mais ouviu falar dele nem teve suas ligações atendidas. O poder tem suas próprias desculpas para os lapsos sociais. Outros aspectos do caráter de Trump eram mais problemáticos.

Quase todos os profissionais que agora se dispunham a se unir a ele esbarravam em sua aparente ignorância sobre tudo. Não havia assunto algum

— exceto, talvez, a construção civil — que ele dominasse. Tudo com ele era na base do improviso. Seja lá o que soubesse, parecia ter sido aprendido uma hora antes — e, na maioria das vezes, de forma errada. Ainda assim, cada membro da nova equipe de Trump acabava se convencendo, porque o que sabiam era que aquele homem tinha sido eleito presidente dos Estados Unidos. Então deveria ter alguma coisa, obviamente. De fato, embora todos em seu círculo social de caras ricos soubessem de sua vasta ignorância — Trump, o homem de negócios, não era capaz sequer de ler um balanço contábil, e Trump, cuja campanha se baseava em sua capacidade para os negócios, era, por sua desatenção a detalhes, um péssimo negociador —, ainda encontravam nele algo de *instintivo*. Essa era a palavra. Ele tinha uma forte personalidade. Conseguia convencer.

"Trump é uma boa pessoa, uma pessoa inteligente, uma pessoa competente?", questionou Sam Nunberg, antigo assessor político de Trump. "Não sei. Mas sei que é um astro."

Tentando explicar as virtudes de Trump e seu magnetismo, Piers Morgan — membro da imprensa britânica e desafortunado âncora da CNN que apareceu no programa *Celebrity Apprentice* e continuou sendo fiel amigo de Trump — disse que tudo estava no livro de Donald, *A arte da negociação*. Tudo o que fez dele Trump e toda a explicação de sua sagacidade, energia e carisma estavam lá. Se você quiser conhecer Trump, basta ler o livro. O detalhe é que ele não escreveu *A arte da negociação*. O coautor do livro, Tony Schwartz, afirma que Trump pouco contribuiu e nem sequer deve ter lido o livro todo. E talvez fosse essa a questão. Trump não era escritor, era um personagem: um protagonista e um herói.

Fã de luta livre profissional, patrocinador e personalidade da World Wrestling Entertainment (eternizado no Hall da Fama da WWE), Trump levava a vida real, da mesma forma que Hulk Hogan, como um personagem de ficção. Para divertimento de seus amigos e desconforto de tantos que agora se preparavam para trabalhar para ele nas mais altas esferas do governo federal, Trump falava sempre de si mesmo na terceira pessoa. Trump fez isso, os seguidores de Trump fizeram aquilo. Tanta força tem essa persona, ou esse personagem, que ele se mostrava relutante ou incapaz de abandoná-la para se tornar presidente — ou presidencial.

Por mais difícil que fosse, muitos dos que agora estão a seu redor tentavam justificar seu comportamento — procuravam encontrar uma explicação para o sucesso desse comportamento, entendê-lo como uma vantagem, não como uma limitação. Para Steve Bannon, a singular virtude de Trump era ser como um macho alfa, talvez o último dos machos alfa. Um homem da década de 1950, um integrante do grupo Rat Pack, um personagem saído de *Mad Men*.

O entendimento de Trump sobre sua própria natureza essencial era ainda mais preciso. Certa vez, voltando em seu jatinho com um amigo bilionário que trazia consigo uma modelo estrangeira, Trump, tentando interferir no romance do amigo, sugeriu uma escala em Atlantic City. Ele proporcionaria um passeio por seu cassino. O amigo garantiu à modelo que não havia nada de interessante em Atlantic City. Era uma cidade dominada pelo *white trash*.

"O que é '*white trash*'?", perguntou a modelo.

"Gente como eu", respondeu Trump, "só que pobre."

Ele buscava motivo para não se enquadrar, para não ser respeitável. Era como uma recomendação ilegal para poder ganhar — e ganhar, fosse como fosse, era o objetivo.

Ou, como observavam seus amigos, com o cuidado de não se incluírem, ele simplesmente não tinha escrúpulos. Era um rebelde, um disruptor que, vivendo à margem das regras, as desprezava. Um amigo íntimo de Trump, que também era próximo de Bill Clinton, achava os dois estranhamente parecidos — exceto pelo fato de Clinton ter uma fachada respeitável que Trump não tinha.

Uma manifestação dessa personalidade à margem das regras, tanto no caso de Trump quanto no de Clinton, era o lado mulherengo — e definitivamente assediador. Mesmo entre mulherengos e assediadores de primeira categoria, eles se mostravam excepcionalmente livres de dúvidas ou hesitação.

Trump gostava de dizer que uma das coisas que tornava a vida digna de ser vivida era levar as mulheres dos amigos para a cama. Para conquistar a mulher de um amigo, ele tentava persuadi-la de que o marido não era o que ela pensava. Para isso, mandava sua secretária chamar o amigo à sua sala e, quando este chegava, começava uma conversa que, para o amigo, era uma conversa trivial de conteúdo sexual. *Você ainda gosta de fazer sexo com sua mulher? Com que frequência? Você deve ter tido uma trepada melhor do que com sua mulher? Me conta. Tenho umas garotas chegando de Los Angeles às três. Podemos subir e passar uma tarde bem agradável. Prometo...* E a mulher do amigo estava ouvindo tudo pelo viva-voz.

A falta de escrúpulos foi uma característica de presidentes anteriores dos Estados Unidos, não apenas de Clinton. O que realmente confundia muitas pessoas que conheciam Trump muito bem era que ele tivesse conseguido ganhar a eleição e realizar essa proeza apesar de lhe faltar algo que, em um sentido óbvio, é o principal requisito para o cargo: o que os neurocientistas chamam de função executiva. Ele tinha conseguido vencer a corrida pela presidência, mas seu cérebro se mostrava incapaz de desempenhar tarefas essenciais do novo cargo. Trump não tinha a capacidade de planejar, organizar, prestar atenção e mudar de foco: nunca tinha sido capaz de ajustar seu comportamento aos objetivos do momento. Em um nível mais básico, simplesmente não conseguia relacionar causa e efeito.

A acusação de que Trump tinha se aliado com os russos para ganhar a eleição, da qual fazia pouco-caso, foi para alguns de seus amigos um exemplo perfeito de sua incapacidade de ligar os pontos. Mesmo que ele não tenha conspirado pessoalmente com os russos para fraudar a eleição, as iniciativas que tomou para cair nas graças de Vladimir Pútin, sobretudo, deixaram sem dúvida um rastro de palavras e atos alarmantes, que provavelmente cobrariam um enorme custo político.

Pouco depois da eleição, seu amigo Ailes lhe disse, em tom de urgência: "Agora você tem que tratar da Rússia". Mesmo exilado da Fox News, Ailes mantinha uma fantástica rede de informantes. Preveniu Trump sobre o material potencialmente prejudicial que poderia estourar. "Você precisa levar isso a sério, Donald."

"Jared já fez isso", disse Trump, em tom alegre. "Está tudo acertado."

A Trump Tower, ao lado da Tiffany e agora quartel-general de uma revolução populista, virou de uma hora para outra uma espécie de nave extraterrestre — a Estrela da Morte — em plena Quinta Avenida. Quando os grandes, os bons e os ambiciosos, assim como manifestantes raivosos e a massa de curiosos, começaram a chegar à porta do próximo presidente, barricadas labirínticas foram erguidas às pressas para protegê-lo.

Uma lei aprovada em 2010 previa uma verba para que os indicados à presidência dessem início ao processo de avaliação de milhares de candidatos a cargos no novo governo, sistematizassem as políticas que orientariam os primeiros atos da nova Casa Branca e se preparassem para assumir as responsabilidades burocráticas em 20 de janeiro. Durante a campanha, Chris Christie, governador de Nova Jersey e chefe formal da equipe de transição de Trump, precisou dizer ao candidato que ele não podia redirecionar essa verba, que a lei exigia que o dinheiro fosse empregado no planejamento da transição — mesmo uma que não saísse do papel. Frustrado, Trump disse que não queria mais ouvir falar a respeito.

Um dia depois da eleição, os conselheiros mais chegados — subitamente ansiosos para participar de um processo que a maioria deles desconhecia por completo — começaram imediatamente a culpar Christie pelo despreparo para a transição. Às pressas, a espinha dorsal da equipe de transição mudou-se do centro de Washington para a Trump Tower.

Essa foi, com certeza, uma das propriedades mais caras já ocupadas por uma equipe de transição (e por uma campanha presidencial). E esse era o ponto. Passava uma mensagem bem ao estilo de Trump: não somos meros intrusos, somos mais poderosos que vocês, que são íntimos. Mais ricos. Mais famosos. Nosso metro quadrado vale mais.

E, claro, isso era personalizado: o nome dele, incrivelmente, estava na porta. Em cima ficava seu triplex, muito maior que a parte residencial da Casa Branca. Aquele era seu escritório particular, que ele ocupava desde a década de 1980. E ali ficavam os andares usados pela equipe de campanha e, agora, pela de transição — totalmente em sua órbita, e não em Washington ou no "pântano".

A atitude instintiva de Trump diante de seu triunfo improvável, para não dizer absurdo, foi o oposto da humildade. De certa forma, esse triunfo foi esfregado na cara de todos. Os que já estavam dentro de Washington, ou eram candidatos a estar, teriam que ir até ele. A Trump Tower logo se destacou sobre a Casa Branca. Todos que iam ver o presidente eleito estavam reconhecendo ou aceitando um governo fora dos parâmetros. Trump os obrigava a se submeter ao que sua equipe chamava, jocosamente, de "desfile do acusado" diante da imprensa e dos curiosos. Um ato de obediência, quando não de humilhação.

O significado sobrenatural da Trump Tower contribuiu para encobrir o fato de que as fileiras ralas do círculo mais próximo de Trump, com sua responsabilidade de formar um governo da noite para o dia, não tinham quase nenhuma experiência política. Ninguém tinha formação em políticas públicas. Ninguém tinha experiência legislativa.

A política é uma atividade de redes de contato, de quem-você-conhece. Mas ao contrário de outros presidentes eleitos dos Estados Unidos — todos vítimas de suas próprias deficiências administrativas —, Trump não tinha uma carreira que se pudesse dizer política, nem contatos no governo que pudesse acionar. Mal tinha sua própria organização política. Durante a maior parte do último ano e meio de estrada, a campanha tinha sido essencialmente obra de três pessoas: de seu diretor de campanha, Corey Lewandowski (que foi obrigado a sair, um mês antes da Convenção Nacional Republicana); de sua porta-voz, guarda-costas e estagiária Hope Hicks, de 26 anos; e do próprio Trump. Disposição para o trabalho e instinto visceral — *Quanto mais gente se tem para lidar*, pensava Trump, *mais difícil é dar meia-volta no avião e chegar em casa para dormir*.

A equipe profissional — embora na verdade dificilmente houvesse nela um profissional em política — que tinha se juntado à campanha em agosto era a última cartada para evitar a humilhação inapelável. No entanto, com essas pessoas Trump tinha trabalhado apenas durante poucos meses.

Preparando para se mudar da Convenção Nacional Republicana para a Casa Branca, Reince Priebus observou com preocupação a facilidade com que Trump oferecia cargos — cuja importância mal compreendia — a pessoas que, em muitos casos, nunca tinha visto.

Ailes, veterano da Casa Branca de Nixon, Reagan e Bush pai, ficava cada vez mais preocupado com a falta de foco do presidente eleito para montar uma estrutura da Casa Branca que pudesse lhe servir e protegê-lo. Tentou transmitir a Trump uma ideia da ferocidade da oposição que o receberia.

"Você precisa de um tremendo filho da puta para chefe de gabinete. E um filho da puta que conheça Washington", explicou Ailes a Trump, não muito depois da eleição. "Você mesmo quer ser esse filho da puta, mas você não conhece Washington." Ailes deu uma sugestão: "O presidente Boehner". (John Boehner fora presidente da Câmara até ser obrigado a renunciar em decorrência de uma manobra do Tea Party em 2011.)

"Quem é esse?", perguntou Trump.

Todos os integrantes de seu círculo de bilionários, preocupados com o descaso de Trump com a experiência de outras pessoas, tentavam convencê-lo da importância das pessoas, das muitas pessoas de que precisaria na Casa Branca, pessoas que entendiam de Washington. *Sua gente é mais importante que suas políticas. Sua gente é sua política*.

"Frank Sinatra estava errado", disse David Bossie, um dos mais antigos conselheiros políticos de Trump. "O que você pode fazer em Nova York não necessariamente vai poder fazer em Washington."

A natureza das funções de um chefe de gabinete moderno é objeto de muito estudo na Casa Branca. Tanto quanto o próprio presidente, o chefe de gabinete determina como serão dirigidos a Casa Branca e o poder executivo — que emprega 4 milhões de pessoas, 1,3 milhão só nas Forças Armadas.

O ocupante do cargo tem sido equiparado a um vice-presidente, a um diretor operacional ou até mesmo a um primeiro-ministro. Entre memoráveis chefes de gabinete estão H. R. Haldeman e Alexander Haig, de Richard Nixon; Donald Rumsfeld e Dick Cheney, de Gerald Ford; Hamilton Jordan, de Jimmy Carter; James Baker, de Ronald Reagan e de George H. W. Bush; Leon Panetta, Erskine Bowles e John Podesta, de Bill Clinton; Andrew Card, de George W. Bush; e Rahm Emanuel e Bill Daley, de Barack Obama. Qualquer pessoa que analise o cargo concluirá que é melhor ter um chefe de gabinete forte, e que é melhor um chefe de gabinete com uma história em Washington e no governo federal do que um novato.

Donald Trump tinha pouca consciência, se é que tinha alguma, da história e da abrangência desse cargo. Substituiu isso por sua própria experiência e seu próprio estilo de administração. Durante décadas, havia se apoiado em antigos funcionários, amigos e parentes. Apregoava o conjunto de seus negócios como um império, que se resumia na verdade a uma discreta holding e a uma rede de hotéis-boutiques, mais atraentes pelas peculiaridades do proprietário e representante da marca do que pelos resultados financeiros ou qualquer outro parâmetro de desempenho.

Seus filhos Don Jr. e Eric — que o entourage de Trump chamava, pelas costas, de Uday e Qusay, como os filhos de Saddam Hussein — chegaram a pensar em ter duas estruturas paralelas na Casa Branca, uma dedicada às ideias mais gerais de seu pai, a suas aparições pessoais e a seu talento para a venda e outra incumbida das questões administrativas do dia a dia.

Uma das primeiras ideias de Trump foi convocar o amigo Tom Barrack — membro de seu grupo particular de conselheiros composto por magnatas da incorporação imobiliária, entre os quais Steven Roth e Richard Lefrak – e fazer dele seu chefe de gabinete.

Neto de imigrantes libaneses, Barrack é um investidor imobiliário famoso pelo tino para os negócios, fascinado por celebridades e atual dono do excêntrico paraíso construído por Michael Jackson, a Terra do Nunca. Nas décadas de 1980 e 1990, junto com Trump e Jeffrey Epstein – o financista nova-iorquino que se tornou figura carimbada dos jornais, acusado de ter relações sexuais com menores e réu confesso em um julgamento por requisitar serviços de prostituição, em 2008, o que lhe valeu uma temporada de treze meses na cadeia de Palm Beach –, formava o grupo dos mosqueteiros da vida noturna.

Fundador e CEO da Colony Capital, empresa de private equity, Barrack tornou-se bilionário investindo em empreendimentos imobiliários endividados, tendo socorrido inclusive seu amigo Donald Trump e, mais recentemente, o genro dele, Jared Kushner.

Barrack observou com humor a excêntrica campanha presidencial de Trump e intermediou as negociações que levaram Paul Manafort a substituir Corey Lewandowski, depois que este caiu em desgraça junto a Kushner. Então, atordoado como todo mundo com os sucessivos êxitos de campanha, Barrack apresentou o futuro presidente em termos pessoais e calorosos na Convenção Nacional Republicana de julho (em contraste com seu costumeiro tom sombrio e beligerante).

Era o sonho de Trump que o amigo Tom – um gênio corporativo totalmente consciente da falta de interesse de Trump no gerenciamento de questões do dia a dia – se dispusesse a comandar a Casa Branca. Seria a solução mais rápida e mais conveniente para a imprevista circunstância de se tornar presidente de uma hora para outra: valer-se de seu mentor de negócios, confidente, investidor e amigo, alguém descrito pelos conhecidos de ambos como "quem mais sabia lidar com Donald". No círculo de Trump, esse projeto era chamado de plano "*de los dos amigos*". (Epstein, que continuou ligado a Barrack, foi apagado da biografia de Trump.)

Como Barrack era uma das poucas pessoas cuja capacidade Trump, sempre do contra, não questionava, poderia, na visão esperançosa do presidente eleito, manter as coisas funcionando sem sobressaltos e deixar Trump ser Trump. Por parte de Trump, foi uma manifestação incomum de consciência das próprias limitações: Ele não precisava saber o que não sabia, mas sabia que Tom Barrack sabia. Tom controlaria o negócio e Trump venderia o produto — trazendo de volta a grandeza da nação.

Para Barrack, como para todos que estavam à volta de Trump, o resultado da eleição provocou uma situação inacreditável, parecida à de alguém que ganha na loteria — seu implausível amigo tornando-se presidente. No entanto, mesmo depois de incontáveis súplicas e bajulações telefônicas, Barrack teve enfim que decepcionar o amigo, dizendo: "Sou rico demais". Nunca conseguiria passar a limpo suas holdings e seus interesses — inclusive grandes investimentos no Oriente Médio — de forma a satisfazer os cães de guarda da ética. Trump não se preocupava com os imbróglios de seus próprios negócios, nem os negava, mas Barrack não via para si nada além de chateação e custos. Além disso, estava no quarto casamento e não tinha nenhuma vontade de ver sua conturbada vida pessoal — muitas vezes levada, ao longo dos anos, ao lado de Trump — tornar-se foco da atenção pública.

A carta na manga de Trump era o genro. Durante a campanha, depois de meses de turbulência e extravagâncias (se não para Trump, para a maior parte dos demais, inclusive sua família), Kushner tinha ascendido e se tornara seu guarda-costas de fato, sempre rondando, falando só quando era solicitado e, nesses casos, dando sempre uma opinião tranquilizadora e lisonjeira. Corey Lewandowski o chamava de mordomo. Trump se convenceu de que o genro, talvez porque demonstrasse que sabia como não atrapalhar, era singularmente sagaz.

Desafiando a lei e as normas, e sob o olhar incrédulo de todos, o presidente pretendia cercar-se de parentes na Casa Branca. Todos os Trump — exceto talvez Melania, que misteriosamente tinha ficado em Nova York — estavam chegando, prontos para assumir responsabilidades similares às correspondentes à sua posição nas Organizações Trump, sem que aparentemente ninguém se opusesse.

Até que a diva direitista Ann Coulter, apoiadora de Trump, chamou o presidente para um canto e disse: "Parece que ninguém o informou. Mas você não pode. Simplesmente não pode nomear seus filhos".

Trump continuou insistindo em seu pleno direito de contar com a ajuda de sua família, mas ao mesmo tempo procurava entender. Isso é família, disse ele:

"É um *pouquiiiiinho*, um *pouquiiiinho* enrolado". Seus colaboradores entendiam não só o conflito inerente e a dificuldade legal de ter o genro de Trump dirigindo a Casa Branca, mas também que isso, mais do que nunca, evidenciaria sua postura sobre pôr sempre "a família em primeiro lugar". Depois de muita pressão, Trump por fim cedeu em não fazer do genro seu chefe de gabinete – pelo menos não oficialmente.

Não sendo Barrack nem Kushner, Trump pensou que o cargo talvez devesse ficar com o governador de Nova Jersey, Chris Christie. Ao lado de Rudy Giuliani, Chris Christie constituía a soma total de seus amigos com experiência política.

Como muitos dos aliados de Trump, Christie ora caía em suas graças, ora em desgraça. Trump falava com ironia da distância cada vez maior que, nas semanas finais da campanha, Christie tomara de seu empreendimento derrotado, e depois, com a surpreendente vitória, de sua avidez por buscar outra vez uma aproximação.

Trump e Christie voltaram aos dias em que Trump tentava – sem sucesso – tornar-se um magnata dos cassinos em Atlantic City. O magnata do jogo em Atlantic City. (Há muito tempo, Trump fazia concorrência ao magnata dos cassinos Steve Wynn, de Las Vegas, a quem admirava e posteriormente nomearia diretor financeiro da Convenção Nacional Republicana.) Trump tinha apoiado Christie enquanto ele ascendia na política de Nova Jersey. Gostava do estilo direto de Christie e durante algum tempo, quando Christie anunciou que se candidataria a presidente em 2012 e 2013 – e Trump buscava um novo capítulo para sua vida depois de abandonar o reality show *The Apprentice* –, chegou a cogitar se não deveria se apresentar como uma opção de vice-presidente.

No começo da campanha, Trump disse que nunca concorreria com Christie, o que mudou depois do escândalo da Bridgegate (que estourou quando pessoas ligadas a Christie fecharam a pista da ponte George Washington para prejudicar o prefeito de uma cidade próxima que fazia oposição a ele, o que Trump justificou na esfera privada como "apenas o jogo duro de Nova Jersey"). Quando Christie saiu da corrida eleitoral, em fevereiro de 2016, e aderiu à campanha de Trump, foi bastante ridicularizado por apoiar o amigo que, acreditava ele, tinha lhe prometido portas abertas para a vice-presidência.

Foi penoso para Trump não poder dar a vice-presidência a Christie. Porém, se a corrente dominante do Partido Republicano não queria Trump, também não iria querer Christie. Então Christie assumiu a tarefa de liderar a transição e recebeu a promessa implícita de um cargo central no futuro — procurador-geral ou chefe de gabinete.

Só que em 2005, quando era promotor federal em Nova Jersey, Christie tinha mandado o pai de Jared, Charles Kushner, para a cadeia. Charlie Kushner, acusado pelo FBI de falsificar informações fiscais, contratou uma prostituta para chantagear um de seus genros, que pretendia testemunhar contra ele.

Inúmeras versões, muitas dadas pelo próprio Christie, apontam Jared como o capanga vingativo na frustrada carreira de Christie no governo Trump. Foi um caso perfeito de doce vingança: o filho do homem injustiçado (ou, neste caso — há poucas dúvidas —, culpado) usa seu poder contra o homem que foi injusto com sua família.

Mas outras versões apresentam um quadro mais complexo e de certa forma mais sombrio. Jared Kushner, como fazem os genros em toda parte, pisava em ovos à volta do sogro, com cuidado para não deslocar muito ar: o homem mais velho era grandalhão e dominador; o mais jovem, frágil e maleável. Na versão revista da história da morte das pretensões de Chris Christie, não é o obsequioso Jared quem contra-ataca, e sim — algo em certo sentido ainda mais satisfatório para a fantasia de vingança — o próprio Charlie Kushner, que exige sem misericórdia o que lhe é devido. Foi sua nora quem exerceu a verdadeira influência no círculo de Trump e desferiu o golpe. Ivanka disse ao pai que a indicação de Christie para a chefia de gabinete ou para qualquer outro cargo importante causaria grandes dificuldades para ela e sua família, e que seria melhor que Christie fosse totalmente afastado do círculo de Trump.

Bannon era o cara da organização. Trump, que se mostrava maravilhado com o linguajar de Bannon — uma mescla de insultos, clichês históricos, ideias midiáticas, tiradas direitistas e obviedades motivacionais —, agora começava a cogitá-lo para possível chefe de gabinete. Essa sua ideia foi totalmente ridicularizada e denunciada, mas, de qualquer forma, Trump declarou-se a favor de Bannon diante de muita gente.

Nas semanas que precederam a eleição, Trump rotulou Bannon como bajulador, em razão da certeza que ele tinha da vitória. Mas agora, uma vez eleito, começava a ver em Bannon como alguém com poderes místicos. De fato, Bannon, sem nenhuma experiência política, era o único da equipe capaz de uma visão coerente do populismo de Trump — também conhecido como trumpismo.

As forças anti-Bannon — que incluíam quase todos os que não integravam o Tea Party republicano — reagiram sem demora. Murdoch, cada vez mais crítico em relação a Bannon, disse a Trump que sua nomeação seria um perigo. Joe Scarborough, ex-congressista e um dos apresentadores do *Morning Joe*, da MSNBC, o programa favorito de Trump, segredou em uma conversa privada com Trump que "Washington pegaria fogo" se Bannon fosse chefe de gabinete, e, inaugurando uma estratégia recorrente, denegriu Bannon publicamente em seu programa.

Na verdade, Bannon apresentava problemas bem maiores do que sua política: era terrivelmente desorganizado, e quando um assunto tomava conta de sua mente estreita, descuidava de tudo o mais. Pode ter sido o pior administrador da história? Pode. Parecia incapaz de retornar uma ligação. Respondia a e-mails com uma só palavra — até certo ponto por uma paranoia que tinha em relação a e-mails, mas sobretudo para continuar enigmático e no controle. Mantinha assessores e subordinados sempre a postos. Era impossível marcar um encontro com ele, sendo preciso aparecer de repente. E de alguma forma seu braço direito, Alexandra Preate, captadora de recursos conservadora e relações-públicas, era tão desorganizada quanto ele. Depois de três casamentos, Bannon levava sua vida de solteiro em uma casa geminada em Capitol Hill conhecida como "embaixada", que servia como escritório do Breitbart — a vida de um sujeito bagunçado. Nenhuma pessoa sensata contrataria Steve Bannon para controlar o horário de partida dos trens.

Portanto, Reince Priebus.

Para o Capitólio, ele era o único chefe de gabinete aceitável entre todos os pretendentes, e logo se tornou objeto do lobby pesado feito pelo presidente da Câmara, Paul Ryan, e pelo líder da maioria no Senado, Mitch McConnell. Se teriam que lidar com um extraterrestre como Donald Trump, melhor contar com alguém de sua própria espécie.

Priebus, 45 anos, não era político, nem especialista em política, nem tampouco estrategista. Era um operário da política, uma das profissões mais antigas. Um captador de recursos.

Oriundo de uma família de trabalhadores radicada em Nova Jersey e depois no Wisconsin, fez aos 32 anos sua primeira e última tentativa de conquistar um cargo eletivo, candidatando-se sem sucesso ao Senado pelo estado do Wisconsin. Tornou-se presidente do partido no estado e mais tarde assessor jurídico da Convenção Nacional Republicana. Em 2011, chegou a líder do CNR. Ganhou credibilidade política ao apaziguar o Tea Party no Wisconsin e por sua proximidade com o governador do estado, Scott Walker, uma estrela republicana em ascensão (por pouco, pouquíssimo tempo o principal candidato para 2016).

Com parcelas importantes do Partido Republicano em inabalável oposição a Trump e uma crença quase generalizada dentro do partido de que ele sofreria uma derrota retumbante, arrastando consigo o partido, Priebus foi muito pressionado, depois da indicação de Trump, a desviar recursos da chapa e até mesmo a abandonar completamente a campanha.

Embora convencido de que Trump não tinha chance, Priebus pagou para ver. O fato de não ter abandonado totalmente o candidato talvez tenha possibilitado a vitória, e fez de Priebus uma espécie de herói (da mesma forma, em caso de derrota, na versão de Kellyanne Conway, ele teria sido massacrado). Ele se tornou a única possibilidade para chefe de gabinete.

No entanto, a entrada de Priebus para o círculo mais próximo de Trump lhe trouxe sua cota de incertezas e perplexidade. Ele saiu de sua primeira reunião demorada com Trump achando que tinha sido uma experiência desconcertante e estranha. Trump falou sem parar, repetindo-se o tempo todo.

"O negócio é o seguinte", explicou a Priebus uma pessoa estreitamente ligada a Trump, "em uma hora de reunião você vai ouvir 54 minutos de histórias, sempre as mesmas. Então você precisa ser objetivo e trazê-lo à discussão assim que puder."

A indicação de Priebus para chefe de gabinete, anunciada em meados de novembro, também elevou Bannon a um nível equivalente. Trump estava voltando à sua tendência natural de não deixar que ninguém detivesse poder real. Priebus, mesmo no cargo máximo, seria uma figura bem fraca, nos moldes habituais da maior parte dos subordinados de Trump ao longo dos anos. A escolha foi boa também para os outros aventados para o cargo. Tom Barrack podia sem dificuldade passar por cima de Priebus e continuar falando sem intermediários com Trump. A posição de Jared Kushner como genro e em breve primeiro assessor não seria tocada. E Steve Bannon, reportando-se diretamente a Trump, continuou sendo a voz indiscutível do trumpismo na Casa Branca.

Em outras palavras, haveria um chefe de gabinete nominal — o sem importância — e vários outros na prática, mais importantes que aquele, assegurando simultaneamente o caos e a independência indiscutível de Trump.

Jim Baker, chefe de gabinete de Ronald Reagan e George H. W. Bush e modelo para quase todos de como gerenciar a Ala Oeste da Casa Branca, aconselhou Priebus a não aceitar o cargo.

A metamorfose de Trump — que passou de candidato de araque a encantador de setores descontentes, a indicado risível, a presidente-eleito-no-rasgo-do-tecido-do-espaço-tempo — não lhe inspirou nenhuma inclinação à reflexão séria. Depois do susto, ele passou imediatamente a se reinventar como o presidente inevitável.

Uma instância desse revisionismo e da nova estatura que ele agora assumia como presidente envolveu o ponto mais baixo da campanha — o áudio de Billy Bush.

Sua explicação, em conversa confidencial com um simpático âncora de um canal de notícias, foi: "Na verdade, não era eu".

O âncora reconheceu que era injusto ser rotulado por um único acontecimento.

"Não", insistiu Trump, "não era eu. Gente que conhece essas coisas me disse que é fácil alterar essas coisas e gravar vozes de pessoas completamente diferentes."

Ele era o vencedor e agora esperava ser objeto de admiração, fascínio e favores. Queria que fosse binário: a mídia hostil se transformaria em sua admiradora.

E ali estava ele, o vencedor, no passado tratado com horror predatório por uma mídia que poderia agora ser levada, por uma questão de norma e protocolo, a ter que rasgar seda para o próximo presidente, fosse ele quem fosse. (A diferença de 3 milhões de votos populares em favor de Hillary continuava incomodando e era o assunto mais evitado.) Para Trump, era quase incompreensível que as mesmas pessoas — ou seja, a mídia — que o criticaram com veemência por ele dizer que poderia contestar o resultado da eleição agora o chamassem de ilegítimo.

Trump não era um político capaz de separar facções de apoio e opróbrio: era um vendedor que precisava fazer uma venda. "Ganhei. Sou o vencedor. Não fui eu quem perdeu", repetia, incrédulo, como um mantra.

Bannon comparou Trump a uma máquina simples. O botão "liga" estava cheio de adulações, o "desliga", cheio de calúnias. A adulação transbordava, servil, forjada em superlativos extremos, totalmente desligada da realidade: isso ou aquilo é o máximo, o mais incrível, o nec plus ultra, o eterno. A calúnia era raivosa, amarga, ressentida, sempre dando um chute na bunda e batendo a porta.

Essa era a natureza do peculiar talento de Trump para as vendas. Sua convicção estratégica era de que não havia razão para evitar o excesso de bajulação a um provável cliente. No entanto, se o provável cliente fosse descartado como comprador, não havia razão para lhe poupar desprezo e processos judiciais. Afinal, se ele não reage à bajulação, deve reagir aos golpes. Bannon achava — talvez com excesso de confiança — que Trump podia ser ligado e desligado com facilidade.

Contra o pano de fundo de uma mortal guerra de egos — com a mídia, os democratas e o pântano — que Bannon o incentivava a travar, Trump também podia ser adulado. De certa forma, não havia nada que ele quisesse mais do que ser adulado.

Jeff Bezos, da Amazon e dono do *Washington Post*, que se tornara um dos muitos inimigos de Trump na imprensa, deu-se ao trabalho de procurar não só o presidente eleito como também sua filha Ivanka. Durante a campanha, Trump tinha dito que Bezos não pagava os devidos impostos e que, se ele ganhasse, "Ah, eles vão ter problemas".

Agora, de repente, Trump passara a elogiar Bezos, "um gênio de alto nível". Durante um encontro na Trump Tower, Elon Musk convidou o governo de Trump a se unir a ele na corrida para Marte, e Trump topou. Stephen Schwarzman, líder do Blackstone Group — e amigo de Kushner —, prontificou-se a organizar um conselho de negócios para Trump, o que Trump aceitou. Anna Wintour, editora da *Vogue* e sumidade do ramo da moda, tinha aspirado ao cargo de embaixadora no Reino Unido no governo Obama e, como isso não aconteceu, alinhou-se com Hillary Clinton. Agora Wintour foi à Trump Tower (mas se recusou com arrogância a se submeter aos holofotes públicos) e, com notável audácia, propôs a Trump que a nomeasse *sua* embaixadora na Corte britânica. E Trump mostrou-se disposto a considerar a ideia. ("Por sorte", disse Bannon, "não houve química.")

Em 14 de dezembro, uma delegação de alto nível do Vale do Silício veio à Trump Tower para um encontro com o presidente eleito, apesar de Trump ter criticado com insistência a indústria tecnológica durante a campanha. Naquela mesma tarde, Trump ligou para Rupert Murdoch, que lhe perguntou como tinha sido a reunião. "Ah, maravilhosa, simplesmente maravilhosa", disse Trump. "Muito, muito boa. Esses caras precisam muito da minha ajuda. Obama não foi muito favorável a eles, muita regulação. Esta é uma oportunidade que tenho de ajudá-los."

"Donald, durante oito anos esses caras tiveram Obama no bolso", disse Murdoch. "Eles praticamente conduziam o governo. Eles não precisam da sua ajuda."

"Veja a questão do programa de vistos H-1B. Eles precisam desses vistos H-1B."

Murdoch lembrou que um tratamento liberal da questão dos vistos de trabalho seria difícil de conciliar com as promessas de campanha sobre imigração. Mas Trump parecia despreocupado:

"Vamos dar um jeito", garantiu.

"Que idiota de merda", disse Murdoch, dando de ombros, ao desligar.

Dez dias antes da posse de Donald Trump como o 45º presidente dos Estados Unidos, um grupo de jovens assessores de sua equipe — os homens, de terno e gravata, à moda de Trump, e as mulheres com a vestimenta preferida dele: botas de cano alto, saias curtas e cabelos à altura dos ombros — assistia ao discurso de despedida do presidente Barack Obama em um laptop do escritório de transição.

"O sr. Trump disse que nunca ouviu um discurso inteiro de Obama", disse um dos jovens, com autoridade.

"São muito chatos", sugeriu outro.

Enquanto Obama se despedia, ocorriam os preparativos para a primeira entrevista coletiva de Trump depois da eleição, que estava marcada para o dia seguinte. A ideia era fazer todos os esforços para mostrar que os conflitos de interesse do presidente eleito seriam administrados de maneira formal e responsável.

Até então, na opinião de Trump, ele tinha sido eleito *por causa* desses conflitos — sua sagacidade para os negócios, seus contatos, sua experiência e sua marca — e não apesar deles, e seria um absurdo supor que Trump pudesse se desvencilhar deles mesmo que quisesse. De fato, aos repórteres e a quem quisesse ouvir, Kellyanne Conway fazia, em nome de Trump, uma defesa cheia de autopiedade do grande sacrifício que ele já tinha feito.

Depois de atiçar as chamas de sua intenção de ignorar regras referentes a conflitos de interesse, agora, fazendo um pouco de teatro, ele assumiria uma nova abordagem, mais generosa. De pé no saguão da Trump Tower, ao lado de uma mesa com pilhas de pastas de documentos, ele falaria de seu grande esforço para fazer o impossível e que, a partir daquele momento, estaria focado exclusivamente nos interesses da nação.

Mas de repente isso se transformou em uma questão secundária. A Fusion GPS, empresa de pesquisas da oposição (fundada por ex-jornalistas, fornecia informação para clientes particulares), tinha passado para o controle do Partido Democrata. Em junho de 2016, a Fusion tinha contratado Christopher Steele, ex-espião britânico, para ajudar a investigar as frequentes bravatas de Trump sobre suas relações com Vladimir Pútin e a natureza de seus vínculos com o Kremlin. Com depoimentos de fontes russas, muitas ligadas à inteligência daquele país, Steele montou um relatório explosivo — agora apelidado de "o dossiê" — apontando que Donald Trump estaria sendo chantageado pelo governo de Pútin. Em setembro, Steele passou os dados a repórteres do *New York Times*, *Washington Post*, Yahoo! News, *New Yorker* e CNN. Todos se recusaram a usar aquela informação não confirmada, de procedência duvidosa, até porque se tratava de um candidato com poucas chances de vitória.

Porém, no dia anterior à entrevista coletiva agendada, a CNN divulgou detalhes do dossiê de Steele. Quase que de imediato, o BuzzFeed publicou a história toda — uma orgia detalhada de comportamentos inaceitáveis.

Na iminência da ascensão de Trump à presidência, a mídia, com o tom singular reservado para as questões referentes a ele, estava sugerindo a existência de uma conspiração de vastas proporções. A teoria, que de uma hora para outra passou a ser apresentada com uma aura de viabilidade, dizia que durante uma viagem a Moscou Trump teria participado de um esquema que envolvia relações sexuais com prostitutas com requintes de perversão (inclusive "chuva dourada"), e estava sendo chantageado com vídeos gravados na ocasião. A conclusão implícita: comprometido, Trump tinha conspirado com os russos para fraudar a eleição e se instalar na Casa Branca como fantoche de Pútin.

Se isso fosse verdade, os Estados Unidos estariam em um dos mais extraordinários momentos da história da democracia, das relações internacionais e do jornalismo.

Se não fosse — era difícil imaginar um meio-termo —, os fatos pareceriam confirmar a ideia de Trump (e a de Bannon) sobre a mídia, de que ela, mesmo em um momento drástico da história democrática, estava tão cega pela repugnância e pela aversão que sentia, no plano ideológico e no pessoal, pelo líder democraticamente eleito que faria qualquer coisa para derrubá-lo. Mark Hemingway, do *Weekly Standard*, conservador mas anti-Trump, destacou o novo paradoxo de ter dois adversários nada confiáveis dominando a vida pública dos Estados Unidos: o presidente eleito, que falava com pouca informação e quase sempre sem base concreta, e a mídia, "cuja atitude que decidiu adotar é concluir que tudo o que o homem fizer é necessariamente inconstitucional ou um abuso de poder".

Na tarde de 11 de janeiro, essas duas posições antagônicas se confrontaram no saguão da Trump Tower: o anticristo político, ligado a escândalos tenebrosos, mas bufão, cativo do adversário épico dos Estados Unidos, contra a pretensa mídia revolucionária de massas, arvorada de virtude, certezas e teorias conspiratórias. Cada um desses protagonistas representava, para o outro, uma versão "falsificada" e totalmente desacreditada dos fatos.

Ainda que essa caracterização lembre algo ao estilo das histórias em quadrinhos, foi exatamente assim que a entrevista coletiva se desenrolou.

Primeiro elogio de Trump a si mesmo: "Serei o maior gerador de empregos que Deus já criou...".

Uma repassada em problemas que o esperavam: "Veteranos com câncer em estágio inicial não conseguem uma consulta médica antes da fase terminal...".

Depois a incredulidade:

"Eu estava na Rússia há alguns anos com o concurso de Miss Universo... correu tudo bem, muito bem... e disse a todos que tivessem cuidado, porque você não quer se ver na televisão... há câmeras por toda parte. E não só na Rússia, em toda parte. Então alguém pode acreditar realmente naquela história? Aliás, tenho horror a bactérias. Podem acreditar."

Depois a negação:

"Não tenho acordos com a Rússia, não tenho nenhum negócio que pudesse fazer na Rússia, porque ficamos longe, não tenho empréstimos com a Rússia. Preciso dizer uma coisa. Durante o fim de semana, me ofereceram 2 bilhões de dólares para fazer um negócio em Dubai e recusei. Não precisava ter recusado, porque, como vocês sabem, não estou em situação de conflito de interesses como presidente. Eu não sabia disso até cerca de três meses atrás, mas é uma coisa boa. Mas eu não quero tirar vantagem de nada. Eu tenho uma política de não criar conflito de interesses como presidente. Eu poderia dirigir meus negócios, dirigir meus negócios e o governo ao mesmo tempo. Não me agrada o modo como isso soa, mas eu seria capaz. Poderia dirigir as Organizações Trump, uma empresa muito grande, mas não quero."

Então veio o ataque direto à CNN, sua nêmesis: "Sua emissora é terrível. Sua emissora é terrível... Silêncio... silêncio... não seja grosseiro... Não seja... Não, eu não vou lhe conceder uma pergunta... Não vou conceder pergunta nenhuma... Vocês falsificam as notícias...".

E como conclusão: "Antes de mais nada, aquela reportagem jamais deveria ter sido publicada porque não vale o papel em que foi impressa. Aquilo nunca mais deveria acontecer. Vinte e dois milhões de contas são hackeadas pela China. É por isso que estamos indefesos, porque somos governados por pessoas que não sabem o que os chineses estão fazendo. A Rússia terá muito mais respeito por nosso país quando ele for governado por mim. E não apenas a Rússia, mas a China, que ganhou absoluta vantagem sobre nós. Rússia, China, Japão, México, todos os países vão respeitar os Estados Unidos muito mais, muito mais do que com os governos passados...".

O presidente eleito não só expunha abertamente suas profundas e amargas queixas como agora deixava claro que o fato de ter sido eleito não alteraria sua crua, impulsiva e aparentemente irreprimível ladainha habitual de mágoas, ressentimentos e raiva.

"Acho que ele se saiu muito bem", disse Kellyanne Conway, depois da entrevista. "Mas a mídia não vai admitir isso. Nunca admitirá."

3. Dia um

Jared Kushner, aos 36 anos, orgulhava-se de sua habilidade no trato com homens mais velhos. Quando Donald Trump tomou posse, ele já tinha sido designado intermediário entre o sogro e a corrente dominante do partido: republicanos mais moderados, interesses corporativos, os ricos de Nova York. Para uma elite assustada, o acesso a Kushner significava ter algum controle sobre uma situação volátil.

Diversas pessoas do círculo de homens de confiança de Trump confiavam também em seu genro — e com frequência manifestavam a Kushner suas preocupações com o amigo, o presidente eleito.

"Dei bons conselhos sobre o que Donald tinha de fazer. No dia seguinte, ele procedeu assim durante três horas e, depois, saiu inapelavelmente do roteiro", queixou-se um deles ao genro de Trump. Kushner, que mantinha uma atitude de ouvir as coisas e não dar muito retorno, disse ao interlocutor que compreendia sua frustração.

Todos esses figurões tentavam transmitir uma ideia da política no mundo real, política que diziam entender em medida muito maior do que o futuro presidente. Todos estavam preocupados, achando que Trump não percebia o que iria enfrentar. Simplesmente não havia método em sua loucura.

Cada um desses interlocutores oferecia a Kushner um verdadeiro manual de instruções sobre os limites do poder presidencial — que Washington tinha sido planejada para frustrar e minar o poder presidencial tanto quanto para conciliá-lo.

"Não deixe que ele esbraveje com a imprensa, não deixe que esbraveje com o Partido Republicano nem que faça ameaças a congressistas, porque eles acabam com vocês. Mas, acima de tudo, não deixe que ele esbraveje contra os órgãos de inteligência", disse a Kushner um figurão republicano de alçada nacional. "Se vocês mexerem com os órgãos de inteligência, eles vão achar um meio de virar a coisa contra vocês. Então se preparem para dois ou três anos de investigação a respeito dos russos, cada dia com um vazamento novo."

Para o extraordinariamente sereno Kushner, foi pintado um quadro nítido sobre espiões e seu poder, sobre como órgãos de inteligência passam adiante segredos a ex-membros, a outros aliados no Congresso ou até mesmo a gente do poder executivo e da imprensa.

Agora, um dos mentores mais assíduos de Kushner era Henry Kissinger. Ele, que tinha assistido de camarote à revolta da burocracia e dos órgãos de inteligência contra Richard Nixon, destacou os danos e coisas piores que o novo governo poderia enfrentar.

"O estado profundo", conceito integrante do léxico do Breitbart News, de Bannon, e usado tanto pela esquerda quanto pela direita para designar uma rede de conspiração permanente voltada para influenciar o governo, tornou-se uma expressão usual de Trump: ele cutucava a onça do estado profundo.

Deram-se nomes aos bois: John Brennan, diretor da CIA; James Clapper, diretor nacional de inteligência; Susan Rice, conselheira de Segurança Nacional de Obama; e Ben Rhodes, imediato de Rice e um dos favoritos de Obama.

Foram traçados os argumentos de cinema: uma conspiração de asseclas dos órgãos de inteligência, de posse de todo tipo de informação prejudicial sobre a irresponsabilidade e sobre os negócios escusos de Trump, com um esquema estratégico de massacrantes, constrangedores e perturbadores vazamentos, impediria a Casa Branca de Trump de governar.

O que disseram a Kushner, reiteradamente, é que o presidente precisava se emendar. Tinha que ampliar sua rede de relacionamentos. Devia se acalmar. *Com essas forças não se podia brincar*, afirmaram eles, com seriedade máxima.

Durante toda a campanha e com veemência ainda maior depois da eleição, Trump vinha criticando os órgãos de inteligência dos Estados Unidos — CIA, FBI, Conselho de Segurança, ao todo dezessete distintos órgãos de inteligência —, chamando-os de incompetentes e mentirosos. (Essa acusação estava "no piloto automático", de acordo com um assessor.) Entre as inúmeras e variadas mensagens ambíguas conflitantes com o conservadorismo ortodoxo, aquela tinha um tempero especial. A troca de farpas de Trump com a inteligência norte-americana incluía as informações falhas sobre a questão das armas de destruição em massa que precedeu a guerra do Iraque, uma ladainha sobre os erros dos serviços de informação de Obama no Afeganistão-Iraque-Síria-Líbia e outros relacionados a guerras e, mais recentemente, mas de modo algum com menor ênfase, os vazamentos sobre suas supostas relações com os russos e seus subterfúgios.

De certa forma, as críticas de Trump coincidiam com as da esquerda em seu meio século na tentativa de mostrar os órgãos de inteligência dos Estados Unidos como bichos-papões. Mas, em uma estranha reviravolta, os liberais e os órgãos de inteligência agora estavam alinhados em seu horror a Donald Trump. Grande parte da esquerda — que rejeitara categoricamente a inequívoca qualificação de Edward Snowden como traidor de segredos nacionais pela inteligência, em vez de um delator bem-intencionado — de repente passava a aceitar a autoridade dos órgãos de inteligência quando estes aventavam assuntos escusos de Trump com os russos.

Trump estava perigosamente por fora.

Assim, Kushner achou que ele se sensibilizaria com a possibilidade de incluir uma aproximação com a CIA entre as prioridades do novo governo.

Trump não gostou da cerimônia de posse. Esperava uma grande festa.

Tom Barrack, o pretenso showman — que além da Terra do Nunca, de Michael Jackson, tinha comprado a Miramax Pictures, da Disney, em sociedade com o ator Rob Lowe —, podia ter recusado o cargo de chefe de gabinete, mas, dentro de seu envolvimento nebuloso com a Casa Branca do amigo, dispôs-se a arrecadar fundos para a posse e prometeu criar um evento que — supostamente em oposição à personalidade do novo presidente e ao desejo manifestado por Steve Bannon de uma posse sem frivolidades populistas — tivesse uma "leve sensualidade" e um "ritmo poético". Só que Trump, implorando aos amigos que usassem sua influência para dissuadir alguns astros de primeiro escalão que estavam esnobando o evento, começou a ficar zangado com a determinação dessas estrelas a constrangê-lo. Bannon, que era apaziguador tanto quanto agitador profissional, tentou se valer da natureza dialética daquilo que eles tinham conquistado (sem usar a palavra "dialética"). Como o êxito de Trump estava além de qualquer parâmetro, ou certamente além de todas as expectativas, a mídia e os liberais precisavam justificar seu próprio fracasso, explicou ele ao novo presidente.

Nas horas que antecederam a posse, parecia que toda Washington estava prendendo a respiração. Na noite da véspera do juramento, Bob Corker, senador republicano do Tennessee e presidente da Comissão de Relações Exteriores do Senado, abriu sua fala em uma reunião realizada no Jefferson Hotel com a pergunta existencial: "Onde isto vai parar?". Fez uma pausa e deu a resposta, como que extraída do fundo de um poço de estranheza: "Não faço a menor ideia".

Naquela mesma noite, um show no Lincoln Memorial, em mais uma demonstração da sempre canhestra tentativa de importar a cultura pop para Washington, terminou, na ausência de uma grande estrela, com o próprio Trump subindo ao palco como número principal, irritado com seus assessores e insistindo que era capaz de suplantar qualquer astro.

Convencido por sua equipe a não se hospedar no Trump International Hotel em Washington e arrependido dessa decisão, o presidente eleito acordou na manhã da posse reclamando das acomodações na Blair House, a casa de hóspedes oficial situada diante da Casa Branca. Muito quente, água com pouca pressão, cama ruim.

Seu humor não melhorou. Durante a manhã, brigou visivelmente com a esposa, que parecia à beira das lágrimas e se preparava para voltar a Nova York no dia seguinte. Quase todas as palavras que ele dirigiu a ela foram ásperas e autoritárias. Kellyanne Conway tinha assumido Melania Trump como uma missão pessoal de relações-públicas, anunciando a nova primeira-dama como um pilar de sustentação essencial para o presidente e uma figura complementar de pleno direito, e estava tentando convencer Trump de que Melania devia ter um papel importante na Casa Branca. No entanto, o relacionamento entre os Trump era uma das coisas sobre as quais ninguém faz muitas perguntas — outra variável misteriosa a atuar sobre o estado de ânimo do presidente.

Na reunião cerimonial entre o quase presidente e o quase ex-presidente na Casa Branca, que ocorreu pouco antes de eles saírem para a cerimônia do juramento, Trump achou que os Obama se comportaram com desdém — "muito arrogantes" — em relação a ele e a Melania. Durante os eventos da posse, em vez de uma fisionomia impassível, o presidente eleito ostentou uma expressão que algum de seus auxiliares definiu como "cara de golfe": irritado e carrancudo, ombros encolhidos, balançando os braços, sobrancelhas franzidas, lábios apertados. Esse se tornou o Trump público — o Trump truculento.

Supõe-se que uma posse seja algo agradável. A mídia tem um assunto novo e otimista para cobrir. Para os vencedores, os bons tempos estão de volta. Para o governo permanente — o pântano —, é uma oportunidade de procurar agradar e obter vantagens. Para o país, é uma coroação. Mas Bannon tinha três mensagens ou pautas que tentava reforçar com seu chefe. A primeira, seu governo seria diferente — diferente de todos desde o de Andrew Jackson (ele estava municiando o pouco letrado presidente eleito com livros e citações referentes a Jackson). A segunda, eles sabiam quais eram seus inimigos e não cairiam na armadilha de tentar transformá-los em amigos, porque não seriam. A terceira, por tudo isso, desde o primeiro dia, deviam se considerar em guerra. Embora isso falasse ao lado "revanchista" e combativo de Trump, era difícil para seu lado ansioso por aceitação. Bannon se viu administrando esses dois impulsos, enfatizando o primeiro e explicando ao chefe que ter inimigos aqui o levaria a fazer amigos em outro lugar.

Na verdade, o estado de ânimo ressentido de Trump era a combinação perfeita para o discurso de posse ressentido escrito por Bannon. Grande parte da fala de dezesseis minutos foi moldada no jargão cotidiano e belicoso de Bannon — o retorno dos Estados Unidos ao primeiro lugar, sua visão do país como uma carnificina generalizada. Mas o discurso ficou mais sombrio e poderoso filtrado pela decepção de Trump e pronunciado com sua "cara de golfe". Deliberadamente, o governo começou em tom de ameaça — uma mensagem dirigida por Bannon ao outro lado, informando que o país estava prestes a sofrer uma profunda mudança. O amor-próprio ferido de Trump — sua impressão de ter sido evitado e rejeitado no mesmo dia em que se tornava presidente — ajudou a passar a mensagem. Depois de descer da tribuna, terminado o discurso, continuou repetindo: "Ninguém vai esquecer este discurso".

George W. Bush, na tribuna, fez o comentário que se tornaria a histórica nota de rodapé ao discurso de Trump: "Que merda esquisita!".

Apesar de decepcionado com a falta de entusiasmo de Washington para recebê-lo e louvá-lo da maneira adequada, Trump era, como bom vendedor, um otimista. O vendedor, cuja característica dominante e principal trunfo é a capacidade de continuar vendendo, está sempre reconstruindo o mundo em termos positivos. O desestímulo de todos os demais ocorre porque eles não melhoraram a realidade para si mesmos.

Na manhã seguinte, Trump buscou a confirmação de que a posse tinha sido um grande sucesso. "Aquela multidão toda. Havia mais de 1 milhão de pessoas, pelo menos, certo?" Fez uma série de ligações a amigos que concordaram com ele. Kushner confirmou a multidão. Conway nada fez para dissuadi-lo. Priebus concordou. Bannon fez piada.

Um dos primeiros atos de Trump como presidente foi substituir, na Ala Oeste da Casa Branca, uma porção de fotos registradas por fotógrafos consagrados por imagens que mostravam multidões na cerimônia de sua posse.

Bannon passou a racionalizar essas distorções da realidade. As hipérboles, os voos da fantasia, as improvisações de Trump e, em geral, a liberdade de entender e recompor os fatos a seu bel-prazer resultavam de uma falta básica de malícia, dissimulação e controle de impulsos, o que ajudou a criar a imagem de imediatismo e espontaneidade que fez tanto sucesso com tanta gente durante a campanha – enquanto horrorizava tantos outros.

Para Bannon, Obama era a imagem da indiferença. "A política", dizia, com uma autoridade que desprezava o fato de que até o último mês de agosto ele nunca tinha trabalhado em política, "é um jogo muito mais imediato do que aquilo que ele sempre fazia." Para Bannon, Trump era um William Jennings Bryan dos tempos modernos. (Bannon falava tanto da falta que fazia um novo Williams Jennings Bryan na política da direita que levou seus amigos a suporem que estava falando de si mesmo.) No começo do século XX, Bryan empolgava o público das zonas rurais com sua capacidade de falar com paixão e improviso durante um tempo aparentemente ilimitado. Trump compensava – segundo a teoria de algumas pessoas próximas, entre eles Bannon – suas dificuldades para ler, escrever e se concentrar com um estilo de improvisação que obtinha, se não exatamente o mesmo efeito que William Jennings Bryan, com certeza algo muito próximo ao oposto de Obama.

Aquilo era em parte encorajador, em parte depoimento pessoal, em parte bravata de botequim, uma abordagem errática, desconjuntada, digressiva e displicente que combinava indignação televisiva, reavivamento religioso de massas, o estilo de recreadores de resorts de luxo, palestra motivacional e vlog do YouTube. Na política norte-americana, carisma passara a significar um tipo de charme, presença de espírito e estilo – serenidade. Mas outro tipo de carisma norte-americano se voltava mais para o lado da veia evangélica, um espetáculo de emoção e experiência direta.

A campanha de Trump estabeleceu sua estratégia central em torno de grandes comícios que normalmente atraíam dezenas de milhares de pessoas, fenômeno político a que os democratas não deram atenção e viram como indício do encanto limitado exercido por Trump. Para sua equipe, esse estilo, essa conexão sem mediação – seus discursos, tuítes, ligações telefônicas espontâneas para programas de rádio e televisão e, muitas vezes, para qualquer um que se dispusesse a ouvir –, era uma política reveladora, nova, pessoal e mobilizadora. Para o outro lado, era uma palhaçada que, no máximo, aspirava àquele tipo de demagogia crua e autoritária que havia muito estava desacreditada e relegada à história, fracassando invariavelmente sempre que reaparecia na política dos Estados Unidos.

Embora as vantagens desse estilo estivessem agora bem claras para a equipe de Trump, o problema era que muitas vezes – na verdade quase sempre – acarretava afirmações que nem de longe eram verdadeiras.

A teoria das duas realidades da política de Trump ficava cada vez mais evidente. Em uma, que abarcava a maioria dos partidários de Trump, a natureza dele era compreendida e aceita. Ele era o anticê-dê-efe. O inverso do especialista. O instinto. O homem comum. Ele era jazz (alguns diziam rap), todos os demais, uma comportada música popular. Na outra realidade, em que se encontrava a maioria de seus antagonistas, suas características eram falhas graves, quando não mentais e criminosas. A mídia fazia parte dessa segunda realidade e, com sua convicção de uma presidência ilegítima e bastarda, acreditava que podia diminuir e ferir (e acabar com) Trump, destituindo-o de toda credibilidade e mostrando incansavelmente o quanto ele estava errado.

Ao adotar uma moral "chocada, chocada", a mídia não conseguiu perceber que o assunto não se encerrava, em absoluto, só por Trump estar factualmente errado. Como era possível que isso não o envergonhasse profundamente? Como era possível que sua equipe o defendesse? Os fatos falavam por si! Desafiá-los, ou ignorá-los, ou subvertê-los, faz de alguém um mentiroso – determinado a enganar, prestando falso testemunho. (Houve uma controvérsia jornalística de menores proporções sobre chamar essas inverdades de inexatidões ou mentiras.)

Na opinião de Bannon: (1) Trump nunca ia mudar; (2) tentar mudá-lo com certeza afetaria seu estilo; (3) isso não importava para os seguidores de Trump; (4) a mídia não gostaria dele de qualquer maneira; (5) era melhor estar contra a mídia do que tentar agradar a mídia; (6) a pretensão da mídia, de ser a defensora da verdade e da imparcialidade dos fatos, era em si uma falsidade; (7) a revolução de Trump era um ataque às suposições e aos conhecimentos convencionais, portanto, seria melhor adotar o comportamento de Trump do que tentar impedi-lo ou remediá-lo.

O problema era que, por mais que ele nunca fosse se ater a um roteiro ("a cabeça dele simplesmente não funciona assim" era uma das racionalizações internas), Trump ansiava pela aprovação da mídia. Porém, como Bannon destacava, ele nunca corrigiria os fatos, nem nunca reconheceria que tinha entendido mal, logo, nunca conseguiria essa aprovação, o que significava que, no melhor dos casos, ele teria que ser agressivamente defendido da desaprovação da mídia.

Porém, quanto mais sua defesa vociferava — na maioria das vezes defendendo afirmações que qualquer um poderia facilmente provar que estavam erradas —, mais a mídia redobrava os ataques e as censuras. Pior ainda, Trump estava sendo censurado também por seus amigos. E não eram apenas ligações de amigos preocupados com ele, mas membros de sua equipe pedindo a pessoas que ligassem para ele e lhe recomendassem calma.

"Quem é que você tem aí?", perguntou Joe Scarborough, em uma ligação frenética. "Em quem você confia? Em Jared? Quem pode conversar com você sobre qualquer coisa antes que você decida agir?"

"Bem", respondeu o presidente, "você não vai gostar da resposta, mas a resposta é: eu. Eu. Eu converso comigo."

Assim, nas 24 horas que se seguiram à cerimônia de posse, o presidente tinha inventado 1 milhão de pessoas ou mais que nunca existiram. Mandou seu novo assessor de imprensa, Sean Spicer — cujo mantra pessoal em breve seria "Você não pode inventar essa merda" —, defendê-lo em um momento midiático que transformou Spicer, que estava mais para político profissional à moda antiga, em piada nacional, situação da qual ele parecia destinado a nunca se recuperar. Além disso, o presidente o culpou por não fazer o milhão de fantasmas parecerem reais.

Foi a primeira ocorrência presidencial de uma situação que a equipe de campanha aprendeu a reconhecer ao longo dos meses: no nível mais elementar, Trump simplesmente não dava a mínima, como mais tarde diria Spicer. Você pode dizer o que quiser, mas ele sabe o que sabe, e se o que você diz se contrapõe ao que ele sabe, ele simplesmente não acredita em você.

No dia seguinte, Kellyanne Conway, cuja postura agressiva de campanha se transformava cada vez mais em petulância e autocomiseração, afirmou o direito do novo presidente de recorrer a "fatos alternativos". Conway bem poderia ter dito "informações alternativas", o que pelo menos implicaria a possibilidade de haver dados complementares. Contudo, o modo como foi dito soou como se o novo governo reclamasse para si o direito de reformular a realidade. Direito que, em certo sentido, ele tinha. No entanto, na opinião de Conway, era a mídia que estava reformulando a realidade, fazendo em um copo d'água (um exagero honesto e sem importância, ainda que de vastas proporções) tempestade (portanto, em "fake news").

De qualquer forma, a pergunta recorrente sobre se Trump continuaria com seus tuítes sem supervisão e muitas vezes inexplicáveis agora que era oficialmente presidente dos Estados Unidos — pergunta formulada com tanta insistência tanto na Casa Branca quanto fora dela — foi respondida: continuaria.

Essa era a inovação fundamental na governança: surtos periódicos e descontrolados de raiva e melancolia.

A tarefa oficial imediata do presidente, no entanto, era fazer as pazes com a CIA.

No sábado, 21 de janeiro, em evento organizado por Kushner, Trump, em seu primeiro ato presidencial, visitou a sede da CIA em Langley para, na esperançosa interpretação de Bannon, "fazer um pouco de política". Em comentários cuidadosamente preparados para o discurso, ele derramaria um tanto de sua famosa bajulação em cima da CIA e do resto do universo da inteligência norte-americana, inchado e propenso a vazamentos.

Sem tirar o sobretudo escuro, que lhe conferia o aspecto de um gângster grandalhão, passando pelo muro de estrelas em memória aos agentes mortos em missão, diante de aproximadamente trezentos funcionários da agência e de um grupo de funcionários da Casa Branca, de repente, com espírito de animada autoconfiança e prazer por ter uma plateia cativa, o novo presidente, abandonando o texto, lançou-se ao que se pode afirmar, com certeza, que foi um dos discursos mais sem pé nem cabeça já feitos por um presidente dos Estados Unidos.

"Sei bastante sobre West Point, sou uma pessoa que acredita com convicção na academia. Sempre digo que tive um tio que foi grande professor do MIT durante 35 anos, que teve uma carreira acadêmica fantástica... ele era um gênio acadêmico... e então perguntam: Donald Trump é um intelectual? Acreditem, sou uma pessoa inteligente."

Foi tudo o que ele disse à guisa de elogio ao novo diretor da CIA, Mike Pompeo, ainda não confirmado, que frequentou West Point e fora trazido por Trump para ficar na plateia — e que agora estava tão boquiaberto quanto qualquer outra pessoa.

"Vocês sabem, quando fui jovem. Claro que me sinto jovem... me sinto como se tivesse trinta... 35... 39... Alguém perguntou, você é jovem? Eu respondi, me acho jovem. Eu estava fazendo paradas nos últimos meses da campanha, quatro paradas, cinco paradas, sete paradas... discursos, discursos diante de 25, 30 mil pessoas... 15 mil, 19 mil. Eu me sinto jovem... acho que somos todos jovens. Quando eu era jovem, este país estava sempre ganhando coisas. Ganhávamos no comércio, ganhávamos guerras... em certa idade, me lembro de ter ouvido de um de meus professores que os Estados Unidos nunca tinham perdido uma guerra. E agora parece que não ganhamos nada. Vocês conhecem a velha expressão 'ao vencedor, os despojos'? Vocês se lembram de que eu sempre digo, fiquem com o petróleo."

"*Quem* deveria ficar com o petróleo?", perguntou um funcionário da CIA, perplexo, debruçando-se sobre um colega no fundo da sala.

"Eu não era fã do Iraque, não queria ir para o Iraque. Mas vou dizer uma coisa para vocês: depois que estávamos dentro, erramos ao sair, e além disso eu sempre disse que ficassem com o petróleo. Agora digo isso por razões econômicas, mas se você pensar sobre isso, Mike", diante de todo o auditório, ele se dirigiu ao futuro diretor da CIA, "se tivéssemos ficado com o petróleo não teríamos o Estado Islâmico, porque é de lá principalmente que eles tiram dinheiro, é por isso que tínhamos que ter ficado com o petróleo. Mas tudo bem... talvez vocês tenham outra chance... mas o fato é que devíamos ter ficado com o petróleo."

O presidente fez uma pausa e sorriu, com evidente satisfação.

"A razão para que esta seja minha primeira visita é que, como vocês sabem, venho travando uma guerra com a mídia. Eles estão entre os seres humanos mais desonestos da Terra e fazem com que pareça que tenho uma rixa com os órgãos de inteligência. Só quero que vocês saibam que o motivo desta minha visita número um é exatamente o oposto, exatamente, e eles entendem isso. Eu estava falando de números. Realizamos algo importante ontem no discurso, realizamos, sim. Todos gostaram do discurso? Vocês tinham que gostar. Mas tínhamos uma grande quantidade de gente. Dava para ver. Estava lotado. Eu me levantei hoje de manhã, liguei em um dos canais e eles mostravam um espaço vazio, e eu disse, espere um momento, eu fiz o discurso. E vi muito bem, o espaço parecia ter 1 milhão, 1,5 milhão de pessoas. Eles mostraram um espaço onde não havia quase ninguém. E disseram que Donald Trump não atrai gente, e eu disse que estava quase chovendo, a chuva devia tê-los afugentado, mas Deus olhou para baixo e disse: não vamos permitir que chova em seu discurso... e realmente, quando comecei, eu disse, ah, não! Na primeira linha senti algumas gotas, e disse, ah, isso é péssimo, mas vamos enfrentar, a verdade é que parou imediatamente..."

"Não, não parou", disse inadvertidamente uma das assessoras que tinha ido com ele, mas logo se conteve e, com o semblante preocupado, olhou em volta para ver se alguém a tinha ouvido.

"... e então o dia ficou bem ensolarado, e assim que fui embora começou a chuviscar. Choveu, mas realizamos uma coisa surpreendente porque... honestamente, parecia 1 milhão, 1,5 milhão de pessoas, seja lá quantas fossem, mas chegavam até o Monumento a Washington, e, por engano, coloco nesse canal que mostrava um espaço vazio e dizia que tínhamos reunido 250 mil pessoas. Não que seja ruim, mas é uma mentira... E ontem aconteceu outra coisa interessante. Na Sala Oval há um belo busto do dr. Martin Luther King, e acontece também que gosto de Churchill... de Winston Churchill... acho que a maioria das pessoas gosta de Churchill, ele não era de nosso país mas teve muito a ver conosco, nos ajudou, um aliado de verdade, e como vocês sabem o busto de Churchill foi levado embora... Então um repórter da revista *Time* e eu saímos na capa catorze ou quinze vezes. Acho que bati o recorde de todos os tempos na história da revista. Quando Tom Brady sai na capa é uma só vez, porque ele ganhou o Super Bowl ou algo assim. Estive quinze vezes este ano.

Eu acho, Mike, que é um recorde que nunca será quebrado, concorda com isso?... O que você acha?"

"Não", disse Pompeo, com a voz alterada.

"Mas vou dizer que o que eles disseram era muito interessante... que 'Donald Trump retirou o busto, a estátua do dr. Martin Luther King', e ela estava bem ali, havia um cinegrafista na frente dela. Então Zeke... Zeke... da revista *Time*... escreve uma matéria contando que eu tirei a estátua de lá. Eu nunca faria isso. Tenho muito respeito pelo dr. Martin Luther King. Mas a mídia é desonesta a esse ponto. Agora uma grande matéria, mas a retratação é isto", ele levantou um dedo. "É uma linha, ou eles nem se incomodam em publicá-la. Só que gosto de dizer que amo a honestidade, gosto de reportagens honestas. E vou dizer a vocês, de uma vez por todas, mas vou dizer: quando deixarem entrar os milhares de pessoas que tentaram entrar, porque vou voltar, devemos conseguir para vocês um salão maior, devemos conseguir para vocês um salão maior, talvez, *talvez*, ele seja construído por alguém que saiba construir e não vamos ter colunas. Entendem isso? Nos livramos das colunas, mas vocês sabem que eu só queria dizer que amo vocês, respeito vocês, não há ninguém que eu respeite mais. Vocês fazem um excelente trabalho, e vamos começar a ganhar de novo, e vocês estarão à frente da tarefa, portanto muito, muito obrigado."

Em uma mostra ininterrupta do efeito Rashomon provocado por Trump — seus discursos suscitando hilaridade ou horror —, testemunhas descreveriam a recepção na CIA como um turbilhão de emoções à moda dos Beatles ou como um choque tão generalizado que, durante alguns segundos depois que Trump concluiu a fala, provocou um silêncio ensurdecedor.

4. Bannon

Steve Bannon foi o primeiro dos principais assessores a entrar na Casa Branca depois da posse de Trump. Durante o desfile, ele apanhou a recém-indicada vice-chefe de gabinete, Katie Walsh, vice de Reince Priebus na Convenção Nacional Republicana, e juntos inspecionaram a Ala Oeste agora desocupada. O carpete tinha sido lavado, mas tirando isso pouca coisa mudara. Era um labirinto de salas minúsculas que precisavam de pintura e não costumavam ser faxinadas com rigor, decoradas como uma espécie de secretaria de universidade pública. Bannon reivindicou para si o escritório que ficava em frente ao conjunto do chefe de gabinete e, imediatamente, solicitou os quadros brancos em que pretendia mapear os primeiros cem dias do governo Trump. Sem perder tempo, começou a tirar os móveis da sala. O objetivo era não deixar espaço para que alguém se sentasse. Não haveria reuniões, pelo menos não aquelas em que as pessoas pudessem se sentir confortáveis. Discussão limitada. Debate limitado. Era uma guerra. Aquela era uma sala de guerra.

Em pouco tempo, muitos dos que tinham trabalhado com Bannon na campanha e durante a transição notaram uma mudança. Tendo atingido um objetivo, ele já demonstrava se dedicar a outro. Homem intenso, estava de repente em um patamar ainda mais elevado de foco e determinação.

"O que está acontecendo com Steve?", Kushner começou a perguntar. E depois: "Tem alguma coisa errada com Steve?". Até que, por fim: "Não entendo. Éramos tão próximos!".

No transcorrer da primeira semana, parecia que Bannon tinha deixado de lado a camaradagem da Trump Tower — inclusive a disposição de conversar demoradamente a qualquer hora — e se tornado muito mais distante, para não dizer inatingível. Estava "focado nos seus negócios". Ele estava simplesmente fazendo as coisas acontecerem. Mas muitas pessoas achavam que fazer as coisas tinha mais a ver com conspirar contra elas. E, sem dúvida, uma das características principais de Steve Bannon era ser conspirador.

Bater antes de apanhar. Antecipar os movimentos. Para Bannon, era preciso antever as ações e se concentrar em uma série de objetivos. O primeiro tinha sido a vitória de Donald Trump, e o segundo, o preenchimento de cargos no governo. Agora era captar o espírito da Casa Branca de Trump, e percebeu o que os demais ainda não tinham percebido: seria uma concorrência mortal.

Nos primeiros dias da transição, Bannon tinha sugerido aos membros da equipe de Trump que lessem o livro *The Best and the Brightest* [Os melhores e os mais inteligentes], de David Halberstam. Um dos poucos que aparentemente tinha aceitado a sugestão foi Jared Kushner. "Foi uma experiência muito enriquecedora ler esse livro. Esclarece o mundo, os personagens são surpreendentes, e é tudo verdade", dizia Bannon, entusiasmado. Essa era sua marca registrada — ele se assegurou de exibir o livro a muitos dos repórteres liberais que estava cortejando. Mas estava também tentando levantar uma questão, e bem importante, considerando a natureza desleixada do protocolo de nomeação da equipe de transição: ter cuidado ao nomear.

Publicado em 1972, o livro de Halberstam é uma empreitada digna de Tolstói e tenta explicar como grandes personagens do mundo acadêmico, intelectual e militar que serviram durante os governos Kennedy e Johnson entenderam mal a natureza da Guerra do Vietnã e erraram na maneira de conduzi-la. *The Best and the Brightest* é uma fábula com a moral da história sobre o establishment na década de 1960 — o precursor do establishment que Trump e Bannon agora desafiavam com tanta agressividade.

No entanto, o livro servia também como guia reverente do establishment. Para a geração da década de 1970 de futuros especialistas em política, líderes mundiais e jornalistas da Ivy League, ansiosos por carreiras grandiosas — mesmo sendo a geração de Bannon, ele estava muito distante desse círculo de elite autosselecionado —, *The Best and the Brightest* era um manual sobre as características do poder norte-americano e os caminhos que levavam a ele. Trata-se não só das escolas certas e das carreiras certas, como também de atitudes, conceitos, sensibilidade e linguagem mais propícios para abrir caminho na estrutura de poder dos Estados Unidos. Muita gente viu o livro mais como um conjunto de prescrições sobre como chegar lá do que, como a obra pretendia, como uma compilação do que não se deve fazer quando se chega lá. *The Best and the Brightest* descreve as pessoas que deveriam estar no poder. O universitário Barack Obama foi influenciado pelo livro, assim como Bill Clinton, quando era bolsista Rhodes e fazia pós-graduação em Oxford.

O livro de Halberstam define o aspecto e o sentimento do poder da Casa Branca. Sua linguagem retumbante, impositiva e muitas vezes bombástica deu o tom do jornalismo oficial da presidência durante o meio século seguinte. Mesmo ocupantes escandalosos ou malsucedidos da Casa Branca foram tratados como figuras singulares que ascenderam depois de dominar um processo político darwiniano. Bob Woodward, que ajudou a derrubar Nixon — e tornou-se uma figura inigualável na produção de mitologia presidencial —, escreveu uma série de livros em que mesmo os mais disparatados atos presidenciais pareciam um desfile memorável de máxima responsabilidade e decisões de vida ou morte. Só o mais insensível dos leitores não sonharia em participar pessoalmente desse extraordinário cortejo.

Steve Bannon era um desses sonhadores.

Porém, se Halberstam definiu o perfil presidencial norte-americano, Trump o desafiou — e o profanou. Nem um único atributo o situaria com credibilidade no reverenciado círculo do caráter e do poder presidencial. E foi exatamente isso que, em uma curiosa inversão da premissa do livro, criou a oportunidade para Steve Bannon.

Quanto menos provável é um candidato a presidente, mais improváveis e quase sempre inexperientes serão seus auxiliares, ou seja, um candidato improvável só atrai auxiliares improváveis, ao passo que os auxiliares prováveis ficam com os candidatos mais prováveis. Quando um candidato improvável ganha — e quando desconhecidos se tornam cada vez mais as celebridades do momento, mais provável passa a ser a vitória de um candidato improvável —, pessoas cada vez mais peculiares ocupam a Casa Branca. É claro que tanto no caso do livro de Halberstam quanto no da campanha de Trump os protagonistas mais prováveis cometeram erros graves. Logo, na versão de Trump, protagonistas improváveis fora do establishment representam a verdadeira genialidade.

Ainda assim, poucos foram mais improváveis que Steve Bannon.

Aos 63 anos, ele teve seu primeiro cargo formal em política ao entrar para a campanha de Trump. A função de estrategista-chefe — seu título no novo governo — foi o primeiro cargo não só no governo federal como no setor público. ("*Estrategista?!*", debochou Roger Stone, que havia ocupado essa função na equipe de Trump antes de Bannon.) Além do próprio Trump, Bannon foi com certeza o novato mais velho que já trabalhou na Casa Branca.

Foi uma carreira de altos e baixos que o levou até lá.

Começou os estudos em uma escola católica em Richmond, Virgínia. Foi para uma faculdade local, a Virginia Tech. Ficou sete anos na Marinha, como tenente embarcado, e depois foi para o Pentágono. Enquanto estava na ativa, obteve o título de mestre na Escola de Relações Exteriores da Universidade de Georgetown. Mas então desistiu da carreira naval. Fez um MBA na Escola de Administração de Harvard e passou quatro anos como gerente de investimentos no grupo Goldman Sachs — nos dois últimos anos, focado na indústria cultural em Los Angeles —, mas nunca passou de um funcionário de nível médio.

Em 1990, aos 37 anos, Bannon tornou-se empreendedor itinerante com sua Bannon & Co., uma consultoria financeira do ramo do entretenimento. Era uma espécie de empresa de fachada de um vigarista, que abria uma empresa em um ramo com um pequeno núcleo bem-sucedido e círculos concêntricos que partiam dele, com tentativas que no começo pareciam que dariam certo, mas logo cambaleavam e fracassavam. A Bannon & Co. rodopiou, caiu e fracassou, mas antes chegou a levantar algum dinheiro para projetos de filmes independentes — nenhum de sucesso.

O próprio Bannon parecia um personagem saído das telas de cinema. Álcool. Casamentos fracassados. Sem muito dinheiro, em um ramo em que o sucesso se mede pela quantidade de dinheiro que se tem. Sempre criando "esquemas". Sempre se frustrando.

Para um homem que se passava por predestinado, ele quase não se fazia notar. Jon Corzine, que foi presidente do Goldman Sachs e mais tarde se elegeu senador e governador de Nova Jersey, galgava cargos no Goldman na época em que Bannon estava lá, mas não sabia quem ele era. Quando Bannon foi designado diretor de campanha de Trump e se tornou uma sensação imediata para a imprensa — assim como um ponto de interrogação —, suas credenciais de uma hora para outra passaram a incluir uma confusa história sobre a compra de cotas de participação no megassucesso *Seinfeld* pela Bannon & Co., de onde teria colhido lucros residuais durante vinte anos. Mas nenhum dos diretores, criadores ou produtores da série tinha ouvido falar dele.

Mike Murphy, consultor de mídia dos republicanos, que liderou o Comitê de Ação Política de Jeb Bush e se tornou uma destacada figura anti-Trump no movimento, lembrava-se vagamente de Bannon ter procurado os serviços de relações públicas de sua empresa, mais ou menos uma década antes, para falar de um filme que ele estava produzindo. "Fui informado de que ele estava na reunião, mas sinceramente não consigo me lembrar do rosto dele."

A revista *New Yorker*, tratando do enigma Bannon — que basicamente poderia ser resumido assim: como foi que alguém que de repente está entre as pessoas mais poderosas do governo passou quase totalmente despercebido pela mídia? —, tentou seguir seu rastro em Hollywood, mas não conseguiu encontrar nada. O *Washington Post* rastreou seus inúmeros endereços, sem chegar a nenhuma conclusão clara, salvo um indício de infração eleitoral menor.

Em meados da década de 1990, Bannon conseguiu um papel de destaque no Biosfera 2. Generosamente financiado por Edward Bass, um dos herdeiros da família Bass, do ramo do petróleo, esse projeto sobre vida sustentável no espaço foi considerado pela *Time* uma das cem piores ideias do século — uma maluquice de endinheirados. Bannon, que então precisava buscar oportunidades em situações problemáticas, embarcou no projeto já em colapso só para provocar mais divisão e litígio, inclusive acusações de assédio e vandalismo.

Depois do desastre do Biosfera 2, ele trabalhou na busca de financiamento para um projeto de moeda virtual (MMORPGs, ou MMOs) chamado Internet Gaming Entertainment (IGE). Era uma empresa sucessora da Digital Entertainment Network (DEN), um fracasso do mundo pontocom, cujos donos — entre eles o ex-astro infantil Brock Pierce (*Nós somos os campeões*), que posteriormente se tornou fundador do IGE — foram processados por acusações de abuso sexual de menores. Pierce foi afastado do IGE, Bannon ficou como CEO, e a empresa foi por fim engolida por intermináveis processos.

Situações problemáticas são oportunidades de negócios. Mas algumas situações problemáticas são melhores do que outras. As que se apresentaram a Bannon envolviam gerenciamento de conflitos, corrupção e relativa desesperança — tratava-se basicamente de administrar e sugar todo o dinheiro que ainda restava, um meio de vida à margem do das pessoas comuns. Bannon continuava em busca do negócio de sua vida, mas nunca encontrou a sua oportunidade de ouro.

Situações problemáticas são também o tipo de aposta que atrai aqueles que são "do contra". E o impulso de ser "do contra" — parcelas iguais de insatisfação pessoal, ressentimento e instinto de jogador — começou a alimentar Bannon com uma força cada vez maior. Em parte, a raiz de seu impulso "do contra" vinha da família irlandesa católica, das escolas católicas, de três casamentos infelizes e de divórcios complicados (os jornalistas fariam muitas de suas acusações com base nos autos de seu segundo divórcio).

Não muito tempo atrás, Bannon poderia ter sido uma figura moderna reconhecida, uma espécie de anti-herói romântico, um ex-militar oriundo da classe trabalhadora, lutando por sua realização pessoal ao longo de diversos casamentos e muitos empregos, mas nunca muito à vontade no mundo do establishment, querendo ser parte dele e, ao mesmo tempo, querendo acabar com ele — um personagem de Richard Ford, de John Updike ou de Harry Crews. A história de um norte-americano. Mas agora essas histórias tinham cruzado uma linha política. A história de um norte-americano é uma história de direita. Bannon procurou modelos em lutadores da política como Lee Atwater, Roger Ailes, Karl Rove. Todos eles eram típicos heróis norte-americanos lutando com propriedade e modernidade, buscando meios de violar as sensibilidades liberais.

A outra questão é que Bannon, embora inteligente e carismático, por mais que exaltasse sua própria virtude de ser um "homem de confiança", não era necessariamente um sujeito legal. Décadas de ambiciosas tentativas empresariais sem êxito não aplacam o vício de um jogador. Um concorrente do ramo da mídia conservadora, embora reconhecendo a inteligência e a ambição das ideias de Bannon, observou também que "ele é medíocre, desonesto e incapaz de se importar com os outros. Seus olhos estão sempre procurando em volta, em busca de uma arma para golpear ou ferir".

A mídia conservadora combinava com seu lado raivoso, "do contra" e católico, e também apresentava poucas barreiras para o ingresso — ao contrário da mídia liberal, que com suas hierarquias empresariais oferecia muito mais dificuldades. Além disso, a mídia conservadora é um nicho de mercado muito mais lucrativo, com livros (que com frequência dominam as listas de best-sellers), vídeos e outros produtos distribuídos pelas vias da venda direta, o que permite evitar canais de distribuição mais dispendiosos.

No começo dos anos 2000, Bannon tornou-se distribuidor de livros e publicações conservadores. Seu sócio no empreendimento era o panfletário de extrema direita David Bossie (membro da comissão do Congresso encarregada de investigar o caso Whitewater, na era Clinton), que posteriormente se juntou ao amigo como vice-diretor da campanha de Trump. Bannon conheceu o fundador do Breitbart News, Andrew Breitbart, durante a projeção de um dos documentários que fez em parceria com Bossie: *In the Face of Evil* ("Diante do mal", anunciado como "a cruzada de Ronald Reagan para destruir os sistemas políticos mais tirânicos e corruptos que o mundo já conheceu"). Breitbart acabou apresentando a Bannon o homem que lhe ofereceria a grande oportunidade: Robert Mercer.

Bannon não era uma pessoa disciplinada nem tinha espírito empreendedor, era apenas um homem que corria atrás de dinheiro — ou tentava se dar bem em cima de um trouxa. Não poderia ter se saído melhor do que com Bob e Rebekah Mercer, que haviam se tornado quase trouxas profissionais. Bannon focou seus talentos empresariais em se tornar um cortesão, um Svengali, e um conselheiro de investimento político para pai e filha.

A missão deles era quixotesca, e eles sabiam disso. Dedicariam grandes somas — ainda assim, uma pequena parcela dos muitos bilhões de Bob Mercer — à tentativa de construir nos Estados Unidos um movimento político radical de livre mercado, Estado mínimo, ensino doméstico, antiliberal, padrão-ouro, favorável à pena de morte, antimuçulmano, pró-cristão, monetarista, contrário aos direitos civis.

Excelente em matemática financeira e capaz de criar algoritmos de investimentos, Bob Mercer tornou-se um dos CEOs de um bem-sucedido fundo de hedge, o Renaissance Technologies. Ao lado da filha Rebekah, Mercer instituiu o que funciona na prática como um Tea Party privado, bancando qualquer projeto do Tea Party ou da chamada direita alternativa que caísse em suas graças. Pai e filha vão bem longe no quesito esquisitice. Bob Mercer é quase monossilábico, encara as pessoas com um olhar sem vida, sem falar e sem esboçar nenhuma reação. Tinha em seu iate um piano Steinway de meia cauda e, depois de convidar amigos a bordo, passava o tempo todo tocando, completamente alheio a tudo. Seu credo político, até onde se podia discernir, era de modo geral semelhante ao de Bush, e suas discussões políticas, até onde alguém conseguisse fazê-lo falar, versavam sobre questões de base eleitoral e infraestrutura de dados. Era Rebekah Mercer — que tinha laços com Bannon e cuja política era implacável, inflexível e doutrinária — quem era a definição perfeita da família. "Rebekah é louca... louquinha... louca de pedra... Não dá para conversar com ela sobre ideologia", disse um dos principais membros da equipe da Casa Branca de Trump.

Com a morte de Andrew Breitbart em 2012, Bannon, que detinha a representação do investimento dos Mercer no Breitbart, assumiu a empresa. Ele usou sua experiência com jogos utilizando o Gamergate — um movimento da direita alternativa, que usa sites como 4chan, Twitter e Reddit para cometer assédio on-line com mulheres que trabalham no ramo dos games —, a fim de conquistar grande quantidade de visualizações com a viralização de memes políticos. (Certa noite, na Casa Branca, depois do expediente, Bannon diria que sabia exatamente o que fazer para construir um Breitbart para a esquerda. E teria uma vantagem crucial, porque "gente de esquerda quer ganhar Pulitzers, eu quero *ser* o Pulitzer!".)

Trabalhando e morando na casa alugada pelo Breitbart em Capitol Hill, Bannon tornou-se uma das vozes do crescente grupo de notáveis do Tea Party em Washington, o *consigliere* dos Mercer. Ainda assim, seu grande projeto era a carreira de Jeff Sessions — "Beauregard", primeiro sobrenome de Sessions, como Bannon afetuosamente o chamava, em uma evocação ao general confederado —, o que dava uma dimensão visível de sua marginalidade. Jeff Sessions estava entre as pessoas menos convencionais e mais peculiares do Senado, e Bannon tentou emplacá-lo para concorrer à presidência em 2012.

Donald Trump era um passo à frente — e no começo da corrida presidencial de 2016 tornou-se o emblema do Breitbart. (Muitas das posições manifestadas por Trump na campanha foram retiradas de artigos do Breitbart, impressos especialmente para ele.) De fato, Bannon começou a insinuar que ele, tal como Ailes tinha sido para a Fox, era a verdadeira força por trás do candidato escolhido.

Bannon não questionava muito a boa-fé, o comportamento ou a elegibilidade de Donald Trump, em parte porque Trump era apenas seu ricaço mais recente. O ricaço é um fato óbvio, é preciso aceitá-lo e lidar com ele em um mundo corporativo – pelo menos em um nível inferior do mundo empresarial. Aliás, se Trump fosse um homem de mais boa-fé, melhor comportamento e uma elegibilidade clara, Bannon não teria tido sua grande chance.

No entanto, por mais que Bannon fosse em boa medida marginal, invisível, um alpinista político de menor importância – algo como um personagem de Elmore Leonard –, ele de repente sofreu uma transformação na Trump Tower, onde entrou em 15 de agosto e de onde, para todos os fins práticos, não saiu mais, salvo durante algumas horas à noite (e nem todas as noites). A Trump Tower virou sua moradia provisória em Manhattan até 17 de janeiro, quando a equipe de transição se mudou para Washington. Ninguém na Trump Tower disputava o posto de cérebro da operação. Entre as figuras dominantes da transição, nem Kushner, nem Priebus, nem Conway – nem tampouco, com certeza, o presidente eleito – tinha a capacidade de expressar qualquer tipo de percepção ou de narrativa coerente. Por exclusão, todos precisaram levar em consideração a figura volúvel de Bannon, aforista, caótica, engenhosa e informal, que, além de estar sempre presente, tinha lido um ou dois livros.

Efetivamente, foi ele quem, durante a campanha, tornou-se capaz de canalizar a operação Trump, sem citar sua desordem filosófica, para uma única perspectiva política: o caminho da vitória passava por uma mensagem econômica e cultural à classe trabalhadora branca da Flórida, de Ohio, de Michigan e da Pensilvânia.

Bannon colecionou inimigos. Poucos atraíram sua ira e seu rancor em relação ao mundo republicano convencional como Rupert Murdoch – principalmente porque Trump dava ouvidos a Murdoch. Esse era um dos elementos essenciais da maneira como Bannon entendia Trump: a última pessoa que falasse com Trump acabava tendo enorme influência. Trump se gabava de que Murdoch vivia ligando para ele, ao passo que Murdoch reclamava que não conseguia tirar Trump do telefone.

"Ele não sabe nada de política dos Estados Unidos, não tem nenhuma ideia do que é o povo norte-americano", disse Bannon a Trump, sempre ansioso para destacar que Murdoch não era norte-americano. Mas Trump não se cansava de Murdoch. Com sua paixão pelos "vencedores" — e ele via Murdoch como o maior dos vencedores —, Trump de repente passou a falar mal do amigo Ailes, um "perdedor".

No entanto, em certo aspecto, a mensagem de Murdoch foi útil a Bannon. Tendo conhecido todos os presidentes desde Harry Truman — como Murdoch não perdia a oportunidade de mencionar — e, de acordo com sua própria estimativa, mais chefes de Estado do que qualquer pessoa no mundo, Murdoch acreditava entender melhor do que os mais jovens, e mesmo do que o septuagenário Trump, que o poder político era fugaz. (Foi essa na verdade a mesma mensagem que ele passou a Barack Obama.) Um presidente tem apenas seis meses, no máximo, para causar impacto público e pôr em prática sua agenda, e só com sorte teria esses seis meses. Depois disso, era apagar incêndios e lutar com a oposição.

Essa foi a mensagem de cuja urgência o próprio Bannon tentou convencer o sempre distraído Trump. De fato, em suas primeiras semanas na Casa Branca, o desatento Trump estava sempre tentando reduzir seu cronograma de reuniões, limitar suas horas de expediente e manter seus hábitos de golfista.

Na visão estratégica de Bannon, governar era causar choque e admiração. Dominar em vez de negociar. Tendo sonhado em abrir caminho dentro do poder burocrático máximo, ele não queria se ver como burocrata. Tinha propósitos mais elevados e princípios morais. Era um vingador. Era também, acreditava, um sujeito honesto. Havia princípios morais no fato de alinhar palavra e ação — se você diz que vai fazer alguma coisa, tem que fazer.

Em sua cabeça, Bannon tinha um conjunto de ações decisivas que não somente marcariam os dias iniciais do novo governo como deixariam claro que nada mais seria como antes. Aos 63 anos, ele tinha pressa.

Bannon pesquisou a fundo a natureza das ordens executivas. Não se pode governar por ordem executiva nos Estados Unidos... só que não. A ironia da história é que foi o governo Obama, com um Congresso republicano implacável, que precisou tirar da manga a ordem executiva. Agora, em uma situação meio parecida a um jogo de soma zero, as ordens de Trump anulariam as de Obama.

Durante a transição, Bannon e Stephen Miller, antigo assistente de Sessions que aderira à campanha de Trump e tinha se tornado assistente e pesquisador de Bannon, reuniram uma lista de mais de duzentas ordens executivas a serem promulgadas nos cem primeiros dias de governo.

O primeiro passo do governo Trump tinha que ser a imigração, na opinião convicta de Bannon. Os estrangeiros tinham sido a fixação do trumpismo. Uma questão sempre desdenhada como própria de mentalidades de mão única — Jeff Sessions era um de seus expoentes mais rabugentos — era a crença arraigada de Trump de que uma porção de gente estava de saco cheio com os estrangeiros. Antes de Trump, Bannon estava fechado com Sessions sobre a questão. A campanha tornou-se uma oportunidade inesperada de ver se o nativismo tinha mesmo força. E quando eles ganharam, Bannon percebeu que não poderia haver hesitação em declarar sua alma e seus sentimentos etnocêntricos.

Além disso, era uma questão que deixava os liberais furiosos.

As leis de imigração, cumpridas sem nenhum rigor, estavam no centro da nova filosofia liberal, o que, para Bannon, expunha sua hipocrisia. Para os liberais, a diversidade era um bem fundamental, ao passo que Bannon achava que qualquer pessoa razoável que não estivesse ofuscada pelas luzes liberais estava vendo as ondas de imigrantes com milhares de problemas — bastava olhar para a Europa. E esses eram problemas que dificultavam a vida não de liberais mimados, e sim de cidadãos menos protegidos e situados no outro lado do espectro econômico.

Teria sido a partir de um entendimento político instintivo ou particular de um idiota-prodígio que Trump adotou essa questão como própria, repetindo com frequência: *Já não existem mais norte-americanos*? Em algumas de suas primeiras manifestações públicas, antes mesmo da eleição de Obama em 2008, Trump falava com assombro e ressentimento sobre as cotas estritas da imigração de europeus nos Estados Unidos e o dilúvio proveniente da "Ásia e de outros lugares". (Esse dilúvio, como os liberais em breve constatariam, era ainda um fluxo modesto.) Sua obsessão pela certidão de nascimento de Obama servia em parte para atingir estrangeiros não europeus — uma espécie de caçada racial. *Quem eram essas pessoas? Por que estavam aqui?*

Na campanha, ele costumava exibir um gráfico de impacto: um mapa dos Estados Unidos que mostrava as tendências imigratórias dominantes em cada estado há cinquenta anos, com a presença de um grande número de países, muitos deles europeus. Hoje, o mapa equivalente mostrava que em todos os estados do país dominava a imigração mexicana. Esta era a realidade do trabalhador dos Estados Unidos, na opinião de Bannon: a presença cada vez maior de uma força de trabalho alternativa e mais barata.

Toda a carreira política de Bannon, se é que se pode chamá-la assim, transcorreu na mídia política. E não apenas isso: na mídia on-line, ou seja, que tinha uma reação imediata. A fórmula do Breitbart consistia em intimidar de tal modo os liberais que a base ficasse satisfeita em dobro, gerando cliques numa saraivada de nojo e prazer. Você se definia pela reação do inimigo. O conflito era a isca da mídia — mais cedo ou mais tarde se ganhava um companheiro político. A nova política não era a arte da conciliação, mas a arte do conflito.

O objetivo real consistia em expor a hipocrisia da ideologia liberal. De alguma forma, apesar das leis, das regras e dos costumes, os globalistas liberais tinham imposto o mito de uma imigração mais ou menos aberta. Era uma dupla hipocrisia liberal, porque na surdina o governo Obama tinha sido bem agressivo na deportação de estrangeiros ilegais — mas não diga isso aos liberais.

"As pessoas querem seu país de volta", dizia Bannon. "Simples assim."

Bannon quis usar a sua ordem executiva para remover os conceitos liberais em um processo já nada liberal. Em vez de tentar cumprir seus objetivos com o mínimo de aborrecimento — não mexer no ninho de vespas liberal —, ele o procurava ao máximo.

Por que você faria isso? Essa era a pergunta lógica de qualquer pessoa que julgasse que evitar conflitos fosse a maior função do governo, o que incluía a maioria das pessoas do próprio governo. Os novos indicados para os órgãos e departamentos afetados, entre eles o do Departamento de Segurança Interna — o general John Kelly, então diretor do departamento, acabou ficando muito aborrecido com a confusão causada pela ordem executiva relacionada à imigração —, queriam apenas um momento de estabilidade antes de considerar novas medidas polêmicas. Antigos servidores indicados por Obama — que ainda ocupavam a maior parte dos cargos no poder executivo — acharam incompreensível que o novo governo abandonasse procedimentos que existiam havia muito tempo para reinstituí-los em termos incendiários e ad hominem, de tal modo que os liberais precisariam lhes fazer oposição.

A missão de Bannon era furar a bolha onde os liberais viviam, e que, em sua opinião, ficava absolutamente clara na recusa em ver as consequências financeiras da imigração descontrolada. Bannon queria forçar os liberais a reconhecer que esses governos, incluindo o de Obama, já estavam comprometidos com a política de diminuir a imigração — dificultada pela recusa liberal em reconhecer essas medidas.

A ordem executiva seria redigida de modo a expressar sem remorsos o ponto de vista impiedoso do governo (ou de Bannon). O problema era que Bannon não sabia efetivamente como fazer isso — mudar regras e leis. Essa limitação, ele entendia, poderia facilmente ser usada para frustrar o governo de Trump. O processo era inimigo deles. Mas fazer e pronto — que se dane como —, e fazê-lo imediatamente, poderia ser uma poderosa ação neutralizadora.

Simplesmente fazer tornou-se um princípio de Bannon, o antídoto generalizado para a resistência e para o tédio da burocracia do establishment. Foi o caos desse tipo de atitude que realmente levou as coisas a serem feitas. Só que — mesmo que você achasse que não saber fazer as coisas não faz tanta diferença se você simplesmente fosse lá e fizesse — ainda não estava claro quem faria o que precisava ser feito. Ou, com efeito, como ninguém no governo Trump parecia saber como fazer nada, não ficava claro o que cada um fazia.

Sean Spicer, cuja tarefa consistia literalmente em explicar o que as pessoas faziam e por que o faziam, muitas vezes simplesmente não conseguia — *porque ninguém tinha uma tarefa de verdade, já que ninguém era capaz de cumprir uma tarefa.*

Priebus, como chefe de gabinete, tinha que organizar reuniões, estabelecer cronogramas e contratar pessoal, e também supervisionar as funções específicas dos departamentos do poder executivo. Mas Bannon, Kushner, Conway e a filha do presidente, na verdade, não tinham cargos determinados — podiam ir inventando enquanto agiam. Fazer qualquer coisa que queriam. Poderiam tomar ações imediatas, se quisessem — mesmo que não soubessem o que exatamente queriam fazer.

Bannon, por exemplo, sempre norteado pelo imperativo "fazer e pronto", não usava computador. *Como ele conseguiria fazer alguma coisa?*, perguntava-se Katie Walsh. Mas essa era a diferença entre grandes e pequenas visões. O processo era uma bobagem. A expertise era a última saída dos liberais, sempre derrotados pelo quadro geral. Querer fazer grandes coisas era como as grandes coisas aconteciam. "Não se preocupe com ninharias" era uma boa definição do ponto de vista de Donald Trump e de Steve Bannon. "O caos era a estratégia de Steve", dizia Walsh.

Bannon incumbiu Stephen Miller da redação da ordem executiva sobre imigração. Miller, com 32 anos mas com a cabeça de um homem de 55, tinha sido assessor de Jeff Sessions e fora trazido para a campanha de Trump por conta de sua experiência política. Só que, além de ser um devotado conservador de extrema direita, ninguém sabia que habilidades específicas acompanhavam as ideias políticas de Miller. Supunha-se que fosse um bom redator de discursos, mas parecia restrito a enumerar itens, sendo incapaz de construir sentenças. Supunha-se que fosse um conselheiro político, mas ele pouco sabia de políticas públicas. Supunha-se que fosse um intelectual, mas quase não lia. Supunha-se que fosse especialista em comunicação, mas se indispunha com quase todo mundo. Bannon, durante a transição, mandou Miller consultar a internet para aprender o que era uma ordem executiva e tentar redigi-la.

Quando chegou à Casa Branca, Bannon já tinha uma porção de coisas redigidas a toque de caixa: sua ordem executiva sobre imigração, assim como uma exclusão genérica da maior parte dos muçulmanos dos Estados Unidos, que com muita má vontade tinha sido atenuada, em parte por instruções de Priebus, para algo que seria visto como apenas severo.

Dentro do espírito de não perder tempo, com uma ignorância quase total de como fazer isso ou aquilo, seguiram-se o cálculo desvairado do número de pessoas na posse e o excêntrico discurso a respeito da CIA, e, sem que quase ninguém do governo federal soubesse da sua existência, uma ordem executiva que alterava completamente a política de imigração dos Estados Unidos. Passando por cima de advogados, de reguladores, das repartições e dos funcionários responsáveis, o presidente Trump — com a voz grave e intensa de Bannon às suas costas lhe passando um monte de informações complexas — assinava o que colocavam diante dele.

Na sexta-feira, 27 de janeiro, a proibição de entrada estava assinada e imediatamente em vigência, o que resultou em uma avalanche de horror e indignação da mídia liberal, no terror nas comunidades de imigrantes, em protestos turbulentos em grandes aeroportos, em confusão dentro do governo, e na Casa Branca, em uma inundação de palestras, advertências e críticas de amigos e parentes. O *que foi que você fez? Você sabe o que está fazendo? Você precisa desfazer isso! Você vai estar acabado antes de começar! Quem foi o responsável?*

Mas Steve Bannon estava satisfeito. Ele não poderia ter esperado traçar uma linha melhor entre os dois Estados Unidos — o de Trump e o dos liberais — e entre sua Casa Branca e a Casa Branca daqueles que ainda não estavam preparados para virá-la do avesso.

Por que fizemos isso numa sexta-feira, quando atingiria com mais força os aeroportos e atrairia maior número de descontentes? Era isso o que quase todos da Casa Branca queriam saber.

"Hã... sim, foi justamente por isso...", disse Bannon. "Foi para os exaltadinhos irem criar tumulto nos aeroportos." Era a maneira de esmagar os liberais: enfurecê-los e empurrá-los para o lado.

5. Jarvanka

No domingo seguinte à promulgação da ordem executiva, Joe Scarborough e sua companheira de bancada no programa *Morning Joe*, da MSNBC, Mika Brzezinski, foram almoçar na Casa Branca.

Scarborough é um ex-congressista republicano de Pensacola, Flórida, e Brzezinski é filha de Zbigniew Brzezinski, assessor de alto escalão na Casa Branca de Johnson e conselheiro de Segurança Nacional de Jimmy Carter. *Morning Joe* está no ar desde 2007 e tem seguidores entre grupos políticos e da mídia de Nova York. Trump era um fã de longa data.

No começo da campanha em 2016, com uma mudança na direção da NBC News, pensou-se que o programa, que perdia audiência, poderia ser cancelado. Mas Scarborough e Brzezinski assumiram seu relacionamento com Trump, e o programa se tornou um dos poucos órgãos da mídia não só com uma visão positiva do candidato, mas que parecia conhecer seu pensamento. Trump tornou-se convidado frequente do programa, que passou a ser um meio de contato mais ou menos direto com o candidato.

Era o tipo de relação com a mídia que Trump sempre quis: gente que o levava a sério, falava sempre sobre ele, pedia suas opiniões, contava fofocas dos outros e divulgava as fofocas que ele contava. O resultado seria fazer deles todos "gente de dentro", que era exatamente aonde Trump queria chegar. Embora ele se rotulasse como um estranho no ninho, na verdade o fato de se sentir de fora o magoava.

Trump acreditava que a mídia, que ele impulsionava (no caso de Scarborough e Brzezinski, ajudando a manter seus empregos), lhe devia alguma coisa, ao passo que a mídia, dando a Trump vasta cobertura gratuita, acreditava que era ele o devedor, com Scarborough e Brzezinski fazendo as vezes de conselheiros semioficiais, se não cabos eleitorais que o tinham levado ao cargo. Em agosto, eles tiveram uma desavença pública, e Trump tuitou: "Um dia, quando as coisas se acalmarem, vou contar a vocês a verdadeira história de @JoeNBC e de sua namorada de longa data, a insegura @morningmika. Dois palhaços!". Porém, como quase sempre os despropósitos de Trump terminavam na conformação tácita — ainda que relutante — de vantagem para ambas as partes, em pouco tempo eles voltaram a ficar de bem.

Quando Joe Scarborough e Mika Brzezinski chegaram à Casa Branca, no nono dia da nova presidência, Trump os conduziu com orgulho à Sala Oval, e por um momento ficou sem graça quando Brzezinski disse que tinha estado ali muitas vezes, com o pai, desde os nove anos de idade. Trump mostrou a eles alguns objetos da decoração da Sala e, ansioso, o novo retrato de Andrew Jackson — o presidente que Steve Bannon tinha transformado em figura emblemática do novo governo.

"E, então, como vocês acham que foi a primeira semana?", perguntou Trump ao casal, efusivamente, esperando adulação.

Confuso com a jovialidade de Trump, apesar dos protestos que explodiam no país inteiro, Scarborough relutou um pouco e disse: "Bem, adorei o que você fez com a U. S. Steel e que tenha recebido os caras do sindicato na Sala Oval". Trump tinha se comprometido a usar aço produzido nos Estados Unidos como matéria-prima dos dutos norte-americanos e, em um gesto bem típico de sua personalidade, reuniu-se na Casa Branca com representantes dos sindicatos da construção civil e de metalúrgicos e os convidou a retornar à Sala Oval — algo que, Trump repetia, Obama nunca tinha feito.

Mas Trump insistiu na pergunta, e Scarborough ficou com a impressão de que ninguém dissera a ele que a semana na verdade fora péssima. Bannon e Priebus, que entravam e saíam da sala, devem ter convencido Trump de que a semana tinha sido um sucesso, pensou Joe Scarborough.

Joe então se atreveu a opinar que a ordem executiva sobre imigração devia ter recebido melhor tratamento e que, de modo geral, a semana tinha lhe parecido difícil.

Trump, surpreso, engatou um longo monólogo sobre como as coisas tinham se saído bem, dizendo a Bannon e Priebus, com uma explosão de riso, "Joe acha que não foi uma boa semana". E voltando-se para Scarborough: "Eu poderia ter convidado Hannity!".

Na hora do almoço – peixe, que Brzezinski não comia – Jared e Ivanka se uniram ao presidente, a Scarborough e a Brzezinski. Jared tinha se tornado confidente de Scarborough e continuaria lhe oferecendo um olhar de dentro da Casa Branca – ou seja, entregaria as informações para ele. Por sua vez, Scarborough se tornaria defensor das ideias de Kushner na Casa Branca. Mas, por enquanto, genro e filha estavam submissos e deferentes enquanto Scarborough e Brzezinski conversavam com o presidente, e o presidente – estourando seu tempo no ar, como sempre – continuava falando sem parar.

Trump prosseguiu emitindo opiniões positivas sobre sua primeira semana, e Scarborough mais uma vez elogiou o tratamento que o presidente dispensara aos líderes sindicais dos metalúrgicos. A certa altura, Jared fez um aparte para dizer que a abertura das portas para os sindicatos, eleitorado tradicionalmente democrata, tinha sido obra de Bannon, que aquele era "o jeito Bannon".

"Bannon?!", repetiu o presidente, saltando para cima do genro. "Não foi ideia do Bannon. Foi minha. É o jeito Trump, não o jeito Bannon."

Kushner se encolheu e saiu da conversa.

Mudando de assunto, Trump perguntou a Scarborough e Brzezinski: "E vocês dois? O que está acontecendo?". Era uma referência à relação secreta mas nem tanto dos dois apresentadores.

Scarborough e Brzezinski disseram que ainda era complicado e não tinham assumido oficialmente, mas estavam bem e iam resolver tudo.

"Vocês deviam se casar", provocou Trump.

"Posso casar vocês! Sou ministro unitarista da internet", irrompeu Kushner, um judeu ortodoxo.

"O quê?!", bradou o presidente. "Do que você está falando? Por que eles iriam querer ser casados por *você* se *eu*, que sou o presidente, posso casá-los? Em Mar-a-Lago!"

Quase todos aconselharam Jared a não ocupar um cargo no governo. Como membro da família, ele teria extraordinária influência em uma posição em que ninguém poderia questioná-lo. Já como membro da equipe, não só poderia ter sua experiência questionada, como também, ainda que não expondo o próprio presidente, estaria em uma posição vulnerável a inimigos e críticos, por compor a equipe sendo membro da família. Além disso, na Ala Oeste da Casa Branca de Trump, se você tiver um posto — que não seja o de genro —, vai ter gente querendo roubá-lo de você.

Ivanka recebeu esse mesmo conselho — dado também pelo irmão de Jared, Josh, movido pela intenção de proteger o irmão e por antipatia a Trump —, mas, depois de analisar risco e retorno, decidiram ignorá-lo. O próprio Trump incentivou a filha e o genro em suas novas ambições, e com entusiasmo crescente tentava aparentar ceticismo — enquanto dizia aos outros que não estava conseguindo impedi-los.

Para Jared e Ivanka, como para qualquer outro membro do novo governo, na verdade, inclusive o presidente, aquela era uma reviravolta da história tão disparatada e tão aleatória que seria impossível não aproveitar essa oportunidade. Foi uma decisão conjunta do casal e, em certo sentido, um trabalho conjunto. Jared e Ivanka tinham um acordo: se no futuro surgisse uma chance, seria ela a candidata à presidência (ou a primeira a tentar). A primeira mulher a ocupar a presidência dos Estados Unidos, pensava Ivanka, não seria Hillary Clinton. Seria Ivanka Trump.

Bannon, que cunhara o termo "Jarvanka" (Jared + Ivanka), agora cada vez mais em uso, ficou horrorizado quando o combinado dos dois chegou a seus ouvidos. "Eles não disseram isso, não é? Ah, parem com isso! Não, francamente... Eles não podem ter dito isso. Por favor, me digam que não disseram. Meu Deus."

E a verdade é que pelo menos naquele momento Ivanka tinha mais experiência do que qualquer pessoa que estava trabalhando na Casa Branca. Ela e Jared, ou Jared, mas por interferência dela, eram os verdadeiros chefes de gabinete — ou com certeza muito mais chefes de gabinete do que Priebus ou Bannon, que se reportavam diretamente ao presidente. Ou, para dizer mais do ponto de vista organizacional, Jared e Ivanka tinham uma posição completamente independente na Ala Oeste. Um superstatus. Mesmo que com muito tato Priebus e Bannon tentassem lembrar ao casal os procedimentos e as condutas esperados da equipe, Jared e Ivanka por sua vez lembravam aos líderes da Ala Oeste suas prerrogativas dominantes como membros da Primeira Família. Além disso, o presidente transferira imediatamente a Jared os assuntos referentes ao Oriente Médio, fazendo do genro um dos mais importantes personagens de seu governo — e do mundo — em política internacional. Nas primeiras semanas, essa incumbência estendeu-se a praticamente todos os demais assuntos internacionais, para os quais nada na formação de Kushner o credenciava.

Para Kushner, a razão mais coerente para entrar para a Casa Branca era a "influência", que ele entendia como proximidade. Além do status de integrante do círculo familiar, qualquer pessoa que estivesse perto do presidente tinha influência: quanto maior a proximidade, maior a influência. O próprio Trump podia ser visto como uma espécie de oráculo de Delfos, sentado e emitindo pronunciamentos que deviam ser interpretados. Ou como uma criança hiperativa, que faria de quem conseguisse apaziguá-la ou distraí-la o seu favorito. Ou como o Deus Sol (que era de fato como ele mesmo se via), distribuindo favores e delegando poder, que a qualquer momento podia ser retomado. O bônus era que esse Deus Sol tinha pouca previsibilidade. Sua epifania era momentânea, por isso havia necessidade de estar com ele em todos os momentos. Bannon, por exemplo, jantava com Trump todas as noites, ou pelo menos se fazia presente — um solteirão sempre disponível para, na prática, outro solteirão. (Priebus diria que no começo todo mundo queria participar desses jantares, mas em poucos meses aquilo se tornara uma tortura que todos procuravam evitar.)

Até certo ponto, a convicção de Jared e Ivanka quanto ao maior nível de poder e de influência exercido a partir de um cargo formal na Ala Oeste vinha da consciência de que, para influenciar Trump, era preciso dedicação integral. Entre uma ligação e outra — o dia de Trump, além das reuniões programadas, se compunha praticamente só de ligações telefônicas —, era possível perdê-lo. Havia uma infinidade de sutilezas porque, embora ele sempre fosse mais influenciado pela última pessoa com quem tinha falado, na verdade não dava ouvidos a ninguém. Assim, o que mais o conquistava não era tanto o poder de uma argumentação ou um pedido, mas a simples presença de alguém, a conexão entre o que estava passando por sua cabeça — e embora Trump fosse tão obsessivo, grande parte do que se passava em sua cabeça não era fixa — e a outra pessoa (fosse lá quem fosse) e suas opiniões.

No fim das contas, em seu solipsismo essencial, Trump talvez não fosse tão diferente de qualquer pessoa muito rica que tenha passado a maior parte da vida em um ambiente muito protegido. Mas havia pelo menos uma diferença, e clara: ele praticamente não tinha nenhuma disciplina social formal — nem sequer pretendia aparentar decoro. Não conseguia conversar, pelo menos não no sentido de dividir informações ou de trocar ideias. Não ouvia direito o que estavam dizendo nem analisava direito o que diria em resposta (razão por que era tão repetitivo). Não tratava ninguém com o mínimo de cortesia. Quando queria alguma coisa, podia ter foco e concentração; por outro lado, se alguém quisesse alguma coisa dele, ficava irritado e logo perdia o interesse. Primeiro exigia que prestassem atenção no que dizia, depois achava que o interlocutor era fraco e subserviente. Em certo sentido, ele era como um ator puramente intuitivo, mimado e famoso. Todos os demais ou eram lacaios que obedeciam a suas ordens ou grandes diretores de cinema tentando persuadi-lo a prestar atenção e representar — sem suscitar fúria ou petulância.

Por outro lado, ele era entusiasmado, rápido, espontâneo e — se por um instante se distanciasse do foco permanente em si mesmo — tinha uma sensibilidade aguçada para perceber a fraqueza de seus oponentes e seus mais profundos desejos. A política era prejudicada pelos excessos, por pessoas que sabiam demais e que haviam sido derrotadas antes mesmo de enfrentarem todas as complexidades e interesses conflitantes. Os trumpistas tentavam se convencer de que, como Trump sabia pouco, traria uma nova e excêntrica esperança ao sistema.

Em pouco tempo — menos de um ano —, Jared Kushner afastou-se da ideologia democrata em que fora criado para ser seguidor do trumpismo, surpreendendo muitos amigos e também seu irmão, cuja empresa de seguros, a Oscar, financiada com dinheiro da família Kushner, estava destinada a quebrar se o Obamacare fosse revogado.

Em parte, essa aparente conversão foi resultado de um insistente e carismático monitoramento feito por Bannon — uma espécie de compromisso na vida real com ideias que tinham escapado a Kushner até mesmo em Harvard. O processo foi impulsionado por seus ressentimentos em relação às elites liberais que ele tinha tentado cortejar com a compra do *New York Observer*, um tiro que saiu pela culatra. E também, depois que ele aderiu à campanha, pela convicção de que tudo fazia sentido quando perto do absurdo — o trumpismo era uma espécie de política real sem sentimentalismos que seria mostrada a todos no fim. Mas, acima de tudo, porque eles tinham ganhado. E ele estava decidido a admitir que a cavalo dado não se olham os dentes. Acabou se convencendo de que poderia ajudar a consertar tudo o que havia de ruim no trumpismo.

Por mais que isso pudesse surpreendê-lo — durante muitos anos, Kushner dedicou-se mais a comprazer Trump do que a aceitá-lo —, ele era na verdade bem parecido com o sogro. O pai de Jared, Charlie, tinha uma assustadora semelhança com o pai de Donald, Fred. Os dois usaram seu dinheiro e seu poder para dominar e subjugar os filhos, e de forma tão absoluta que os filhos, apesar das exigências paternas, eram devotados a eles. Nas duas situações, o caso era extremo: homens belicosos, inflexíveis, duros e amorais criaram uma prole que era levada a buscar a aprovação paterna. (O irmão mais velho de Trump, Freddy, tendo falhado nessa tentativa e, de acordo com muitos relatos, sendo gay, bebeu até a morte, em 1981, aos 43 anos.) Em reuniões de negócios, os presentes se surpreendiam ao ver que Charlie e Jared Kushner invariavelmente se cumprimentavam com um beijo, e que Jared, já adulto, chamava o pai de paizinho.

Apesar dos pais dominadores, nem Donald nem Jared se tornaram pessoas humildes. A insegurança era compensada com privilégios. Os dois de fora da cidade, ansiosos para se pôr à prova ou reivindicar Manhattan (Kushner é de Nova Jersey, Trump, do Queens), eram vistos sempre como presunçosos, autossuficientes e arrogantes. Ambos cultivavam certa pose, mais engraçada do que cortês. Nem por escolha nem por consciência, procuravam dissimular essa situação privilegiada. "Algumas pessoas, conscientes de que são muito privilegiadas, procuram deixar isso de lado. Já Kushner não só enfatizava seu privilégio em cada gesto e em cada palavra como parecia não ter consciência dele", comentou um executivo da mídia em Nova York que negociou com Kushner. Nenhum dos dois nunca saía desse círculo de privilégios, e o maior desafio a que se propuseram foi penetrar ainda mais fundo nele. Ascensão social era o trabalho deles.

O foco de Jared estava sempre em homens mais velhos. Rupert Murdoch passava um tempo enorme com ele, que pedia conselho ao velho magnata da mídia sobre sua área — para a qual Jared estava determinado a entrar. Kushner cortejava Ronald Perelman, bilionário financista com talento para aquisição de empresas, que mais tarde passaria a receber Jared e Ivanka em sua sinagoga particular nas festas judaicas. E, é claro, Kushner tentava seduzir o próprio Trump, que ficou fã do jovem e foi atipicamente tolerante com a conversão da filha ao judaísmo ortodoxo para que pudessem se casar. De maneira semelhante, em sua juventude, Trump tinha cultivado carinhosamente um grupo de mentores mais velhos, incluindo Roy Cohn, o extravagante advogado e lobista que tinha sido o braço direito do senador Joe McCarthy, o caçador de comunistas.

E também havia o fato indigesto de que o mundo de Manhattan e em particular sua voz, a mídia, pareciam rejeitá-los com crueldade. Havia muito a mídia tratava Donald Trump como um arrivista sem importância, e passou a ignorá-lo depois que ele cometeu o maior dos pecados, pelo menos o maior em termos midiáticos: tentar cair demais nas graças da imprensa. Sua fama, como tal, era na verdade má fama: ele era famoso por não ser famoso. Era uma fama de araque.

Para entender a afronta da mídia e seus múltiplos níveis de ironia, não há nada melhor que o *New York Observer*, o semanário de mídia e sociedade de Manhattan que Kushner comprou em 2006 por 10 milhões de dólares — segundo quase todos os cálculos, 10 milhões acima de seu valor.

Quando foi lançado, em 1987, o *New York Observer* era uma ilusão para homem rico, como acontece com muitos órgãos de imprensa fracassados. Consistia em uma insípida crônica semanal do Upper East Side, o bairro mais rico de Nova York. Sua ideia era tratar o bairro como uma pequena cidade, mas não foi isso o que aconteceu. Frustrado, seu fundador, Arthur Carter, que fez fortuna na primeira geração de consolidações na Wall Street, foi apresentado a Graydon Carter (não há nenhum parentesco com Jimmy Carter), que tinha criado a revista *Spy*, uma imitação nova-iorquina da publicação satírica britânica *Private Eye*. A *Spy* integrava um grupo de publicações dos anos 1980 — a *Manhattan, inc.*, a *Vanity Fair*, agora relançada, e a *New York* — obcecadas pelos novos-ricos e pelo que parecia ser um momento de transformação em Nova York. Trump era ao mesmo tempo símbolo e alvo dessa nova era de excessos, celebridades e louvação dessas coisas por parte da mídia. Graydon Carter tornou-se editor do *New York Observer* em 1991 e não só mudou o foco do semanário para a cultura dos muito endinheirados como basicamente tornou a publicação um almanaque de dicas para a mídia que escrevia sobre a cultura da mídia e para membros da cultura dos endinheirados que queriam estar na mídia. É possível que nunca tenha havido um veículo tão voltado para si mesmo e tão autorreferente quanto o *New York Observer*.

Como muitos outros de sua mesma categoria de novos-ricos, Donald Trump queria estar na mídia — o *New York Post*, de Murdoch, era o mais efetivo divulgador dessa nova aristocracia ávida por publicidade —, e o *New York Observer* cobria o cerco que a mídia fazia em torno de Trump. A história de Trump era a história de como ele tentava fazer de si mesmo uma história. Era descarado, maneirista e didático: se você se dispusesse a correr o risco de sofrer humilhação, o mundo poderia ser seu. Trump tornou-se sinônimo objetivo do apetite crescente por fama e notoriedade. Ele chegou a acreditar que sabia tudo sobre a mídia — quem era preciso conhecer, que fachada devia manter, que informações eram vantajosas para serem negociadas, que mentiras deviam ser contadas, que mentiras a mídia esperava que fossem contadas. E a mídia chegou a crer que sabia tudo sobre Trump — suas vaidades, seus delírios, suas mentiras e até que ponto inexplorado ele poderia se curvar para ter ainda mais atenção da mídia.

Graydon Carter logo começou a usar o *New York Observer* como escada para a *Vanity Fair* — onde ele supunha que teria acesso a um nível mais alto de celebridade do que Donald Trump. Em 1994, ele foi sucedido no *Observer* por Peter Kaplan, um editor com sentido apurado para a ironia e o tédio pós-modernos.

Trump, nas palavras de Kaplan, de repente assumiu uma nova persona. Embora antes fosse símbolo do sucesso e ridicularizado por isso, agora se tornara, em uma virada do Zeitgeist (e por ter de refinanciar uma grande dívida), um símbolo de fracasso, e igualmente ridicularizado por isso. Foi uma reviravolta complicada, que não teve relação apenas com Trump, mas com o modo como a mídia agora via a si mesma. Donald Trump tornou-se um símbolo da aversão da mídia por si mesma: o interesse por Donald Trump e por promovê-lo era uma fábula sobre a mídia, com moral da história. Seu fim definitivo foi o pronunciamento de Kaplan dizendo que Trump não deveria mais aparecer porque toda matéria sobre Donald Trump tinha se tornado um clichê.

Um aspecto importante do *New York Observer* de Kaplan e seu deliberado jargão midiático foi ter se tornado a melhor escola para uma nova geração de repórteres que inundava todas as demais publicações em Nova York, já que o próprio jornalismo se tornava cada vez mais voltado para si. Para qualquer pessoa que trabalhasse na mídia em Nova York, Donald Trump representava a suprema vergonha de trabalhar na mídia em Nova York: você tem que escrever sobre Donald Trump. Não escrever sobre ele – ou pelo menos não levá-lo a sério – tornou-se um imperativo moral.

Em 2006, quinze anos depois de Kaplan assumir a edição do *Observer* – que nunca tinha rendido um tostão –, Arthur Carter o vendeu a Kushner, um desconhecido então com 25 anos, herdeiro de um império imobiliário e interessado em ganhar peso e notoriedade na cidade. Kaplan agora trabalhava para um homem 25 anos mais novo e que, ironicamente, era o protótipo do arrivista que ele costumava cobrir.

Para Kushner, ser dono do jornal logo rendeu seus frutos, na medida em que, com infinitas ironias não necessariamente percebidas por ele, lhe permitiu a entrada no círculo social em que conheceria a filha de Donald Trump, Ivanka, com quem se casou em 2009. No entanto, para enfado de Kushner, financeiramente o jornal não compensou, o que o levou a uma situação de tensão cada vez maior com Kaplan. Este, por sua vez, começou a contar histórias engenhosas e inacreditáveis sobre as pretensões e a imaturidade do patrão, que se espalharam de boca em boca entre os inúmeros protegidos de Kaplan na mídia e, portanto, por toda a mídia.

Em 2009, Kaplan saiu do jornal, e Kushner – cometendo o velho erro de muitos ricaços donos de publicações de futilidades – tentou obter algum lucro cortando custos. Em pouco tempo, a mídia passou a ver Kushner como o homem que não só comprou o jornal de Peter Kaplan como o arruinou brutalmente com sua incompetência. Pior ainda: em 2013, Kaplan morreu de câncer, aos 59 anos. Assim, para todos os efeitos, Kushner foi responsabilizado também por essa morte.

A mídia escolhe lados. É uma série de lutas encarniçadas. Em seu aspecto frequentemente coletivo, é a mídia que decide quem sobe e quem cai, quem vive e quem morre. Se você ficar por muito tempo na mira da mídia, seu destino, como o de um déspota de uma república de bananas, sempre será mau – uma lei que Hillary Clinton não foi capaz de contornar. A mídia tem a última palavra.

Muito antes de concorrer à presidência, Trump e seu inseparável genro tinham sido alvo não só da ignomínia, mas da lenta tortura pelo ridículo, pelo desdém e pelo assédio cada vez mais debochado. Essas pessoas não são nada. São escombros da mídia. Pelo amor de Deus!

Trump, em uma jogada inteligente, se aproveitou da reputação que tinha na mídia e a transferiu da hipercrítica Nova York para uma Hollywood mais leniente, se tornando o astro de seu próprio reality show, *The Apprentice*, e adotando uma teoria que seria de muita utilidade durante a campanha presidencial: em um país de caipiras, não há bem mais valioso que a celebridade. Ser famoso é ser amado — ou pelo menos adulado.

A fabulosa e incompreensível ironia é que, apesar da antipatia da mídia, apesar de tudo o que a mídia sabe e entende e disse a respeito dos Trump, eles tenham chegado não só às últimas consequências como à imortalidade, o que vai além do pior pesadelo e entra no território da piada cósmica. Nessa circunstância irritante, Trump e seu genro estavam unidos, sempre em alerta e ainda assim nunca entendendo direito por que eram motivo de chacota nos meios de comunicação e agora alvo de sua perplexidade indignada.

Trump e o genro tinham muito em comum, mas isso não significava que jogassem no mesmo lado. Kushner era bem próximo de Trump, mas não passava de um membro de seu entourage, e não tinha sobre o sogro maior controle que qualquer outra pessoa que estivesse agora tentando controlar Trump.

Mesmo assim, a dificuldade para conter Trump era parte da justificativa ou da racionalização que levava Kushner a ir além de seu papel familiar e ocupar um cargo importante na Casa Branca: era preciso impor limites a seu sogro e até — uma tarefa bastante difícil para o jovem pouco experiente — ajudar a lhe imprimir alguma seriedade.

Se Bannon estava querendo implantar sua primeira marca na ordem executiva sobre imigração, Kushner buscaria a primeira marca de sua liderança em um encontro com o presidente do México, que seu sogro insultara e ameaçara durante toda a campanha.

Kushner procurou se aconselhar com Henry Kissinger, agora com 93 anos. Tomou essa atitude para lisonjear o velho e para poder mencionar seu prestigiado nome, mas também para se aconselhar de fato. Trump não tinha feito mais do que causar problemas para o presidente do México. Trazê-lo à Casa Branca seria, apesar da disposição de Bannon de não alterar a linha de aspereza adotada na campanha, uma relevante mudança de posição, cujo crédito Kushner poderia reivindicar (embora sem admitir a mudança de atitude). Era o que Kushner acreditava que devia fazer: seguir silenciosamente o presidente e, com cuidado e sutileza, esclarecer as verdadeiras intenções dele, ou até mesmo reformulá-las totalmente.

As negociações voltadas para levar o presidente Enrique Peña Nieto à Casa Branca tinham começado durante o período de transição. Kushner viu a chance de transformar a questão do muro em um acordo bilateral referente à imigração — logo, um tour de force da política trumpiana. As movimentações para que a visita acontecesse chegaram ao auge na quarta-feira após a posse, quando uma delegação mexicana de alto escalão — a primeira visita de um líder estrangeiro à Casa Branca de Trump — se reuniu com Kushner e Reince Priebus. Naquela tarde, Kushner levou ao sogro a mensagem de que Peña Nieto concordava com uma reunião na Casa Branca e que podiam continuar planejando a visita.

No dia seguinte, Trump tuitou: "Os Estados Unidos têm um déficit comercial de 60 bilhões de dólares com o México. Foi um acordo tendencioso desde o começo do Nafta, com grande número...". E continuou, no tuíte seguinte "... de empregos e empresas perdidos. Se o México não quiser pagar pelo muro, extremamente necessário, seria melhor cancelar a reunião que está por vir...".

E foi exatamente o que Peña Nieto fez. Abandonou as negociações com Kushner e a diplomacia como se fossem lixo.

Na sexta-feira, 3 de fevereiro, no café da manhã no Hotel Four Seasons em Georgetown, um dos epicentros do pântano, uma agitada Ivanka Trump desceu as escadas e entrou no salão falando alto ao celular: "As coisas estão tão confusas, e não sei como consertá-las...".

A semana fora dominada pelos efeitos colaterais da ordem executiva sobre imigração — o governo estava na Justiça e a ordem estava em vias de ser suspensa — e por vazamentos mais embaraçosos de duas ligações teoricamente conciliadoras, uma com o presidente do México ("*hombres* maus") e a outra com o primeiro-ministro da Austrália ("de longe minha pior ligação"). Além disso, na véspera, a Nordstrom tinha anunciado o cancelamento da linha de roupas de Ivanka Trump.

A mulher de negócios de 35 anos era uma figura estressada, uma empresária que de repente tivera que mudar o controle de seus negócios. Também estava bastante cansada do esforço de se mudar com os três filhos para uma nova casa, numa nova cidade, e ter que fazer isso praticamente sozinha. Quando perguntaram se seus filhos estavam se adaptando à nova escola, algumas semanas depois da mudança, Jared disse que sim, claro, eles estavam na escola, mas assim de saída ele não saberia dizer qual era nem onde ficava.

De qualquer maneira, em outro sentido, Ivanka ia sobrevivendo. O Four Seasons na hora do café da manhã era o habitat natural dela. Ali, estava entre todos os que eram alguém. No salão, naquela manhã, estavam: Nancy Pelosi, líder da minoria da Câmara; Stephen Schwarzman, CEO da Blackstone; Vernon Jordan, lobista, habitué de Washington e confidente de Clinton; Wilbur Ross, indicado para secretário de Trabalho; Justin Smith, CEO da Bloomberg Media; Mark Berman, repórter de assuntos nacionais do *Washington Post*. Havia também uma mesa de mulheres lobistas e cabos eleitorais, entre elas a representante da indústria fonográfica em Washington, Hillary Rosen; Juleanna Glover, a conselheira de Elon Musk, em Washington; a executiva da Uber para assuntos federais, Niki Christoff; e a vice-presidente executiva da Time Warner, Carol Melton.

Em certo sentido, deixando de lado a presença do pai na Casa Branca e as investidas dele contra o pântano, que incluiria quase todos os presentes, esse era o tipo do salão que Ivanka queria e se esforçara para conseguir frequentar. Seguindo os passos do pai, ela estava transformando seu nome e sua própria pessoa em uma marca de muitas facetas e de muitos produtos. Estava também trocando um modelo masculino como o do pai — jogador de golfe e empresário bem-sucedido — e adotando um modelo feminino como mãe e empresária bem-sucedida. Bem antes que se pudesse sonhar que o pai chegaria a presidente, ela tinha vendido os direitos de seu livro *Women Who Work: Rewriting the Rules for Success* [Mulheres que trabalham: Redefinindo as regras do sucesso] por 1 milhão de dólares.

De muitas maneiras, tinha sido um percurso inesperado, que exigia mais disciplina do que se poderia esperar de uma socialite contente, avoada e sem graça. Aos 21 anos, Ivanka apareceu em um filme feito por seu namorado na época, Jamie Johnson, um dos herdeiros da Johnson & Johnson. Trata-se de um filme curioso, até certo ponto perturbador, em que Johnson leva seu grupo de amigos, todos meninos ricos, a revelar abertamente suas insatisfações, a falta de ambição e o desdém pela família. (Um desses amigos viria a brigar com Jamie na Justiça pelo modo como foi mostrado.) Ivanka, falando de um jeito que lembrava o de uma patricinha da Califórnia – com os anos, passaria a lembrar a voz de uma princesinha da Disney –, não parece mais ambiciosa ou mesmo ocupada do que qualquer pessoa, mas é notavelmente menos revoltada com os pais. Tratava o pai com certa leveza, até ironia, e pelo menos em uma entrevista na televisão fez piada sobre o cabelo dele, esticado de um lado a outro para esconder a calvície. Ela sempre descrevia a mecânica do penteado de Trump para os amigos: uma cabeça absolutamente pelada – uma ilha contida à força por uma redução cirúrgica do couro cabeludo –, cercada por um círculo peludo nas laterais e na testa, de onde saem os fios cujas pontas se encontram no centro, são escovadas para trás e fixadas com spray. A cor vinha de um produto chamado Just for Men – quanto mais tempo fosse deixado, mais escuro ficava. A impaciência resultava naquele louro alaranjado.

É possível dizer que pai e filha se davam particularmente bem. Ela era a verdadeira mini-Trump (título a que agora muita gente parece aspirar). Ela aceitava o pai. Era uma auxiliar não apenas nos negócios como também nos realinhamentos conjugais de Trump. Facilitava as entradas e saídas. Se você tem um pai maluco, e isso for aberto para todos, pode se tornar uma coisa engraçada e a vida pode virar uma espécie de comédia romântica – mais ou menos.

Seria de esperar que Ivanka fosse muito mais amarga. Não só tinha sido criada no seio de uma família problemática como também sempre fora maltratada pela imprensa. Mas fora capaz de bifurcar a realidade e viver apenas em uma parte dela, onde o nome de Trump, não importa quantas vezes fosse manchado, tinha chegado a ser uma presença carinhosamente tolerada. Ela vivia em uma bolha com outras pessoas ricas que se apoiavam em suas relações mútuas – de início entre amigos da escola particular e do Upper East Side de Manhattan, depois entre contatos sociais, da moda e da mídia. Mais ainda, ela era propensa a buscar proteção assim como status na família de seus namorados, ligando-se ativamente e por seus próprios meios a uma série de ricas famílias de admiradores – entre elas a de Jamie Johnson, antes dos Kushner.

A relação entre Ivanka e Jared foi intermediada por Wendi Murdoch, que também era um curioso arquétipo social (mais curioso para seu então marido, Rupert, do que para qualquer outra pessoa). A empreitada da nova geração de mulheres era redefinir a vida como socialite, dando ao modelo de mulher caprichosa e fiel às convenções um novo status de mulher poderosa, uma espécie de socialite pós-feminista. Nesse sentido, você trabalhava para conhecer outras pessoas ricas, as mais ricas, tornando-se parte integral e valorizada de uma rede de ricos, fazendo com que seu próprio nome evocasse... bem, riqueza. Você não estava contente com o que tinha, queria mais, o que exigia que fosse absolutamente incansável. Você estava apregoando um produto — você. Você era sua própria empresa.

Foi isso o que Ivanka e o pai sempre fizeram. Esse, mais que a atividade imobiliária, era o ramo da família.

Então, Kushner e ela se uniram como um casal poderoso, reformulando-se conscientemente como figuras de extrema ambição e capacidade de realização e satisfação no novo mundo global e também como representantes de uma nova sensibilidade eco-filantrópica-artística. Para Ivanka, isso incluía a amizade com Wendi Murdoch e com Dacha Zhukova, então casada com o oligarca russo Roman Abramovich, figurinha fácil no mundo da arte internacional que, poucos meses antes da eleição dos Estados Unidos, foi a um seminário de Deepak Chopra mediado por Kushner. Ivanka estava buscando significados — e encontrando. Essa transformação foi mais tarde expressa não apenas em sua linha de roupas, joias e calçados como em projetos de reality show para a televisão, mas com cuidadosa presença na mídia social. Ela se tornou uma excelente mãezona, que, com a eleição do pai, se reformularia outra vez, agora como família real.

A grande verdade é que o relacionamento de Ivanka com o pai não era de modo algum uma ligação familiar convencional. Se não fosse puro oportunismo, era sem dúvida comercial. Eram negócios. Construir a marca, a campanha presidencial e agora a Casa Branca — era tudo negócios.

Mas o que Ivanka e Jared pensavam realmente sobre o pai e o sogro?

"Há um afeto muito, muito grande... dá para ver isso, dá mesmo", respondeu Kellyanne Conway, de certa forma fugindo à pergunta.

"Eles não são bobos", disse Rupert Murdoch, quando lhe fizeram a mesma pergunta.

"Os dois compreendem ele. Acho isso, de verdade", refletiu Joe Scarborough. "E admiram a energia que tem. Mas há uma separação." Ou seja, prosseguiu Scarborough, eles têm tolerância, mas poucas ilusões.

* * *

Naquela manhã de sexta-feira, Ivanka tomaria o café da manhã no Four Seasons com Dina Powell, a última executiva do Goldman Sachs a aderir à Casa Branca.

Nos dias seguintes à eleição, Ivanka e Jared tinham se encontrado com uma legião de advogados e gente do Partido Republicano, a maioria deles, na opinião do casal, demonstrando cuidado para não se envolver, em parte porque Ivanka e Jared pareciam menos interessados em aceitar conselhos e mais em comprar o conselho que queriam. Na verdade, bom número dos conselhos recebidos encerrava a mesma mensagem: procurem se cercar de pessoas — se *relacionar* com elas — de grande credibilidade junto ao establishment. Vocês são amadores, precisam de profissionais.

Um nome que sempre vinha à tona era o de Dina Powell. Quadro operacional republicano que chegara a exercer muita influência e a ser bem recompensada, ela era o oposto de qualquer ideia de uma republicana trumpista. Sua família emigrou do Egito quando Dina era menina, e ela é fluente em árabe. Abriu espaço através de uma série de republicanos e republicanas de poder, como Kay Bailey Hutchison, senadora pelo Texas, e Dick Armey, o porta-voz da Casa Branca. Na Casa Branca de Bush, ela foi chefe de pessoal e assessora do secretário de Estado para assuntos educacionais e culturais. Em 2007 entrou para o Goldman e tornou-se sócia do grupo em 2010, dirigindo sua organização filantrópica, a Fundação Goldman Sachs.

Seguindo a tendência na carreira de muitos quadros operacionais políticos, ela se tornou, assim como uma *über networker*, uma relações-públicas corporativa e conselheira do Partido Republicano — alguém que conhecia as pessoas certas que estavam no poder e tinha uma sensibilidade aguda para descobrir como o poder de outras pessoas pode ser usado.

Com certeza, a mesa das lobistas e profissionais da comunicação no Four Seasons naquela manhã estava tão interessada em Dina Powell, e em seu papel no novo governo, quanto na filha do presidente. Se Ivanka Trump fosse uma figura mais de novidade do que de seriedade, o fato de ter ajudado a trazer Dina Powell para a Casa Branca e estar agora conversando em público com ela dava uma nova dimensão à filha do presidente. Em uma Casa Branca que ameaçava seguir um caminho rigidamente traçado por Trump, isso parecia apontar para um curso alternativo. Na opinião de outras lobistas e republicanas que estavam no Four Seasons, essa era uma possível Casa Branca-sombra — a própria família de Trump não assaltando a estrutura de poder, mas expressando um óbvio entusiasmo por ele.

Ivanka, depois do longo café da manhã, desfilou pelo salão. Dando instruções impacientes pelo celular, distribuiu calorosos cumprimentos e aceitou cartões de visita.

6. Em casa

Logo nas primeiras semanas do governo de Trump, surgiu entre seus amigos uma teoria de que ele não estava agindo como presidente nem levando em conta, de modo algum, sua nova posição social, ou controlando seu comportamento — dos tuítes de manhã cedo até a recusa a seguir roteiros e os telefonemas de autopiedade para amigos, cujos detalhes já estavam começando a ser vazados para a imprensa — porque não tinha dado o passo que outros antes dele deram. A maioria dos presidentes que antecederam Trump chegara à Casa Branca depois de uma vida política mais ou menos comum, e não podiam deixar de se sentir intimidados e a todo momento lembrados de suas novas circunstâncias em decorrência da súbita chegada a uma mansão que tinha serviçais palacianos, seguranças, um avião sempre disponível e, no andar de baixo, uma legião de bajuladores e assessores. Mas, para Trump, essa vida não era muito diferente da que levava na Trump Tower, que era mais confortável e mais de seu gosto do que a Casa Branca, com serviçais, seguranças, bajuladores e assessores sempre no local e um avião de prontidão. A grande diferença entre ser e não ser presidente não era tão evidente para ele.

Mas outra teoria afirmava exatamente o oposto: Trump estava se sentindo como um peixe fora d'água na Casa Branca, porque tudo em seu organizadíssimo mundo tinha virado de cabeça para baixo. Para quem defendia essa corrente, o septuagenário Trump era uma criatura a tal ponto aferrada a seus hábitos que poucas pessoas que não exerçam um controle despótico sobre seu ambiente seriam capazes de imaginar. Ele morava no mesmo lugar, um enorme espaço na Trump Tower, desde a inauguração do edifício, em 1983. Assim, todas as manhãs fazia o mesmo trajeto para chegar a seu escritório, alguns andares abaixo. Sua sala era uma cápsula do tempo da década de 1980: os mesmos espelhos dourados, as mesmas capas da revista *Time* amarelando na parede. A única mudança notável fora a substituição da bola de futebol americano de Joe Namath pela de Tom Brady. Fora do escritório, para onde quer que olhasse, via sempre os mesmos rostos, os mesmos funcionários — serviçais, seguranças, bajuladores, o pessoal do "sim, senhor"— que estavam a seu serviço praticamente desde sempre.

"Dá para imaginar como seria perturbador se você fizesse isso todos os dias e de repente estivesse na Casa Branca?", especulou um velho amigo de Trump, com um largo sorriso por conta dessa armadilha do destino — ou desse castigo inesperado.

Trump achava a Casa Branca, um velho edifício de manutenção esporádica e restaurações feitas por etapas — assim como o famoso problema de ratos e baratas —, desagradável e um pouco assustadora. Os amigos que admiravam suas qualidades de hoteleiro se perguntavam por que ele não mandava reformar o lugar, mas Trump parecia intimidado pelo peso dos olhares vigilantes sobre ele.

Kellyanne Conway, cuja família permanecera em Nova Jersey, e que imaginara que fosse poder ir para o trabalho e voltar para casa quando o presidente estivesse em Nova York, ficou surpresa ao ver que, de uma hora para outra, Nova York e a Trump Tower saíram da programação dele. Conway achava que o presidente, além de saber da hostilidade em Nova York, estava fazendo um esforço deliberado para "ser parte dessa casa gigantesca". (Mas reconhecendo as dificuldades de Trump inerentes à mudança de situação e à adaptação ao modo de vida presidencial, ela acrescentou: "Sabe com que frequência ele irá a Camp David?" — o rústico e espartano refúgio presidencial no Parque Nacional Catoctin, em Maryland — "Que tal *nunca*?".)

Na Casa Branca, Trump vivia recolhido em seu quarto — foi a primeira vez, desde a Casa Branca de Kennedy, que o casal presidencial tinha quartos separados (embora Melania pouco fosse à Casa Branca). Nos primeiros dias, ele pediu dois televisores de tela grande, além do que já estava no quarto, e uma tranca para a porta, o que desencadeou um breve impasse com o Serviço Secreto, que insistia em ter acesso ao quarto. Ele repreendeu a equipe da limpeza por ter pegado uma camisa sua do chão: "Se minha camisa está no chão é porque eu quero que fique no chão". Impôs uma série de novas regras: ninguém devia tocar em nada, o que valia em especial para sua escova de dentes. (Há tempos ele tinha medo de ser envenenado, e por isso gostava de comer no McDonald's: ninguém saberia que ele estava chegando, e o lanche já estaria preparado com segurança.) Ele avisaria as camareiras quando quisesse que os lençóis fossem trocados, e retirava pessoalmente a roupa de cama.

Se às seis e meia ele não estivesse jantando com Steve Bannon, estaria na cama com um cheeseburger, olhando para suas três televisões e dando telefonemas — o telefone era seu verdadeiro meio de contato com o mundo — a um pequeno grupo de amigos, em particular e com mais frequência a Tom Barrack, que fazia um gráfico dos altos e baixos do nível de agitação do amigo durante a noite, e ambos comparavam as respectivas anotações.

No entanto, depois do árduo começo, as coisas começaram a melhorar — tornaram-se até mesmo, alguém disse, presidenciais.

Na terça-feira, 31 de janeiro, durante uma cerimônia no horário nobre eficientemente coreografada, um presidente Trump otimista e seguro anunciou a nomeação de Neil Gorsuch, juiz da Corte de Apelações, para a Suprema Corte. Gorsuch era a combinação perfeita de postura conservadora impecável, admirável probidade e credenciais legais e jurídicas de alto nível. A indicação não só cumpria a promessa de Trump a suas bases e ao establishment conservador como parecia um ato perfeitamente presidencial.

A nomeação de Gorsuch foi também uma vitória para um gabinete que mais de uma vez vira Trump titubear diante da indicação desse belo cargo de generosa remuneração. Satisfeito com a recepção dada à nomeação, sobretudo pelos poucos defeitos que a mídia conseguiu achar nela, Trump logo se tornaria fã de Gorsuch. Mas antes de se decidir por Gorsuch, ele se perguntou por que não dar o cargo a um amigo leal. Na opinião de Trump, seria um desperdício nomear uma pessoa que ele nem conhecia.

Em diferentes momentos do processo, ele tinha cogitado quase todos os seus amigos advogados — todos escolhas improváveis, quando não excêntricas, e quase sempre políticos perdedores. A única escolha excêntrica, improvável e perdedora em que ele continuava insistindo era a de Rudy Giuliani.

Trump se sentia em dívida com Giuliani. Não que se preocupasse muito com suas dívidas, mas aquela com certeza não fora paga. Giuliani não apenas era amigo de longa data de Nova York como também ficou ao seu lado — e com uma atitude combativa, ardente e implacável — quando poucos republicanos manifestaram apoio a Trump, e quase nenhum com estatura nacional. Essa atitude foi particularmente verdadeira nos dias que se seguiram ao caso Billy Bush: quando praticamente todo mundo, inclusive o próprio candidato, seus filhos, Bannon e Kellyanne Conway acreditavam que a campanha implodiria, Giuliani mal se permitiu um intervalo na defesa incessante, apaixonada e incontrita que fazia de Trump.

Giuliani queria ser secretário de Estado, e Trump lhe acenara explicitamente com o cargo. A resistência do círculo de Trump a Giuliani se devia ao mesmo motivo pelo qual Trump queria lhe dar o cargo — Trump lhe dava ouvidos, e disso Giuliani não queria abrir mão. O gabinete cochichava sobre sua saúde e estabilidade. Até mesmo sua defesa incondicional a Trump no escândalo Pussygate começou a ser vista como uma desvantagem. Giuliani recebeu o convite para assumir a Procuradoria-Geral, o Departamento de Segurança Interna, a direção da inteligência nacional, mas recusou e continuou insistindo no Departamento de Estado. Ou, no que os assessores interpretaram como o máximo da presunção, ou como grande triangulação, na Suprema Corte. Como Trump não podia indicar para a Corte uma pessoa abertamente favorável ao aborto voluntário sem rachar sua base e se arriscar a uma derrota do indicado, *tinha* que dar a Giuliani o Departamento de Estado.

Quando essa estratégia fracassou — Rex Tillerson foi nomeado secretário de Estado —, a questão parecia encerrada, mas Trump continuou insistindo na ideia de pôr Giuliani na Suprema Corte. Em 8 de fevereiro, durante o processo de confirmação, Gorsuch censurou publicamente o menosprezo de Trump pelas cortes. Trump, num momento de indignação, decidiu retirar a nomeação e, nas conversas depois do jantar, insistiu com seus interlocutores que deveria ter dito sim a Rudy. Ele era o único sujeito leal. Bannon e Priebus tiveram que lembrar e repetir interminavelmente ao presidente que, numa das poucas peças primorosas da campanha produzidas para apaziguar os ânimos e dar um belo afago na base conservadora, Trump tinha pedido à Sociedade Federalista que fizesse uma lista de nomes. O candidato à presidência prometeu que o indicado sairia daquela lista — e, desnecessário dizer, Giuliani não estava nela.

Gorsuch estava. E em pouco tempo Trump não se lembraria de um dia ter preferido outro que não Gorsuch.

Em 3 de fevereiro, realizou-se na Casa Branca uma reunião meticulosamente organizada de um dos recém-instituídos conselhos empresariais, o Fórum Estratégico e Político do presidente. O grupo era constituído de CEOs influentes e de grupos empresariais de peso, reunidos pelo presidente da Blackstone, Stephen Schwarzman. O planejamento do evento — com um cronograma preciso, lugares e apresentações coreografados, folhetos elaborados — foi mais de Schwarzman que da Casa Branca. Ainda assim, acabou sendo o tipo de evento que Trump conduzia bem e apreciava muito. Kellyanne Conway, sempre fazendo referência ao encontro organizado por Schwarzman, logo teria uma queixa frequente, porque eventos desse tipo — Trump sentado com pessoas sérias procurando soluções para os problemas da nação — eram a alma da Casa Branca de Trump, mas a mídia lhes dava pouca cobertura.

Recepcionar conselhos consultivos de negócios era uma estratégia de Kushner, uma sábia abordagem, distraindo Trump do que Kushner via como a agenda de direita pouco esclarecida. Para Bannon, cada vez mais sarcástico, o propósito real do conselho era permitir que o próprio Kushner confraternizasse com os CEOs.

Schwarzman era o reflexo do que para muitos foi uma surpreendente e súbita simpatia do empresariado e de Wall Street por Trump. Embora poucos CEOs de grandes empresas o tivessem apoiado publicamente — com muitas grandes empresas, se não todas, se planejando para a vitória de Hillary Clinton e contratando equipes de políticas públicas alinhadas com ela, e com uma crescente crença generalizada na imprensa de que uma vitória de Trump garantiria um colapso do mercado —, houve da noite para o dia uma aproximação. Uma Casa Branca antirregulatória e a promessa de reforma fiscal superaram os tuítes perturbadores e outras manifestações do caos de Trump. Além disso, o mercado não parava de subir desde 9 de novembro, o dia seguinte ao da eleição. Mais ainda: depois de reuniões individuais com Trump, os CEOs vinham mencionando as boas energias da adulação efusiva e engenhosa de Trump — e o alívio repentino por não ter que lidar com o que alguns conheciam como as implacáveis negociações da equipe de Hillary ("o que você pode fazer por nós hoje" e "podemos usar seu plano?").

Por outro lado, embora de parte dos altos executivos houvesse um sentimento de cordialidade por Trump, havia também, entre os responsáveis por grandes marcas, uma preocupação crescente com a questão do consumidor. De repente, a marca Trump era a maior do mundo — a nova Apple, só que pelo avesso, já que universalmente desprezada (pelo menos entre muitos dos consumidores que a maioria das grandes marcas pretendia cortejar).

Assim, na manhã da posse, os funcionários da Uber, cujo CEO, Travis Kalanick, tinha aderido ao conselho de Schwarzman, encontraram ao chegar à sede em San Francisco pessoas acorrentadas às portas. A acusação era de que a Uber e Kalanick eram "colaboracionistas"— com cheiro de Vichy —, algo muito diferente de procurar realizar fóruns sóbrios com o presidente como meio de influenciar o governo. De fato, os manifestantes que acreditavam estar vendo a relação da empresa com Trump em termos políticos estavam, na verdade, vendo-a em termos convencionais de marcas, com uma lente de aumento na falta de conexão. A base de clientes da Uber é predominantemente jovem, urbana e progressista, fora de sintonia, portanto, com o eleitorado de Trump. A geração do milênio, consciente das marcas que consome, as vê fora do campo da negociação política e parte de um épico conflito de gerações. A Casa Branca de Trump representava mais um símbolo cultural rígido e impopular do que um governo e o cabo de guerra entre conflitos de interesse e políticas de desenvolvimento.

Kalanick, da Uber, saiu do conselho. Bob Iger, CEO da Disney, se limitou a dizer que estava ocupado na ocasião da primeira reunião do fórum.

No entanto, a maioria dos integrantes do conselho — com exceção de Elon Musk, o investidor, inventor e fundador da Tesla (que mais tarde se demitiria) — não pertencia a empresas de mídia ou tecnologia, com suas inclinações liberais, e sim a empresas da velha guarda, de quando-os-Estados-Unidos--eram-grandes. Entre eles estavam Mary Barra, CEO da General Motors; Ginni Rometty, da IBM; Jack Welch, ex-CEO da GE; Jim McNerney, ex-CEO da Boeing; e Indra Nooyi, da PepsiCo. Se a nova direita tinha elegido Trump, eram os cem velhos executivos da *Fortune* os que mais o agradavam.

Trump compareceu à reunião com seu séquito completo — o círculo que parecia se mover sempre no mesmo passo que ele: Bannon, Priebus, Kushner,

Stephen Miller e o chefe do Conselho Econômico Nacional, Gary Cohn –, mas conduziu pessoalmente os trabalhos. Cada um dos presentes, escolhendo um tema de interesse, falava durante cinco minutos e Trump fazia as perguntas. Embora parecesse parcial ou totalmente despreparado em qualquer das pautas discutidas, ele formulou perguntas pertinentes e interessadas, buscando saber mais sobre as coisas, fazendo da reunião uma troca espontânea. Um dos CEOs observou que aquela parecia a maneira pela qual Trump preferia receber informação: falar sobre coisas de seu interesse e levar outras pessoas a falar sobre elas.

A reunião durou duas horas. Na opinião da Casa Branca, Trump esteve em seu melhor momento. Ficou à vontade tendo em volta pessoas que respeitava – e essas eram "as pessoas mais respeitadas do país", segundo Trump – e pareciam respeitá-lo também.

Esse se tornou um dos objetivos do gabinete – criar situações em que ele se sentisse em casa, construir uma espécie de bolha, uma muralha que o mantivesse longe de um mundo perverso. Sem dúvida, eles pretendiam reproduzir com cuidado esta fórmula: Trump na Sala Oval ou numa sala de cerimonial mais ampla na Ala Oeste, presidindo uma reunião diante de uma plateia receptiva, com oportunidade para fotos. Trump era sempre seu próprio mestre de cerimônias nesses eventos, dirigindo as pessoas para dentro e fora do enquadramento.

A mídia apresenta um filtro zeloso e até seletivo para retratar a vida real na Casa Branca. O presidente e a Primeira Família não são, pelo menos não com frequência, submetidos à perseguição de paparazzi, o que evita fotos pouco lisonjeiras, constrangedoras ou ridículas nas revistas de celebridades, ou especulações intermináveis sobre sua vida privada. Mesmo nos piores escândalos, se dispensa ao presidente certa formalidade. Os esquetes do programa *Saturday Night Live* sobre o presidente dos Estados Unidos são engraçados em parte porque brincam com a crença dos norte-americanos de que, na realidade, os presidentes são tipos contidos e certinhos, e suas famílias, pairando atrás deles, sem graça e obedientes. A piada sobre Nixon era de que ele era lamentavelmente rígido – mesmo na época de Watergate, bebendo muito, ele continuava de paletó e gravata, ajoelhado, rezando. Gerald

Ford simplesmente cambaleou ao sair do avião presidencial, causando muita risada ao quebrar a pose formal de presidente. Ronald Reagan, provavelmente sofrendo as primeiras consequências do mal de Alzheimer, mantinha cuidadosamente a imagem de calma e confiança. Bill Clinton, mesmo em meio à maior quebra de decoro presidencial dos Estados Unidos da história moderna, era retratado como um homem no controle. George W. Bush, em que pese seu descomprometimento, foi apresentado pela mídia, em uma concessão, como um homem altamente responsável. Barack Obama, talvez para seu próprio prejuízo, costumava ser mostrado como meticuloso, firme e determinado. Essa maneira de se retratar os presidentes é em parte uma vantagem do controle excessivo da imagem, mas também se deve à crença de que o presidente é o maior dos executivos — ou ao fato de a mitologia nacional dos Estados Unidos exigir isso dele.

Aliás, esse era o tipo de imagem que Donald Trump trabalhara para projetar ao longo da maior parte da carreira. Ele é uma espécie de homem de negócios ideal da década de 1950. Aspira a se parecer ao pai, ou pelo menos a não desagradá-lo. Exceto quando está vestido para jogar golfe, é difícil imaginá-lo sem terno e gravata, porque quase nunca está assim. A dignidade pessoal — ou seja, um aparente misto de compostura e respeitabilidade — é uma de suas ideias fixas. Trump não se sente à vontade quando os homens à sua volta não usam terno e gravata. A formalidade e as convenções — antes de sua eleição para presidente, quase todos que não fossem celebridades ou não tivessem 1 bilhão de dólares o tratavam por "sr. Trump" — são parte central de sua identidade. A informalidade é inimiga das falsas aparências. E Trump tinha a aspiração de que sua marca representasse poder, riqueza e ascensão.

Em 5 de fevereiro, o *New York Times* publicou uma matéria sobre a Casa Branca que falava do presidente, empossado havia apenas duas semanas, perambulando de roupão, altas horas da noite, sem conseguir desligar os interruptores. Trump ficou arrasado. Era uma maneira, achou o presidente, não sem razão, de mostrá-lo como um perdedor, como a Norma Desmond do filme *Crepúsculo dos deuses*, uma estrela já sem viço e até senil, que vive num mundo de fantasia. (Essa foi a interpretação de Bannon, adotada sem demora por todos na Casa Branca, para a imagem de Trump divulgada pelo *New York Times*.) E, mais uma vez, era o intuito da mídia — tratá-lo como nenhum outro presidente tinha sido tratado.

Essa queixa não era infundada. No esforço de cobrir um governo que via abertamente como uma aberração, o *New York Times* reservava para a rubrica Casa Branca algo como uma nova forma de cobertura. Junto com as notícias saídas da Casa Branca — separando o trivial do significativo —, o jornal também destacava, normalmente como matéria de capa, aquilo que lhe parecesse absurdo, lamentável ou demasiado humano. Essas matérias transformavam Trump numa figura ridícula. Os dois repórteres mais escalados para noticiar a Casa Branca, Maggie Haberman e Glenn Thrush, se tornariam parte do refrão constante de Trump sobre a disposição demonstrada pela mídia de atingi-lo. Trump chegou a se tornar figura carimbada nos esquetes do *Saturday Night Live*, que faziam graça com o presidente, com seus filhos, com o assessor de imprensa Sean Spicer e com os assessores Steve Bannon e Kellyanne Conway.

O presidente, sempre tão falastrão em sua descrição do mundo, era bastante literal quando se tratava de como enxergava a si mesmo. Assim, rejeitou o retrato que fizeram dele como um notívago meio demente ou gravemente confuso, afirmando que nem tinha roupão.

"Pareço ser o tipo de sujeito que usa roupão?", perguntava, sem achar graça, a quase todo mundo com quem teve contato nas 48 horas seguintes. "Fale com sinceridade: você consegue me ver de roupão?"

Quem era o responsável pelo vazamento? Para Trump, os detalhes de sua vida pessoal de repente se tornaram motivo de preocupação muito maior do que qualquer outro tipo de vazamento.

O escritório de Washington do *New York Times*, também bastante literal e preocupado com a possível inexistência do roupão, contra-atacou dizendo que Bannon tinha sido a fonte.

Bannon, que cultivava a imagem de buraco negro de silêncio, tornou-se uma espécie de buraco negro da voz oficial, o Garganta Profunda de todos. Ele era espirituoso, intenso, evocativo e entusiasmado, e sua suposta discrição dava lugar a um constante comentário semipúblico sobre a presunção, a insensatez e a irremediável falta de seriedade de quase todos os demais ocupantes da Casa Branca. Na segunda semana do governo Trump, parecia que todos na Casa Branca tinham sua lista pessoal de prováveis responsáveis pelos vazamentos e faziam o possível para fazer vazar antes de se tornarem alvo de um vazamento.

Mas outra provável fonte de vazamento sobre suas angústias na Casa Branca era o próprio Trump. Nas ligações que fazia dia e noite, ele falava demais com pessoas que não tinham motivo algum para guardar segredo sobre suas confidências. Ele era um poço de queixas – inclusive sobre o lixo que era a Casa Branca quando vista de perto –, e muitos dos que recebiam suas ligações prontamente divulgavam suas reclamações no sempre atento e impiedoso mundo das fofocas.

Em 6 de fevereiro, Trump deu um de seus impulsivos, queixosos e não solicitados telefonemas, sem presunção de confidencialidade, a um eventual conhecido da imprensa nova-iorquina. A ligação não tinha outro objetivo além de expressar o quanto estava ofendido com o incansável desdém da mídia e a deslealdade de seus assessores.

Os alvos iniciais de sua ira eram o *New York Times* e a repórter Maggie Haberman, que ele chamou de "maluca". Gail Collins, também do *New York Times*, que tinha escrito uma coluna desfavorável, comparando Trump ao vice-presidente Mike Pence, era uma "tapada". Na sequência, porém, sem sair do assunto mídia odiada, voltou-se para a CNN e a profunda deslealdade de seu chefe, Jeff Zucker. Este, que na época em que era presidente da NBC contratou o programa *The Apprentice*, tinha sido "feito por Trump", observou Trump, falando de si mesmo na terceira pessoa. E Trump tinha "pessoalmente" conseguido emprego para ele na CNN. "Sim, sim, eu fiz isso", disse Trump.

Repetiu então uma história que estava contando obsessivamente a todos com quem falava. Ele havia ido a um jantar, não se lembrava quando, e se sentara ao lado de "um cavalheiro chamado Kent (sem dúvida Phil Kent, ex-CEO da Turner Broadcasting, a divisão da Time Warner responsável pela CNN), que tinha uma lista de quatro nomes". De três deles Trump nunca tinha ouvido falar, mas conhecia Jeff Zucker por conta de *The Apprentice*. "Zucker era o quarto da lista, e eu o levei ao topo. Talvez eu tenha feito mal, porque Zucker não tem essa inteligência toda, mas gosto de mostrar que posso fazer esse tipo de coisa." Só que Zucker, "um péssimo sujeito, que se comportou horrivelmente mal em relação à audiência", tinha mudado depois que Trump lhe conseguira o emprego e dissera, bem, é "inacreditavelmente repulsivo". Referia-se à tal história do "dossiê" russo e da "chuva dourada" – prática da qual a CNN acusara Trump de participar, num hotel de Moscou, com diversas prostitutas.

Tendo terminado de falar mal de Zucker, o presidente dos Estados Unidos passou a especular sobre o que implicava a chuva dourada. E que isso era apenas parte de uma campanha da mídia que nunca teria êxito em afastá-lo da Casa Branca. Porque eles eram perdedores ressentidos que odiavam Trump por ser um vencedor, espalhavam mentiras, coisas cem por cento falsas, totalmente inverídicas, por exemplo, a capa da *Time* daquela semana — aliás, lembrou Trump a seus ouvintes, ele tinha aparecido na capa dessa revista mais do que qualquer outra pessoa na história — que mostrava Steve Bannon, um bom sujeito, e dizia que ele era, na prática, o presidente. "Que influência Bannon tem sobre mim?" Trump perguntava e repetia a pergunta, e depois repetia a resposta: "Zero! Zero!". E isso servia também para seu genro, que tinha muito o que aprender.

A mídia não prejudicava apenas a ele, disse — ele não estava em busca de aprovação ou mesmo de resposta —, prejudicava também sua capacidade de negociação e o país. E o mesmo valia para o *Saturday Night Live*, que devia se achar muito engraçado, mas na verdade estava prejudicando toda a nação. E embora Trump acreditasse que o *Saturday Night Live* só estava no ar para ser cruel com ele, estavam sendo muito, muito cruéis. Era "comédia de mentira". Ele repassara o tratamento dado pela mídia a todos os outros presidentes e nunca tinha visto nada assim, mesmo em relação a Nixon, que fora tratado com tanta injustiça. "Kellyanne, que é muito justa, tem tudo isso documentado. Você pode ver."

A questão é que naquele mesmo dia, prosseguiu ele, foram salvos 700 milhões de dólares por ano em empregos que estavam indo para o México, mas a mídia só falava de Trump e seu roupão, que "Eu não tenho, nunca usei roupão. E nunca vou usar, porque não faz meu estilo". E o que a mídia estava fazendo era desmoralizar essa casa tão digna, e "dignidade é muito importante". Mas Murdoch, "que nunca tinha ligado para mim, nunquinha", agora telefonava o tempo todo. Então isso deveria significar alguma coisa para as pessoas.

A ligação durou 26 minutos.

7. Rússia

Mesmo antes de haver um motivo para suspeitar de Sally Yates, já suspeitavam dela. O relatório de transição dizia que Trump não apreciaria a advogada do Departamento de Justiça — 56 anos de idade, natural de Atlanta e formada na Universidade da Geórgia —, indicada como procuradora-geral interina. Era algo relacionado às pessoas ligadas a Obama. Ao modo como andavam e se portavam. *Superioridade*. Era o tipo de mulher que imediatamente irritava Trump — as mulheres de Obama eram um bom exemplo, as de Hillary, outro. Mais tarde, isso se estenderia a todas as "mulheres do DJ".

Entre Trump e funcionários de carreira do governo havia uma separação fundamental. Políticos ele era capaz de compreender, mas estava achando difícil lidar com o tipo burocrata, com o temperamento e as motivações deles. Não conseguia entender o que queriam. Por que alguém, seja lá quem, pensaria em ser funcionário permanente do governo? "Tiram quanto? Duzentos mil por ano? No máximo", disse, expressando certa admiração.

Sally Yates poderia ter sido desconsiderada para a posição de procuradora--geral interina — serviria no cargo enquanto o procurador-geral nomeado, Jeff Sessions, aguardasse confirmação —, e não tardou para que Trump ficasse furioso porque ela não foi. Só que ela era a primeira escolha e fora confirmada pelo Senado, e o trabalho do procurador-geral em exercício precisava de alguém com confirmação do Senado. E ainda que se visse como uma espécie de prisioneira mantida em território hostil, Yates aceitou o cargo.

Por conta desse contexto, a curiosa informação que apresentou ao conselheiro da Casa Branca, Don McGahn, durante a primeira semana de governo – isso foi antes de, na segunda semana, ela se recusar a cumprir a ordem executiva sobre imigração e ser prontamente afastada do cargo – pareceu não só inoportuna como também suspeita.

O recém-confirmado conselheiro de Segurança Nacional, Michael Flynn, repudiara as reportagens no *Washington Post* sobre uma conversa com o embaixador russo Sergey Kislyak. Foi um simples aperto de mão, disse. Ele assegurou à equipe de transição – entre outros, o vice-presidente eleito, Pence – que não havia tido conversas sobre as sanções do governo Obama contra os russos, uma garantia que Pence repetiu publicamente.

Yates agora dizia à Casa Branca que a conversa de Flynn com Kislyak fora na verdade capturada como parte de uma "coleta incidental" de grampos autorizados. Em outras palavras, um grampo no embaixador russo fora supostamente autorizado pelo sigiloso Tribunal de Vigilância da Inteligência Estrangeira e, por acaso, pegara Flynn.

O Tribunal de Vigilância da Inteligência Estrangeira ganhara seu segundo de fama depois que as revelações de Edward Snowden pintaram por um momento o tribunal como a encarnação do diabo para os liberais furiosos com a questão da invasão de privacidade. Agora voltava a atrair os holofotes, mas dessa vez como amigo dos liberais, que esperavam usar esses grampos "incidentais" como um modo de ligar o grupo de Trump a uma extensa conspiração com a Rússia.

Sem demora, McGahn, Priebus e Bannon, todos com dúvidas prévias sobre a confiabilidade e o bom senso de Flynn – um "maluco", segundo Bannon –, se reuniram para falar sobre a informação de Yates. Questionado mais uma vez sobre o encontro com Kislyak e informado sobre a possível existência de um grampo, Flynn ridicularizou outra vez qualquer insinuação de que tivesse sido uma conversa significativa sobre o que quer que fosse.

De uma perspectiva de dentro da Casa Branca, a indiscrição de Yates fora mais ou menos "como se ela tivesse descoberto que o marido de sua amiga flertou com alguém e, por questão de princípio, precisasse dedurá-lo".

Mais alarmante para a Casa Branca era entender como, em uma coleta incidental em que os nomes dos cidadãos norte-americanos estão supostamente "mascarados" – com complicados procedimentos para serem "desmascarados" –, Yates, de maneira tão conveniente e oportuna, pegara Flynn. Seu relatório também parecia confirmar que o vazamento dessas gravações para o *Washington Post* vinha de fontes no FBI, no Departamento de Justiça ou na Casa Branca de Obama – parte do rio cada vez mais caudaloso de vazamentos, com o *New York Times* e o *Washington Post* liderando a preferência dos delatores.

Ao avaliar a informação de Yates, a Casa Branca acabou vendo isso menos como um problema com o sempre difícil Flynn e mais como um problema com Yates, até como uma ameaça por parte dela: o Departamento de Justiça, com seu vasto quadro de promotores de carreira favoráveis a Obama, tinha ouvidos na equipe de Trump.

"É injusto", disse Kellyanne Conway, em sua sala ainda não decorada no segundo andar, ao expor os sentimentos de mágoa do presidente. "É muito injusto. É totalmente injusto. Eles perderam. Eles não venceram. Isso é tão injusto. Então o presidente simplesmente não quer falar a respeito."

Não havia ninguém na Casa Branca que quisesse falar a respeito – nem alguém oficialmente incumbido de falar a respeito – da Rússia, a história que, como era evidente para a maioria mesmo antes de Trump assumir a Casa Branca, sem dúvida dominaria seu primeiro ano de governo, no mínimo. Ninguém estava preparado para lidar com isso.

"Não há razão sequer para falar a respeito", despistou Sean Spicer, sentado no sofá em sua sala, os braços cruzados com firmeza. "Não há razão sequer para falar a respeito", repetiu, com teimosia.

De sua parte, o presidente não usou, embora pudesse ter usado, a palavra "kafkiano". Encarava a história da Rússia como absurda e inexplicável, e sem base na realidade. Eles estavam simplesmente sendo trapaceados.

Haviam sobrevivido a um escândalo durante a campanha – o "fim de semana Billy Bush" –, contra todos os prognósticos do círculo íntimo de Trump, para então se verem atingidos pelo escândalo russo. Comparado ao Pussygate, a Rússia parecia a última-jogada-desesperada-gate. O que talvez fosse injusto agora era que o assunto ainda não tinha sido resolvido e que, incompreensivelmente, as pessoas o levassem a sério. Quando, na melhor das hipóteses... não era nada.

Era a mídia.

A Casa Branca se acostumara depressa a escândalos orquestrados pela mídia, mas também se habituara a vê-los desaparecer. Só que agora, para a frustração de todos lá dentro, esse escândalo parecia seguir firme e forte.

Se havia uma evidência não só desse caráter tendencioso da mídia como também de sua intenção de fazer tudo ao alcance para sabotar o presidente, era — no entender do círculo de Trump — essa tal de história da Rússia, o que o *Washington Post* denominou "ataque da Rússia contra o sistema político dos Estados Unidos". ("Tão horrivelmente injusto, sem prova de um único voto alterado", segundo Conway.) Era pérfido. Era, para eles, embora não pusessem nesses termos, similar ao tipo de conspirações sinistras ao estilo Clinton de que os republicanos costumavam acusar os liberais — Whitewater, Benghazi, Emailgate. Em suma, uma narrativa obsessiva que leva a investigações, que por sua vez levam a novas investigações e a mais cobertura obsessiva e inescapável da mídia. Essa era a política moderna: conspirações sanguinárias orbitando em torno da destruição de pessoas e carreiras.

Quando fez a comparação com Whitewater, Conway, em vez provar que tinha razão sobre obsessões, logo começou a discutir os detalhes envolvendo Webster Hubbell, figura das mais esquecidas no episódio Whitewater, e a culpabilidade do Rose Law Firm no Arkansas, escritório do qual Hillary Clinton era sócia. Todos acreditavam nas conspirações quando estavam a seu favor, e rejeitavam absoluta e justificadamente as conspirações apontadas na sua direção. Chamar algo de conspiração era descartá-la.

Quanto a Bannon, que promovera muitas conspirações, desconsiderou a história da Rússia à maneira clássica: "É só uma teoria da conspiração". E acrescentou: a equipe de Trump não era capaz de conspirar em relação a nada.

A história da Rússia foi — apenas duas semanas após o início da nova presidência — uma linha divisória em que cada lado via o outro como disseminando fake news.

A Casa Branca como um todo acreditava piamente que a história era uma fantasia inventada com base em fios narrativos fracos, quando não absurdos, com uma tese impensável: *Arranjamos a eleição com os russos, oh, meu Deus!* O mundo anti-Trump, e sobretudo sua mídia — ou seja, *a* mídia —, acreditava existir uma elevada, se não esmagadora, probabilidade de que houvesse ali *algo* de significativo, e uma chance razoável de que pudessem desvendar a história toda.

Se a farisaica mídia via isso como o Santo Graal e a bala de prata da destruição de Trump, e a Casa Branca de Trump, cheia de autopiedade, via como um esforço desesperado para fabricar um escândalo, havia ainda uma série de *smart money* aí no meio.

Os democratas no Congresso tinham tudo a ganhar insistindo, ao modo Benghazi, que onde havia fumaça (ainda que estivessem desesperadamente usando o fole) havia fogo, e usando as investigações como um foro para promover sua opinião minoritária (bem como para se autopromover).

Para os congressistas republicanos, as investigações eram uma carta na manga contra o vingativo e imprevisível Trump. Defendê-lo – ou não tanto defendê-lo e, talvez, possivelmente persegui-lo – proporcionava aos republicanos uma nova vantagem de negociação com ele.

A Comunidade de Inteligência– com sua constelação de feudos distintos tão desconfiados de Trump quanto de qualquer presidente recém-empossado – disporia, a seu próprio arbítrio, da ameaça de vazamentos a conta-gotas para proteger seus próprios interesses.

O FBI e o Departamento de Justiça avaliariam a evidência – e a oportunidade – através de suas próprias lentes de probidade e carreirismo. ("O DJ está cheio de promotoras como Yates, que o odeiam", comentou um assessor de Trump, com uma visão curiosamente sexista do crescente desafio.)

Se toda política é um teste de força, perspicácia e paciência de seu adversário, então aquele, independentemente dos fatos empíricos, era um teste bastante inteligente, com muitas armadilhas em que muitos podiam cair. De fato, em mais de um sentido a questão não era a Rússia, e sim a força, a perspicácia e a paciência, qualidades que, com clareza, Trump parecia não ter. O reiterado disse me disse sobre um possível crime, mesmo não havendo crime de verdade – e ninguém ainda estava apontando para um ato específico de conluio criminoso, nem tampouco para qualquer outra clara violação da lei –, podia forçar uma operação de acobertamento que talvez depois virasse um crime. Ou provocar uma tempestade perfeita de estupidez e avareza.

"Eles pegam tudo que eu falei na vida e aumentam", disse o presidente em sua primeira semana na Casa Branca, durante uma ligação tarde da noite. "É tudo exagerado. Meus exageros são exagerados."

* * *

Franklin Foer, o ex-editor em Washington da *New Republic*, se antecipou em denunciar uma conspiração Trump-Pútin em 4 de julho de 2016, na *Slate*. Seu artigo refletia a incredulidade que de repente tomara conta da mídia e da intelligentsia política: Trump, o candidato que ninguém levava a sério, tornara-se, ainda que de modo incompreensível, um candidato mais ou menos sério. E de algum modo, graças à sua falta de seriedade pregressa e à sua natureza sem sutilezas, o bravateador homem de negócios, com suas falências, cassinos e concursos de beleza, evitara escrutínios mais sérios. Para os estudiosos de Trump — algo que, durante suas três décadas cortejando atenção, muitos na mídia haviam se tornado —, os negócios imobiliários em Nova York eram sujos, os empreendimentos de Atlantic City eram sujos, a companhia aérea de Trump era suja, Mar-a-Lago, os campos de golfe e os hotéis, tudo sujo. Nenhum candidato razoável poderia ter sobrevivido aos detalhes de um único desses negócios. Mas de certa forma uma alegre dose de corrupção fora incluída na candidatura Trump — essa, afinal, era a plataforma de sua campanha. *Vou fazer por vocês o que um empresário durão faz por si mesmo.*

Para de fato ver a corrupção de Trump, era preciso vê-la em um palco maior. Foer estava sugerindo um palco fabuloso.

Preparando uma radiografia detalhada para um escândalo que ainda não existia, Foer, sem nada que se assemelhasse a uma arma do crime ou sequer a uma evidência concreta, reuniu em julho virtualmente todas as evidências circunstanciais e temáticas e muitos dos diversos personagens que teriam envolvimento na história ao longo dos dezoito meses seguintes. (Sem conhecimento do público ou mesmo da maioria dos protagonistas da mídia ou da política, a Fusion GPS a essa altura contratara o ex-espião britânico Christopher Steele para investigar uma ligação entre Trump e o governo russo.)

Pútin estava procurando um renascimento do poder russo e também tentando barrar as intromissões da União Europeia e da Otan. A recusa de Trump em tratar Pútin como um quase fora da lei — para não mencionar o que muitas vezes parecia uma paixonite pelo homem — significava, ipso facto, que Trump estava otimista em relação a uma volta do poder russo e talvez estivesse até promovendo isso.

Por quê? Que interesse poderia haver para um político norte-americano abraçar Vladimir Pútin publicamente — puxar seu saco — e encorajar o que o Ocidente enxergava como uma aventura russa?

Teoria 1: Trump tinha atração por homens fortes e seu autoritarismo. Foer relatou o velho fascínio de Trump pela Rússia, incluindo o tapa que levou de um sósia de Gorbatchóv que visitou a Trump Tower na década de 1980, bem como suas excessivas e desnecessárias "odes a Pútin". Isso sugeria uma vulnerabilidade ao estilo "dize-me com quem andas e te direi quem és": se associar com ou encarar favoravelmente políticos cujo poder reside em parte em sua tolerância à corrupção deixa você mais próximo da corrupção. Pútin também era atraído por populistas fortes, feitos à sua própria imagem; logo, perguntava Foer: "Por que os russos *deixariam* de oferecer a Trump a mesma ajuda furtiva que tanto haviam dado a Le Pen, Berlusconi e o resto?".

Teoria 2: Trump fazia parte de um círculo de negócios internacional longe (põe longe nisso) de ser blue chip, alimentando os rios de riqueza duvidosa que haviam brotado da tentativa de proteger o dinheiro — grande parte dele oriunda de Rússia e China — dos riscos políticos. Tal dinheiro, ou rumores de tal dinheiro, tornou-se uma explicação — ainda apenas circunstancial — na tentativa de determinar todos os negócios de Trump que permaneciam em larga medida ocultos das vistas. (Havia duas teorias contraditórias aqui: ele ocultara esses negócios porque não queria admitir como eram parcos ou então para mascarar seu caráter inidôneo.) Como o crédito de Trump está longe de afiançável, Foer foi um dos muitos a concluir que Trump necessitava se voltar para outras fontes — mais ou menos dinheiro sujo, ou dinheiro com o rabo preso a outro tipo de coisa. (Uma das maneiras pela qual o processo poderia funcionar, grosso modo, seria assim: um oligarca investe em um fundo de investimentos mais ou menos legítimo de um terceiro que, num toma lá dá cá, faz um investimento em Trump.) E, embora Trump negasse categoricamente ter quaisquer empréstimos ou investimentos de origem russa, ninguém, é claro, lançaria dinheiro sujo em seus livros.

Como um subconjunto dessa teoria, Trump — nunca muito escrupuloso na avaliação de seu pessoal — cercou-se de uma variedade de trapaceiros que agiam em benefício próprio e, plausivelmente, em benefício de Trump. Foer identificou os seguintes protagonistas como parte de uma possível conspiração russa:

- Tevfik Arif, ex-funcionário público russo que dirigia o Bayrock Group, um intermediário nas operações financeiras de Trump, com uma sala na Trump Tower.
- Felix Sater (por vezes grafado Satter), imigrante russo estabelecido em Brighton Beach, no Brooklyn, que já cumprira pena por ligação em uma fraude com uma corretora controlada pela máfia, depois trabalhara no Bayrock e tinha um cartão de visitas que o identificava como conselheiro sênior de Donald Trump. (Quando posteriormente o nome de Sater continuou sendo mencionado, Trump assegurou a Bannon que não o conhecia, de modo algum.)
- Carter Page, banqueiro de portfólio duvidoso que cumprira pena na Rússia, se apresentava como ex-consultor da companhia petrolífera estatal Gazprom, figurava em uma lista montada às pressas dos conselheiros políticos estrangeiros de Trump e, como se veria, o FBI o estava monitorando de perto no que supostamente seria um esforço da inteligência russa para entregá-lo às autoridades. (Trump posteriormente negaria ter até mesmo sido apresentado a Page, e o FBI afirmaria acreditar que a inteligência russa visara Page num esforço de entregá-lo às autoridades.)
- Michael Flynn, ex-diretor da Agência de Inteligência de Defesa — exonerado por Obama por motivos não esclarecidos —, que não tinha ainda se tornado o principal conselheiro sobre política externa de Trump e futuro conselheiro de Segurança Nacional, mas que já o acompanhava em muitas viagens de campanha e que, pouco antes naquele ano, recebera 45 mil dólares por palestras em Moscou, sendo fotografado em um jantar com Pútin.
- Paul Manafort, que, além de trabalhar como gerente de campanha de Trump, Foer destacou como um estrategista e conselheiro político que enriquecera de maneira substancial aconselhando Viktor Yanukovych, que, por sua vez, contava com o respaldo financeiro do Kremlin, concorrera vitoriosamente à presidência da Ucrânia em 2010, sendo deposto em 2014, e mantivera negócios com Oleg Deripaska, oligarca russo e velho camarada de Pútin.

Mais de um ano depois, cada um desses nomes estaria envolvido no bombardeio quase diário de notícias sobre a Rússia e Trump.

Teoria 3: O Santo Graal das sugestões era que Trump e os russos — talvez até o próprio Pútin — haviam se unido para hackear a Convenção Nacional Democrata.

Teoria 4: Mas também havia a teoria de-quem-o-conhece-melhor, uma determinada versão que acabou sendo abraçada pela maioria dos partidários de Trump. Ele estava simplesmente bajulando celebridades. Levou seu concurso de beleza para a Rússia porque achou que Pútin se tornaria seu amigo. Mas Pútin estava pouco se lixando, e, no fim das contas, Trump se viu no prometido jantar de gala sentado entre um sujeito que parecia nunca ter usado um talher na vida e Jabba the Hutt numa camisa polo. Em outras palavras, Trump — por mais tolo que pudesse ter sido em sua adulação e por mais suspeito que pudesse parecer, quando visto em retrospecto — só desejava um pouco de respeito.

Teoria 5: Os russos, com informação prejudicial sobre Trump, o estavam chantageando. Ele era o Candidato da Manchúria.

Em 6 de janeiro de 2017 — quase seis meses após a publicação do artigo de Foer —, a CIA, o FBI e a Agência de Segurança Nacional anunciaram sua conclusão conjunta de que "Vladimir Pútin ordenou uma campanha de influência em 2016 cujo alvo foi a eleição presidencial dos Estados Unidos". A partir do dossiê de Steele, passando pelos vazamentos constantes da Comunidade de Inteligência e pelos testemunhos e depoimentos do alto escalão das agências de inteligência norte-americana, um firme consenso emergira. Havia uma conexão nefasta, talvez em andamento, entre Trump e sua campanha e o governo russo.

Mesmo assim, isso ainda podia ser visto como grande ilusão dos adversários de Trump. "A premissa subjacente do caso é de que espiões dizem a verdade", afirmou Edward Jay Epstein, veterano jornalista investigativo da Comunidade de Inteligência. "Quem poderia afirmar?" E, de fato, a preocupação na Casa Branca não tinha relação com algum conluio — que parecia implausível, quando não absurdo —, mas com os desdobramentos: se um esclarecimento tivesse início, levaria provavelmente aos negócios escusos de Trump (e Kushner). Sobre esse assunto, sem ter outra saída, todos os membros da equipe principal deram de ombros, tapando olhos, ouvidos e boca.

Esse foi o peculiar e assustador consenso — não de que Trump fosse culpado de tudo de que estava sendo acusado, mas de que era culpado de muito mais.

Era também mais do que possível que o dificilmente plausível desembocasse no totalmente crível.

Em 13 de fevereiro, com 24 dias do novo governo, o conselheiro de Segurança Nacional Michael Flynn tornou-se o primeiro elo efetivo entre a Rússia e a Casa Branca.

Flynn na verdade contava apenas com um apoio no governo Trump: o do próprio presidente. Os dois viraram melhores amigos durante a campanha — ao melhor estilo filme sobre amizade. Após a posse, isso se traduziu numa relação de acesso total. Da parte de Flynn, essa situação levou a uma série de mal-entendidos que eram comuns no círculo de Trump: de que o endosso pessoal do presidente demonstrava seu status na Casa Branca e de que o grau de bajulação de Trump era um indicativo convincente de que você desfrutava de um laço inquebrantável com ele e era, a seus olhos e de sua Casa Branca, algo próximo de onipotente. Trump, com sua paixão por generais, havia por um momento *efetivamente* desejado fazer de Michael Flynn seu vice-presidente.

Encantado com a adulação de Trump durante a campanha, Flynn — um general de baixo escalão e, diga-se de passagem, dos mais excêntricos — se tornara algo como o brinquedo de Trump. Quando ex-generais fazem alianças com candidatos políticos, costumam se posicionar como voz de referência e de particular maturidade. Mas Flynn se tornara um sectário dos mais delirantes, parte do circo itinerante de Trump, um dos loucos espumantes que abriam os comícios. Essa demonstração a toda prova de entusiasmo e lealdade contribuiu para que ele ganhasse acesso aos ouvidos de Trump e despejasse suas teorias contra a Comunidade de Inteligência.

Durante a primeira metade da transição, quando Bannon e Kushner pareciam inseparáveis, isso foi parte da ligação entre eles: um esforço de realizar a desintermediação entre Flynn e sua mensagem com frequência problemática. Um senão na avaliação de Flynn feita pela Casa Branca, sorrateiramente insinuado por Bannon, foi de que Mattis, o secretário de Defesa, era um general de quatro estrelas, ao passo que Flynn, de apenas três.

"Gosto de Flynn, ele me lembra os meus tios", disse Bannon. "Mas esse é o problema: ele me lembra os meus tios."

Bannon se valeu da reputação cada vez maior de general atribuída a Flynn perante todos, exceto o presidente, para assegurar para si um assento no Conselho de Segurança Nacional. Isso foi, para muitos na comunidade de Segurança Nacional, um momento de agir contra a tentativa da direita nacionalista de tomar o poder. Mas a presença de Bannon no conselho era também motivada pela necessidade de servir de babá do impetuoso Flynn, inclinado a confrontar praticamente todos os demais na comunidade de Segurança Nacional. (Flynn era um "coronel em farda de general", segundo um alto funcionário da inteligência.)

Flynn, como todos ao redor de Trump, ficou encantado com a oportunidade transcendental de, contra todas as probabilidades, estar na Casa Branca. E, inevitavelmente, isso acabou lhe subindo à cabeça.

Em 2014, Flynn fora sumariamente enxotado do governo, fato que atribuiu a seus inúmeros inimigos na CIA. Mas ele cavara vigorosamente um lugar para si nos negócios, aliando-se a fileiras de ex-funcionários que lucravam com a política e as redes de negócio corporativas-financeiras-governamentais cada vez mais globalistas. Então, depois de flertar com diversos outros candidatos presidenciais republicanos, associou-se a Trump. Tanto Flynn como Trump eram antiglobalistas — ou, enfim, acreditavam que os Estados Unidos estavam sendo passados para trás nas transações internacionais. Mesmo assim, dinheiro é dinheiro, e Flynn, que vinha recebendo uma aposentadoria de algumas centenas de milhares de dólares anuais de sua pensão como general, não estava recusando nada. Vários amigos e conselheiros — incluindo Michael Ledeen, amigo de longa data, anti-Irã e anti-CIA, coautor do livro de Flynn e cuja filha agora trabalhava para Flynn — lhe recomendaram que não aceitasse comissões da Rússia ou indicações ainda mais elevadas para "consultoria" feitas pela Turquia.

Era de fato o tipo de negligência que praticamente qualquer um no universo de Trump, incluindo o presidente e sua família, praticava. Eles viviam numa realidade paralela em que, embora participando de uma campanha presidencial, também precisavam de um mundo vastamente mais provável — um mundo praticamente garantido — em que Donald Trump nunca seria presidente. Logo, de negócios, como sempre.

No início de fevereiro, um advogado do governo Obama que tinha bom trânsito com Sally Yates observou, com algum prazer e considerável exatidão: "Com certeza é uma circunstância estranha levar sua vida sem se preocupar em ser eleito e então ser eleito: e uma oportunidade e tanto para seus inimigos".

Nesse sentido, não havia apenas a nuvem russa pairando sobre o governo, mas também uma sensação de que a Comunidade de Inteligência tinha tão pouca confiança em Flynn, e de tal forma atribuía a ele a culpa pela animosidade com Trump, que Flynn era o alvo ali. Dentro da Casa Branca, havia até a sensação de que um bom acordo estava sendo implicitamente oferecido: Flynn em troca da boa vontade da Comunidade de Inteligência.

Ao mesmo tempo, no que alguns acharam uma resposta direta da ira presidencial contra as insinuações russas — em particular, a insinuação sobre a chuva dourada —, Trump parecia se ligar de modo ainda mais ferrenho a Flynn, assegurando reiteradas vezes a seu conselheiro de Segurança Nacional que ele não precisava se preocupar, que as acusações sobre a Rússia, relacionadas tanto a Flynn como a ele mesmo, eram "bobagem". Após a demissão de Flynn, uma narrativa descrevendo as crescentes dúvidas de Trump sobre seu conselheiro seria apresentada à imprensa, mas a verdade estava no oposto: quanto mais dúvidas pairavam em torno de Flynn, mais certeza o presidente tinha de que ele era seu aliado vital.

O vazamento decisivo ou mais fatídico durante a breve permanência de Michael Flynn provavelmente veio tanto dos inimigos do conselheiro de Segurança Nacional dentro da Casa Branca quanto dos do Departamento de Justiça.

Na quarta-feira, 8 de fevereiro, Karen DeYoung, do *Washington Post*, se encontrou com Flynn para o que deveria ser uma entrevista extraoficial. O encontro não ocorreu na sala dele, e sim na sala mais ornamentada do Edifício do Gabinete Executivo de Eisenhower — a mesma onde diplomatas japoneses esperaram para se reunir com o secretário de Estado Cordell Hull, quando este ficou sabendo do ataque contra Pearl Harbor.

Para um observador externo, não passaria de uma simples entrevista sobre a carreira de Flynn, e DeYoung, com seu despretensioso jeito de detetive Columbo, não despertou suspeitas quando tocou na questão obrigatória: "Meus colegas me pediram para perguntar o seguinte: o senhor conversou com os russos sobre sanções?".

Flynn declarou que não tivera nenhuma conversa, de modo algum, depois voltou a negar, e a entrevista, acompanhada pelo alto funcionário e porta-voz do Conselho de Segurança Nacional Michael Anton, foi encerrada em seguida.

Porém, um pouco mais tarde nesse mesmo dia, DeYoung ligou para Anton e perguntou se podia publicar a negativa de Flynn. Anton disse que não via problema — afinal, a Casa Branca queria deixar essa negação bem clara — e notificou Flynn.

Horas depois, Flynn ligou para Anton manifestando certa angústia com a declaração. Anton fez a pergunta de praxe: "Se você soubesse que podia existir uma gravação dessa conversa capaz de vir a público, continuaria tendo cem por cento de certeza?".

Como a resposta de Flynn foi dúbia, Anton, de repente preocupado, aconselhou que, se ele não pudesse ter certeza, deveria "voltar atrás".

O artigo do *Washington Post* publicado no dia seguinte e assinado por mais três jornalistas — indicando que a entrevista de DeYoung não era o centro da matéria — apresentava novos detalhes vazados da ligação de Kislyak, que o *Washington Post* agora afirmava que de fato lidava com a questão das sanções. O artigo também trazia a negação de Flynn — "ele disse 'não' duas vezes" —, bem como seu recuo: "Na quinta-feira, Flynn, por meio de seu porta-voz, voltou atrás na negação. O porta-voz afirmou que Flynn 'deu a entender que, embora não se lembrasse de ter discutido as sanções, não podia garantir que o assunto nunca tivesse sido mencionado'".

Após a matéria no *Washington Post*, Priebus e Bannon voltaram a questionar Flynn, que declarou que não se lembrava de suas palavras. Se o assunto das sanções tinha surgido, contou, foi na maior parte evitado. Curiosamente, ninguém parecia ter efetivamente escutado a conversa com Kislyak ou visto uma transcrição.

Nesse meio-tempo, a turma do vice-presidente, surpreendida pela súbita controvérsia de Flynn, ficou particularmente ofendida, menos pelas possíveis distorções de Flynn do que por ter ficado de fora da conversa. De qualquer maneira, o presidente permaneceu inabalável — ou, em uma versão, "agressivamente na defensiva" —, e, embora a Casa Branca como um todo olhasse de soslaio, Trump decidiu levar Flynn com ele a Mar-a-Lago para seu fim de semana oficial com Shinzō Abe, o primeiro-ministro japonês.

Na noite do sábado seguinte, numa estranha ocasião, o terraço de Mar-a-Lago se tornou uma Sala da Crise onde o presidente Trump e o primeiro-ministro Abe discutiram abertamente como responder ao lançamento de um míssil norte-coreano quase quinhentos quilômetros adentro do mar do Japão.

Lado a lado com o presidente estava Michael Flynn. Se Bannon, Priebus e Kushner desconfiavam de que o destino de Flynn estava em risco, o presidente não parecia alimentar tais dúvidas.

Para a equipe sênior da Casa Branca, a preocupação básica era menos se livrar de Flynn do que a relação entre o presidente e o sujeito. O que Flynn, na essência um espião em farda de soldado, levara o presidente a fazer? O que os dois juntos deviam ter aprontado?

Na segunda de manhã, Kellyanne Conway apareceu na MSNBC e saiu com firmeza em defesa do conselheiro de Segurança Nacional. "Sim", disse ela, "o presidente tem confiança total no general Flynn." E embora isso parecesse para muitos um indício de que Conway estava por fora do assunto, na verdade era mais uma indicação de que conversara diretamente com o presidente.

Em uma reunião na Casa Branca naquela mesma manhã, ninguém conseguiu convencer Trump a mandar Flynn embora. O presidente estava preocupado com a imagem que passaria por perder seu conselheiro de Segurança Nacional depois de apenas 24 dias. E foi irredutível em não querer pôr a culpa em Flynn por conversar com os russos, mesmo sobre sanções. Na visão de Trump, condenar seu conselheiro o ligaria a um complô quando não havia complô algum. Sua fúria não era dirigida contra Flynn, e sim contra o grampo "incidental" que o apanhara. Deixando clara sua confiança no conselheiro, Trump insistiu que Flynn comparecesse ao almoço na segunda com o primeiro-ministro canadense, Justin Trudeau.

O almoço foi seguido de outra reunião sobre a questão. Houve ainda mais detalhes da ligação telefônica e um crescente inventário do dinheiro que Flynn recebera de inúmeras entidades russas, assim como um enfoque reforçado na teoria de que os vazamentos na Comunidade de Inteligência — ou seja, *toda* a confusão da Rússia — apontavam para Flynn. Por fim, houve uma nova argumentação de que Flynn devia ser exonerado não pelos contatos russos, mas porque mentira a respeito para o vice-presidente. Essa foi uma invenção conveniente de uma cadeia de comando: na verdade, Flynn não prestava contas ao vice-presidente Pence, e era com certeza bem mais poderoso do que ele.

O novo argumento convenceu Trump, que enfim concordou que Flynn precisava sair.

Mesmo assim, o presidente não renunciou à sua fé em Flynn. Antes, os inimigos de Flynn eram seus inimigos, e a Rússia, uma arma apontada para sua cabeça. Ele podia, ainda que pesaroso, ter sido obrigado a exonerar Flynn, mas Flynn continuava tendo sua confiança.

Expulso da Casa Branca, Flynn se tornara o primeiro elo direto estabelecido entre Trump e a Rússia. E dependendo do que dissesse para quem, era agora possivelmente a pessoa mais poderosa em Washington.

8. Organograma

O ex-oficial da Marinha Steve Bannon percebeu, após algumas semanas, que a Casa Branca era na verdade uma base militar, um escritório governamental com fachada de mansão e algumas salas cerimoniais sobrepondo-se a uma instalação de segurança sob comando militar. A justaposição era surpreendente: hierarquia militar e ordem ao fundo, o caos dos ocupantes civis temporários no primeiro plano.

Dificilmente daria para encontrar uma entidade mais dissonante da disciplina militar do que uma organização regida por Trump. Não havia estrutura real de escalões, mas apenas uma figura no topo e depois todos os demais se digladiando por atenção. Era mais orientada para reações do que baseada em tarefas — quem capturasse a atenção do chefe capturava a atenção de todo mundo. Era assim na Trump Tower e continuava assim agora, na Casa Branca de Trump.

A própria Sala Oval fora usada por ocupantes anteriores como símbolo de poder máximo, um clímax cerimonial. Mas Trump, assim que chegou, trouxe uma coleção de bandeiras de guerra para compor o cenário quando à sua mesa, e a Sala Oval logo se tornou palco do caos generalizado sob Trump. É provável que mais gente disponha de fácil acesso a esse presidente dos Estados Unidos do que a qualquer outro anterior. Quase todas as reuniões com o presidente na Sala Oval eram invariavelmente interrompidas por um longo rol de funcionários — na verdade, todo mundo tentava estar em todas as reuniões. Figuras furtivas espreitavam em torno, sem um propósito claro: Bannon invariavelmente encontrava pretexto para analisar documentos em algum canto e depois ter uma última palavra; Priebus ficava de olho em Bannon; Kushner se mantinha incessantemente atualizado sobre o paradeiro dos demais. Trump gostava de manter Hicks, Conway e muitas vezes sua velha parceira de *The Apprentice*, Omarosa Manigault — agora com um desconcertante título na Casa Branca —, como presenças constantes pairando em volta. Como sempre, Trump queria um séquito e encorajava o máximo possível de pessoas a fazer o máximo possível de tentativas para ficar o mais perto possível dele. Com o tempo, porém, faria comentários derrisórios sobre os que pareciam mais ávidos para bajulá-lo.

Uma boa gestão reduz o ego. Porém, na Casa Branca de Trump, podia muitas vezes parecer que nada acontecia — que a realidade simplesmente não existia — se não acontecesse na presença de Trump. Isso fazia certo sentido às avessas: se ocorria alguma coisa e Trump não estava presente, ele não dava importância e mal tomava conhecimento. Sua reação se limitava muitas vezes então a um olhar vazio, o que também fomentou uma teoria de por que a indicação de cargos na Ala Oeste e em todo o setor executivo era um processo tão vagaroso — o cumprimento da vasta burocracia se dava longe de seus olhos e assim ele não dava a mínima. Visitantes com hora marcada também ficavam perplexos com a escassez de funcionários na Ala Oeste: após serem recebidos por uma elegante continência militar de um fuzileiro de farda, descobriam que a Ala Oeste muitas vezes não contava com uma recepcionista politicamente indicada, cabendo aos convidados encontrar seu caminho em meio àquele labirinto que era o pináculo do poder no mundo ocidental.

Ex-cadete da academia militar — embora não dos mais entusiasmados —, Trump apregoava uma volta aos valores e expertise militares. Na verdade, ele mais do que todos buscava preservar seu direito pessoal de desafiar ou ignorar a própria organização. Isso também fazia sentido, uma vez que não ter uma organização de fato era o modo mais eficiente de driblar as pessoas em sua organização e dominá-las. Era apenas uma ironia a sua corte a figuras militares admiradas como James Mattis, H. R. McMaster e John Kelly: eles se viram trabalhando em um governo que era em todos os sentidos hostil a princípios de ordem básicos.

Praticamente desde o início, a Ala Oeste se deparava com a informação quase diária de que a pessoa encarregada de administrá-la, o chefe de gabinete Reince Priebus, estava prestes a perder o cargo. Ou, se não estava prestes a perder o cargo, o único motivo para continuar na função era que ainda não a mantivera por tempo suficiente para ser despedido. Mas ninguém no círculo interno de Trump duvidava de que Priebus seria exonerado assim que, para falar em termos práticos, sua demissão não causasse constrangimento demais ao presidente. Desse modo, raciocinavam, ninguém precisava prestar muita atenção nele. Priebus, que durante a transição duvidava que chegaria à posse, e depois, uma vez no governo, se perguntava se conseguiria suportar a tortura pelo período minimamente respeitável de um ano, logo reduziu sua meta para seis meses.

O presidente, na ausência de qualquer rigor organizacional, muitas vezes atuava como seu próprio chefe de gabinete, quando não elevava, até certo ponto, a função de porta-voz ao primeiro escalão, atuando então como seu próprio porta-voz — revisando press releases, ditando citações, atendendo ligações dos repórteres —, o que fazia do verdadeiro porta-voz um mero subordinado e bode expiatório. Além do mais, seus parentes agiam como gerentes-gerais ad hoc de quaisquer áreas que por acaso escolhessem para serem os gerentes-gerais. Sem falar em Bannon, que conduzia algo como uma operação de universo paralelo, com frequência dando início a empreitadas de enorme importância que ninguém mais conhecia. Por isso Priebus, no centro de uma operação sem centro, achou fácil pensar que não havia o menor motivo para estar ali.

Paralelamente, o presidente parecia gostar cada vez mais de Priebus porque ele parecia inteiramente descartável. O homem acatava os abusos verbais de Trump sobre sua baixa altura e estrutura física com afabilidade ou, em todo caso, estoicismo. Era um saco de pancadas conveniente quando as coisas saíam errado — e não devolvia os ataques, para prazer e desgosto de Trump.

"Adoro o Reince", dizia o presidente, num falso enaltecimento. "Quem mais faria o trabalho dele?"

Entre os três homens com status efetivamente igual na Ala Oeste — Priebus, Bannon, Kushner —, só o desprezo mútuo os impedia de se coligarem uns contra os outros.

Nos primeiros dias da presidência de Trump, a situação pareceu clara para todos: três homens brigavam para dirigir a Casa Branca e ser, na prática, o verdadeiro chefe de gabinete e o poder por trás do trono. Sem mencionar o próprio Trump, que não queria delegar poder a quem quer que fosse.

No centro disso, aos 32 anos, estava Katie Walsh.

Walsh, a vice-chefe de gabinete da Casa Branca, representava, ao menos aos seus próprios olhos, certo ideal republicano: honesta, proativa, disciplinada, eficiente. Burocrata idônea, bonita, mas com permanente expressão austera, Walsh era um belo exemplo dos muitos profissionais da política cujas competência e habilidade de organização transcendem a ideologia. (A saber: "Eu preferiria mil vezes fazer parte de uma organização com uma clara cadeia de comando da qual discordo a de uma organização caótica que talvez pareça refletir melhor meus pontos de vista".) Washington era o habitat perfeito para Walsh. Sua especialidade era priorizar os objetivos do governo federal, coordenar equipes no governo federal, mobilizar recursos para o governo federal. O tipo de quadro que vive debruçado sobre a mesa, resolvendo coisas — era assim que gostava de ver a si mesma. E sem paciência para conversa fiada.

"Toda vez que alguém entra numa reunião com o presidente, há umas 65 coisas que precisam acontecer antes", enumerou ela. "Qual secretário de gabinete tem que ser alertado sobre quem irá participar; quem no Capitólio deve ser consultado; quem vai fazer o briefing sobre determinadas políticas chegar à mão dos membros certos do gabinete e, por consequência, ao presidente... ah, e a propósito, você precisa investigar a pessoa... Depois precisa passar o briefing para a área de comunicação e pensar se é assunto para o noticiário de cadeia nacional ou regional, se estamos cuidando das colunas de opinião, indo em rede nacional... e isso antes de você chegar aos assuntos políticos ou de relações com a sociedade civil... E quando qualquer um se reúne com o presidente, você precisa explicar por que não é outra pessoa que está se reunindo, caso contrário saem por aí e metem o pau na pessoa que participou..."

Walsh era o que se espera — ou o que se esperava — da política. Um negócio respaldado, conduzido e, de fato, enobrecido por uma classe política profissional. Política, algo evidenciado no jeito monótono e particularmente soturno que o washingtoniano tem de se vestir — um decidido manifesto antimoda —, tem relação com conduta e temperamento. Os holofotes se vão. Nenhum holofote permanece no jogo.

Depois de frequentar um colégio católico para meninas em St. Louis (ela ainda usava uma cruz de diamantes no pescoço) e trabalhar como voluntária em campanhas políticas locais, Walsh frequentou a Universidade George Washington — as faculdades na região da capital forneciam a desova mais garantida de talentos para as águas do pântano (o governo definitivamente não é profissão de Ivy League). A maioria das organizações governamentais e políticas não é dirigida, para o bem ou para o mal, por pessoas com formação em gestão, e sim por jovens notáveis apenas por sua seriedade, seu idealismo e sua ambição no setor público. (É uma anomalia da política republicana que jovens motivados a trabalhar no setor público se peguem trabalhando para limitar o setor público.) Avançar na carreira depende de seu aprendizado na função, de como você se relaciona com o resto do pântano e como joga o jogo.

Em 2008, Walsh tornou-se diretora financeira regional do Meio-Oeste para a campanha de McCain — tendo se especializado em marketing e finanças na George Washington, ficou encarregada do livro-caixa. Posteriormente passou a vice-diretora financeira do Comitê Senatorial Republicano Nacional, vice-diretora financeira e depois diretora financeira do Comitê Nacional Republicano e, por fim, antes da Casa Branca, chefe de gabinete do CNR e de seu diretor, Reince Priebus.

Em retrospecto, o momento crucial na salvação da campanha de Trump talvez não tenha sido tanto a presença de Mercer e a consequente imposição de Bannon e Conway em meados de agosto, e sim a admissão de que a organização enxuta e ainda em larga medida de um homem só precisaria depender da generosidade da Convenção Nacional Republicana. O CNR tinha o controle da base eleitoral e a infraestrutura de dados; outras campanhas normalmente talvez não confiassem na Convenção Nacional, com suas inúmeras e traiçoeiras cobras criadas, mas a campanha de Trump optara por não fazer esse investimento. No fim de agosto, Bannon e Conway, com o consentimento de Kushner, fizeram um acordo com o pântano profundo do CNR, apesar da contínua insistência de Trump de que haviam chegado até lá sem o CNR, então por que rastejar para eles agora?

Quase de imediato, Walsh virou uma peça fundamental da campanha, um dedicado poder centralizador, despótico mas eficaz — uma figura sem a qual poucas organizações conseguem funcionar. Locomovendo-se entre a sede do

CNR em Washington e a Trump Tower, ela era a intendente que disponibilizava os recursos da política nacional para a campanha.

Se o próprio Trump foi com frequência a própria imagem da desorganização nos meses finais da corrida e durante a transição, a campanha em torno dele, em parte porque a única opção era uma integração branda com o CNR, foi uma organização vastamente mais responsiva e unificada do que, digamos, a campanha de Hillary Clinton, com seus recursos significativamente maiores. Diante da catástrofe e do que parecia a humilhação certa, a campanha de Trump deu liga — com Priebus, Bannon e Kushner protagonizando seus papéis de amigos inseparáveis.

O espírito de camaradagem sobreviveu poucos dias na Ala Oeste.

Para Katie Walsh, ficou claro quase na mesma hora que o propósito comum da campanha e a urgência da transição se perderam assim que a equipe de Trump pisou na Casa Branca. Eles passaram do gerenciamento de Donald Trump à expectativa de serem gerenciados por ele — ou ao menos por intermédio dele e quase exclusivamente para os propósitos dele. No entanto, o presidente, embora propondo o mais radical afastamento das normas de governo e políticas públicas em várias gerações, tinha poucas ideias específicas sobre como transformar seus temas e sua retórica cáustica em práxis política, e também não contava com uma equipe sensata capaz de se unir em seu apoio.

Na maioria dos governos anteriores, política e ação fluíam de cima para baixo, com a equipe tentando implementar o que o presidente queria — ou, pelo menos, o que o chefe de gabinete dizia que o presidente queria. Na Casa Branca de Trump, as decisões políticas, desde o primeiro episódio da ordem executiva sobre imigração de Bannon, fluíam de baixo para cima. Era um processo de sugerir, ao estilo vamos-ver-no-que-dá, o que o presidente podia querer, e torcer para ele depois pensar que pensara naquilo com a própria cabeça (resultado muitas vezes alcançado com a sugestão de que ele na verdade já havia pensado naquilo).

Como observou Walsh, Trump tinha uma série de crenças e impulsos, grande parte deles presente em sua cabeça há muitos anos, alguns razoavelmente contraditórios e poucos se adequando à forma ou às convenções legislativas ou políticas. Logo, ela e todos os demais estavam traduzindo uma série de desejos e impulsos em um programa, processo que exigia um bocado de adivinhação. Era, disse Walsh, "como tentar descobrir o que uma criança quer".

Só que fazer sugestões era muito complicado. Residia aí, possivelmente, a questão central da presidência de Trump, animando todos os aspectos de suas políticas e sua liderança: ele não processava informação em nenhum sentido convencional — ou, em certa medida, não processava informação.

Trump não lia. Na verdade, nem sequer passava os olhos. Se a coisa estivesse impressa, podia perfeitamente nem existir. Alguns acreditavam que, para todos os fins práticos, ele não passava de um analfabeto funcional. (Havia certo debate da matéria, pois Trump conseguia ler manchetes e artigos sobre si mesmo, bem como as colunas de fofoca Page Six do *New York Post*.) Alguns acreditavam que fosse disléxico: sem dúvida sua compreensão era limitada. Outros concluíram que não lia simplesmente porque não era obrigado, o que não deixava de ser um de seus principais atributos como populista. Ele pertencia à sociedade pós-letrada — cem por cento TV.

Mas Trump não se limitava a não ler: também não escutava. Preferia ser quem falava. E confiava na própria expertise — por mais reles ou irrelevante que fosse — mais do que na de ninguém. Além disso, sua linha de atenção era extremamente tênue, mesmo quando pensava que o interlocutor era digno de atenção.

A organização, portanto, precisava de uma série de racionalizações internas que lhe permitissem confiar num homem que, embora soubesse pouco, tinha absoluta confiança em suas certezas intuitivas e opiniões espontâneas, por maior que fosse a frequência com que pudessem mudar.

Uma das racionalizações-chave da Casa Branca de Trump era que a expertise, essa virtude liberal, era supervalorizada. Afinal, com grande frequência pessoas que se esforçaram muito para saber o que sabiam tomavam as decisões erradas. Então talvez o instinto fosse tão bom — ou talvez até melhor — para chegar ao cerne da matéria quanto a incapacidade daqueles cê-dê-efes movidos por dados de enxergar o quadro mais amplo e que muitas vezes pareciam contaminar as decisões políticas nos Estados Unidos. Talvez. *Vamos torcer*.

Claro, ninguém acreditava nisso de fato, a não ser o próprio presidente.

Mesmo assim, ali estava a fé básica, sobrepujando sua impetuosidade e suas excentricidades, bem como sua limitada base de conhecimento: ninguém se tornava presidente dos Estados Unidos — essa façanha à altura de passar um camelo pelo buraco da agulha — sem astúcia única e esperteza singular. *Certo?* Nos primeiros dias de Casa Branca, essa foi a hipótese fundamental da equipe no primeiro escalão do governo, partilhada por Walsh e todos: Trump devia saber o que estava fazendo, sua intuição devia ser profunda.

Mas também havia outro aspecto na suposta soberba desses insights e dessa percepção, e que era difícil não perceber: ele muitas vezes era confiante, mas também paralisado, nesses casos menos um idiota-prodígio e mais uma figura de inseguranças exaltadas e perigosas, cuja reação instintiva era distribuir patadas a torto e a direito e se conduzir como se sua intuição, por mais silenciosa e confusa que fosse, estivesse na verdade de uma maneira clara e veemente lhe dizendo o que fazer.

Durante a campanha, Trump virou uma espécie de boneco de ação bravateador. Sua equipe ficava admirada com a disposição que ele tinha de permanecer em movimento, voltando ao avião e descendo do avião, para voltar a entrar no avião, e fazendo comício depois de comício, orgulhoso de realizar mais eventos do que qualquer outra pessoa — o dobro de Hillary! — e até fazendo pouco-caso do ritmo vagaroso de sua adversária. Era uma *performance*. "Esse homem nunca se cansa de ser Donald Trump", observou Bannon, num tipo complicado de elogio às avessas, algumas semanas após se juntar à campanha em período integral.

Foi durante os primeiros briefings de inteligência de Trump, feitos logo após confirmar sua nomeação, que sinais de alarme dispararam pela primeira vez entre sua nova equipe de campanha: ele parecia carecer da capacidade de absorver informação vinda de terceiros. Ou talvez não tivesse interesse. De qualquer maneira, parecia ter quase uma fobia de demandas formais de sua atenção. Punha empecilhos a qualquer coisa que chegasse por escrito e refugava diante de qualquer explanação. "É um cara que odeia mesmo a escola", comentou Bannon. "E não é agora que vai começar a gostar."

Por mais alarmante que fosse, o modus operandi de Trump também representou uma oportunidade para as pessoas mais próximas dele: ao compreendê-lo, ao observar o tipo de hábitos e reações reflexas que seus adversários no ramo dos negócios haviam muito tempo antes aprendido a usar em benefício próprio, talvez pudessem manipulá-lo, *persuadi-lo*. Mesmo assim, embora pudesse estar persuadido hoje, ninguém subestimava as complexidades de continuar a persuadi-lo da mesma coisa amanhã.

* * *

Uma das maneiras de determinar o que Trump queria, qual era sua posição e quais suas intenções subjacentes para a política que faria — ou pelo menos as intenções que a pessoa conseguisse convencê-lo de que eram dele — veio a envolver uma análise textual improvavelmente certeira de seus discursos tirados da manga, comentários aleatórios e tuítes impulsivos durante a campanha.

Bannon fez uma cuidadosa interpretação da obra de Trump, sublinhando possíveis insights e planos de ação. Parte da autoridade de Bannon na nova Casa Branca vinha de ser o zelador das promessas do presidente, anotadas com meticulosidade no quadro branco em sua sala. Algumas dessas promessas Trump afirmava com entusiasmo ter feito, outras, mal lembrava, mas aceitava de bom grado a autoria. Bannon agiu como um discípulo e promoveu Trump a guru — ou a Deus inescrutável.

Isso acabou se transformando em mais uma racionalização, ou a verdade de Trump: "O presidente foi muito claro no que queria transmitir ao público dos Estados Unidos", disse Walsh. Ele era "excelente em comunicar isso". Ao mesmo tempo, ela admitiu que não estava claro em nenhum sentido específico o que ele queria. Logo, havia mais uma racionalização: Trump era inspirador mas não operacional.

Kushner, percebendo que o quadro branco de Bannon representava antes os interesses de Bannon do que os do presidente, começou a se perguntar o quanto desse texto fonte estava sendo editado por Bannon. Fez então diversas tentativas de examinar com cuidado por conta própria as palavras de seu sogro antes de expressar frustração e desistir.

Mick Mulvaney, o ex-congressista da Carolina do Sul, agora diretor do Gabinete de Gestão e Orçamento e diretamente encarregado de elaborar o orçamento de Trump que iria sustentar o programa da Casa Branca, também recorreu a gravações do que Trump dizia. O livro de Bob Woodward publicado em 1994, *The Agenda*, é um relato minucioso dos primeiros dezoito meses da Casa Branca de Clinton, na maior parte do período focado em elaborar o orçamento, devotando o grosso de seu tempo a uma contemplação profunda e a discussões sobre como alocar recursos. No caso de Trump, esse tipo de envolvimento próximo e contínuo era inconcebível: a seu ver, o orçamento simplesmente era um assunto de calibre demasiado pequeno.

"As primeiras vezes que fui à Casa Branca, alguém teve que dizer: 'Este é Mick Mulvaney, ele é o diretor do Orçamento'", contou Mulvaney. E, de acordo com o relato de Mulvaney, Trump era dispersivo demais para ser de alguma ajuda, tendendo a interromper o planejamento com perguntas aleatórias que pareciam ter vindo do lobby recente de alguém ou de algum arroubo de livre associação. Se Trump se importava com algo, normalmente já tinha opinião formada baseada em informação limitada. Caso contrário, não tinha opinião nem tampouco informação. Logo, a equipe orçamentária de Trump também foi obrigada em grande parte a voltar aos seus discursos para procurar os temas de políticas gerais que pudessem incluir no programa orçamentário.

De sua sala com vista para a Sala Oval, Walsh estava localizada em algo como o marco zero do fluxo de informação entre o presidente e sua equipe. Como principal articuladora da agenda de Trump, sua função era otimizar o tempo do presidente e organizar o fluxo de informação para ele em torno das prioridades que a Casa Branca estabelecera. Assim, Walsh se tornou a efetiva intermediária entre os três homens que mais se esforçavam para manobrar o presidente — Bannon, Kushner e Priebus.

Os três, sem exceção, viam o presidente como uma espécie de folha em branco — ou rasurada. E os três, sem exceção, como Walsh acabou percebendo com crescente incredulidade, tinham uma ideia radicalmente diferente de como preencher ou refazer essa página. Bannon era o militante da direita alternativa. Kushner, o democrata nova-iorquino, e Priebus, o republicano do establishment. "Steve quer forçar 1 milhão de pessoas a deixar os Estados Unidos, revogar as leis de saúde e impor um punhado de tarifas que destruirão completamente o modo como se faz comércio no país, ao passo que Jared quer tratar do tráfico humano e proteger a Paternidade Planejada." Já Priebus queria que Donald Trump fosse um tipo completamente diferente de republicano.

Para Walsh, Steve Bannon estava dirigindo a Casa Branca de Steve Bannon; Jared Kushner, a Casa Branca de Michael Bloomberg; e Reince Priebus, a Casa Branca de Paul Ryan. Era um pinball dos anos 1970, a bola ricocheteando para lá e para cá no triângulo.

Priebus — supostamente o elo fraco, o que permitia assim que Bannon e Kushner se revezassem, ora um, ora outro, como efetivo chefe de gabinete —

estava na verdade se revelando o perfeito cão que late, ainda que dos pequenos. No mundo de Bannon e no mundo de Kushner, o trumpismo representava a política sem ligação com a corrente principal republicana, com Bannon injuriando essa corrente principal e Kushner operando como democrata. Enquanto isso, Priebus era o terrier nomeado da corrente principal.

Por isso, Bannon e Kushner ficaram mais do que um pouco irritados ao descobrir que o despretensioso Priebus tinha uma agenda própria: seguir o preceito do líder do Senado, Mitch McConnell, de que "este presidente vai assinar qualquer coisa que puserem na frente dele", ao mesmo tempo também tirando vantagem da falta de experiência política e legislativa da Casa Branca e delegando a maior quantidade possível de ações públicas para o Capitólio.

Nas primeiras semanas de governo, Priebus providenciou que o presidente da Câmara dos Representantes, Paul Ryan, embora crítico ferrenho de Trump durante boa parte da campanha, visitasse a Casa Branca com um grupo de importantes presidentes dos comitês. Na reunião, o presidente jovialmente anunciou que nunca tivera muita paciência com comitês e assim ficava feliz que alguém tivesse. A partir daquele momento, Ryan se tornou mais uma figura com acesso irrestrito ao chefe — e para quem o presidente, completamente desinteressado em estratégias ou procedimentos legislativos, concedeu virtual carta branca.

Quase ninguém representava o oposto de Bannon tão bem quanto Paul Ryan. A essência do bannonismo (e do mercerismo) era um isolacionismo radical, um protecionismo proteico e um keynesianismo determinado. Bannon imputava esses princípios ao trumpismo, e eles iam tão contra o republicanismo quanto talvez fosse possível ir. Além do mais, Bannon achava Ryan, teoricamente o mago político da Câmara dos Representantes, um estúpido, quando não incompetente, e um alvo fácil e constante para ser ridicularizado à boca pequena. Mesmo assim, se o presidente inexplicavelmente abraçara Priebus-Ryan, também não podia passar sem Bannon.

O talento único de Bannon — em parte por estar mais familiarizado com as palavras do presidente do que o próprio, e em parte por sua astúcia em não chamar a atenção para si (sabotada por seus acessos de autopromoção) — era instigar e convencer o presidente de que suas opiniões (de Bannon) eram inteiramente derivadas das opiniões do presidente. Bannon não promovia o debate interno, não fornecia fundamentos políticos nem fazia apresentações em PowerPoint. Em vez disso, era o equivalente a um programa radiofônico pessoal para Trump, que podia ligá-lo a qualquer momento — e era um prazer para o presidente que os pronunciamentos e as opiniões de Bannon fossem sistematicamente formados e prontamente disponibilizados, uma narrativa estimulante de um campo unificado — ou desligá-lo, e Bannon ficaria estrategicamente em silêncio até ser ligado outra vez.

Kushner não tinha a imaginação política de Bannon nem as ligações institucionais de Priebus. Mas, é claro, tinha status familiar, portando sua própria alta autoridade. Sem mencionar o status de bilionário. Kushner cultivara um amplo leque de endinheirados em Nova York e em outras partes do mundo, conhecidos e amigos de Trump e, muitas vezes, pessoas que Trump desejava que gostassem dele mais do que gostavam. Logo, Kushner se tornou o representante na Casa Branca do status quo liberal. Era algo como o que se costumava chamar de republicano Rockefeller e agora podia mais adequadamente ser um democrata Goldman Sachs. Ele e (talvez ainda mais) Ivanka estavam em polos diametralmente opostos tanto de Priebus — o direitista determinado, alinhado com o Cinturão do Sol, republicano dependente dos evangélicos — quanto de Bannon, fiel à direita alternativa, populista, causador de rachas no partido.

De seus cantos do ringue, cada um buscava a própria estratégia. Bannon fazia tudo o que podia para levar a melhor sobre Priebus e Kushner em um esforço de promover a guerra pelo trumpismo/bannonismo o mais rápido possível. Priebus, desde o início se queixando dos "neófitos políticos e parentes do chefe", terceirizou sua agenda de interesses para Ryan e o Capitólio. E Kushner, numa das mais acentuadas curvas de aprendizado da história política (não que todos na Casa Branca não estivessem numa curva acentuada, mas a de Kushner era talvez a mais íngreme), e muitas vezes exibindo uma dolorosa ingenuidade já que aspirava a ser um dos atores políticos mais sagazes do mundo, defendia não fazer nada com pressa e tudo com moderação. Cada um tinha seu círculo oposto ao dos demais: os bannonitas perseguiam sua meta de divulgar tudo às pressas, a facção CNR de Priebus se concentrava nas oportunidades para a agenda de interesses republicana, Kushner e esposa se esforçavam ao máximo para fazer seu parente imprevisível parecer equilibrado e racional.

E no meio estava Trump.

"Os três cavalheiros dirigindo as coisas", como Walsh espirituosamente os caracterizou, serviam Trump de maneiras diferentes. Walsh entendia que Bannon supria o presidente com inspiração e propósito, enquanto a conexão Priebus-Ryan prometia fazer o que para Trump parecia ser o trabalho especializado do governo. Já Kushner coordenava melhor os ricaços que conversavam com Trump à noite, muitas vezes os incentivando a tomar precauções tanto contra Bannon quanto contra Priebus.

Os três conselheiros estavam em conflito declarado ao final da segunda semana após o fiasco da ordem executiva sobre imigração. Essa rivalidade interna resultava de diferenças estilísticas, filosóficas e temperamentais, e talvez — mais importante ainda — fosse o resultado direto da falta de um organograma ou cadeia de comando racional. Para Walsh, era um processo diário de lidar com uma tarefa impossível: quase tão logo recebia orientações de um dos três, ouvia ordens contrárias de um dos outros dois.

"Eu tomo a conversa pelo valor nominal e ponho mãos à obra", ela se defendeu. "Jogo no cronograma o que ficou decidido e trago a equipe de comunicação e construo um plano de imprensa e trago o gabinete de relações com a sociedade civil. Então vem Jared e me pergunta: 'Por que você fez tal coisa?'. Respondo: 'Porque a gente teve uma reunião três dias atrás com você e Reince e Steve, e você concordou em fazer tal coisa'. E ele rebate: 'Mas isso não quer dizer que eu queria incluir no cronograma. Não foi para isso que tive aquela conversa'. Quase não tem importância o que eles dizem: Jared concorda, e então isso vai ser sabotado, e então Jared vai até o presidente e fala: 'Olha, tal coisa foi ideia do Reince, ou ideia do Steve'."

Bannon se concentrava numa sucessão de ordens executivas capazes de impelir o novo governo sem que tivessem dificuldade no Congresso. Esse foco recebeu a contraordem de Priebus, que estava semeando o romance Trump-Ryan e a agenda republicana, que por sua vez recebeu a contraordem de Kushner, que estava se concentrando na bonomia presidencial e nas mesas-redondas com CEOs, entre outras coisas porque sabia como o presidente apreciava isso (e, como observou Bannon, porque o próprio Kushner também apreciava). E em vez de enfrentarem os conflitos inerentes a cada estratégia, os três admitiam que os conflitos eram em larga medida insolúveis e evitavam encarar esse fato, esquivando-se uns aos outros.

Os três, sem exceção, tinham encontrado, de um perspicaz jeito próprio, uma maneira particular de exercer seu apelo sobre o presidente e se comunicar com ele. Bannon oferecia uma extraordinária demonstração de força; Priebus oferecia a bajulação da liderança no Congresso; Kushner, a aprovação de empresários blue chip. Tão poderosos eram esses apelos que o presidente normalmente preferia não fazer distinções entre os três, na medida em que, como eram exatamente o que esperava da presidência, Trump não compreendia por que não podia ficar com todos eles. Ele queria divulgar coisas, queria um Congresso republicano que lhe desse leis para assinar e queria o amor e o respeito dos *figurões* e das socialites de Nova York. Alguns dentro da Casa Branca perceberam que as ordens executivas de Bannon eram destinadas a contornar o flerte de Priebus com o partido, e que os CEOs de Kushner estavam horrorizados com as ordens executivas de Bannon e resistiam a grande parte da agenda republicana. Mas se o presidente percebia isso, não era algo com que ficasse particularmente preocupado.

Tendo chegado a algo como uma paralisia executiva no primeiro mês do novo governo — cada um dos três cavalheiros exercia um fascínio sobre o presidente tão poderoso quanto os demais, e cada um dos três, às vezes, podia ser igualmente irritante —, Bannon, Priebus e Kushner construíram seus próprios mecanismos para influenciar o presidente e puxar o tapete alheio.

Análises, argumentos ou PowerPoint não funcionavam. Já quem dizia o quê e quando para Trump, muitas vezes, sim. Se, por insistência de Bannon, Rebekah Mercer ligava para Trump, isso exercia um efeito. Priebus podia contar com a influência de Paul Ryan sobre o presidente. Se Kushner convencia Murdoch a ligar, Trump ouvia. Ao mesmo tempo, cada ligação posterior anulava as anteriores.

Essa paralisia levou os três conselheiros a lançar mão do outro modo particularmente efetivo de persuadir Trump: usar a mídia. Assim cada um deles se tornou uma inveterada e habilidosa fonte de vazamentos. Bannon e Kushner, duas das pessoas mais poderosas do governo, evitavam com cuidado a exposição na imprensa e ficavam, na maior parte do tempo, em absoluto silêncio, evadindo-se a quase toda entrevista e até as tradicionais conversas políticas de domingo de manhã na TV. No entanto, de modo curioso, ambos se tornaram as vozes de fundo para praticamente toda a cobertura da mídia na Casa Branca. Previamente, antes de partirem para o ataque mútuo, Bannon e Kushner estavam unidos em suas ofensivas separadas contra Priebus. O veículo preferido de Kushner era o *Morning Joe*, de Joe Scarborough e Mika Brzezinski, um dos programas matutinos preferidos do presidente. O primeiro ponto de escala de Bannon era a mídia da direita alternativa ("Os esquemas Breitbart de Bannon", segundo Walsh). Ao final do primeiro mês na Casa Branca, tanto Bannon quanto Kushner tinham construído uma rede de veículos primários, além dos secundários — para desviar a atenção do caráter óbvio dos primários —, criando uma Casa Branca que manifestava a um só tempo extrema animosidade com a imprensa e, contudo, grande disposição para vazamentos. Nesse ponto, ao menos, o governo Trump estava alcançando uma transparência nunca vista.

A culpa pelos constantes vazamentos muitas vezes recaía sobre subordinados de escalão inferior e sobre a equipe permanente do executivo, o que culminou no fim de fevereiro com uma reunião geral de funcionários convocada por Sean Spicer. Durante o encontro — celulares deixados do lado de fora —, o assessor de imprensa fez ameaças de checagens aleatórias em telefones e advertências sobre o uso de aplicativos de texto criptografados. Todo mundo era uma possível fonte de vazamento: todo mundo acusava todo mundo de ser uma.

Todo mundo *era* uma.

Um dia, quando Kushner acusou Walsh de passar informação a seu respeito, ela desafiou: "Os registros do meu celular contra os seus, meus e-mails contra os seus".

Mas a maioria dos vazamentos, com certeza os mais saborosos, vinha de cima — para não mencionar da pessoa que ocupava o escalão mais elevado de todos.

O presidente não conseguia ficar de boca fechada. Vivia reclamando, cheio de autopiedade, e saltava aos olhos de todos que, se tinha um norte na vida, era fazer os outros gostarem dele. Nunca entendia por que as pessoas realmente não gostavam dele ou por que precisava ser tão difícil fazer com que gostassem. Podia se sentir feliz durante o dia, quando um exército de metalúrgicos sindicalizados ou de CEOs tomava a Casa Branca de assalto, com o presidente elogiando os visitantes e estes retribuindo o elogio, mas esse espírito animado azedaria no começo da noite, após diversas horas de TV a cabo. Então ele pegava o telefone e se lamuriava sem cuidado com amigos e outros, em conversas que costumavam durar de trinta a quarenta minutos, mas podiam demorar bem mais, normalmente desabafando contra a mídia e contra sua própria equipe. Nas palavras de alguns dos autonomeados especialistas em Trump à sua volta — e todos eram especialistas em Trump —, ele parecia determinado a "envenenar o poço", criando um círculo vicioso de desconfiança, descontentamento e culpa que se amontoava sobre os outros.

Quando o presidente pegava o telefone após o jantar, era quase sempre a mesma ladainha. Alternando entre a paranoia e o sadismo, especulava sobre os defeitos e as fraquezas de cada membro de sua equipe. Bannon era desleal (para não mencionar que a aparência estava sempre um lixo). Priebus era fraco (para não mencionar que era baixinho — um anão). Kushner era um puxa-saco. Spicer era estúpido (e sua aparência também deixava muito a desejar). Conway era uma bebê chorona. Jared e Ivanka nunca deveriam ter vindo para Washington.

Seus interlocutores, muito porque achavam a conversa peculiar, alarmante ou completamente avessa à razão e ao bom senso, costumavam ignorar o que em outra circunstância talvez presumissem ser a natureza confidencial das ligações e participavam o teor a terceiros. Assim, os relatos sobre o funcionamento interno da Casa Branca circulavam livremente. Se bem que não era tanto o funcionamento interno da Casa Branca — embora fosse com frequência noticiado como tal —, e sim as perambulações da mente presidencial, que mudava de direção quase tão depressa quanto ele era capaz de se expressar. Porém, havia motivos recorrentes em sua narrativa: Bannon estava prestes a ser banido, Priebus também, e Kushner precisava de sua proteção contra os outros valentões.

Desse modo, se Bannon, Priebus e Kushner agora travavam uma guerra diária entre si, esta era horrivelmente exacerbada por uma espécie de campanha de desinformação sobre eles promovida pelo próprio presidente. Pessimista crônico, Trump via cada membro de seu círculo íntimo como uma criança problema cujo destino estava em suas mãos. "Somos os pecadores, e ele é Deus", era uma das opiniões. "Servimos ao bel-desprazer do presidente", era outra.

Na Ala Oeste sob todos os presidentes dos Estados Unidos desde pelo menos Clinton e Gore, o vice ocupara certa base de poder independente na organização. No entanto, o vice-presidente de Trump, Mike Pence – peça sobressalente num governo cuja duração de mandato seguia sendo assunto de algo como um bolão de apostas da firma em âmbito nacional –, era uma nulidade, uma presença sorridente resistindo ao seu óbvio poder ou incapaz de tomá-lo.

"Vou a enterros e corto faixas", disse a um ex-colega republicano do Capitólio. Nesse sentido, era visto como se passando por um vice-presidente antiquado que fazia o básico de modo a não incomodar seu protetor ou, na verdade, como que admitindo honestamente quem ele era de fato.

Katie Walsh, em meio ao caos, via a sala do vice como um lugar de calmaria na tempestade. A equipe de Pence não só era conhecida entre pessoas fora da Casa Branca pela celeridade com que retornava as ligações e pela facilidade com que aparentemente dava conta das tarefas na Ala Oeste como também dava a impressão de ser composta de pessoas que se apreciavam e se dedicavam a um objetivo comum: eliminar o máximo de atrito possível em torno do vice-presidente.

Pence começava quase todo pronunciamento dizendo: "Trago saudações de nosso 45º presidente dos Estados Unidos, Donald J. Trump..." – cumprimento dirigido mais para o presidente do que para o público.

Pence interpretava o papel de figurante insosso e desinteressante, às vezes mal parecendo existir à sombra de Donald Trump. Pouca coisa vazava de seu lado na Casa Branca. As pessoas que trabalhavam para o vice-presidente eram, como o próprio, de poucas palavras.

Em certo sentido, ele solucionara o enigma de como servir de sócio minoritário para um presidente que não podia tolerar nenhum tipo de comparação: discrição extrema.

"Pence", disse Walsh, "não é estúpido."

Na verdade, era visto pelos outros na Ala Oeste exatamente como alguém longe de ser brilhante. E como também não era esperto, não tinha condições de fornecer lastro de liderança algum.

Por parte do casal Jarvanka, Pence se tornou fonte de grata diversão. Ele estava quase absurdamente feliz em ser o vice-presidente de Donald Trump, feliz em fazer com perfeição as vezes do tipo de vice-presidente que não perturbaria Trump. O casal Jarvanka considerava a esposa de Pence, Karen, a mão que guiava sua conveniente brandura. Na verdade, ele assumiu tão bem esse papel que, depois, sua extrema submissão começou a parecer suspeita para alguns.

Por parte de Priebus – de quem Walsh era firme aliada –, Pence era visto como uma das poucas figuras de alto escalão na Ala Oeste que tratava Priebus como se fosse realmente o chefe de gabinete. Pence muitas vezes parecia um mero membro de equipe, o onipresente tomador de notas em tantas reuniões.

Por parte de Bannon, Pence angariou apenas desprezo. "Pence é como o marido em *Ozzie and Harriet*, um não evento", afirmou um bannonista.

Embora muitos vissem Pence como um vice-presidente que talvez viesse a assumir a presidência algum dia, também o viam como o vice-presidente mais fraco em décadas e, em termos de organograma, uma figura decorativa, inútil no esforço diário de ajudar a conter o presidente e levar estabilidade à Ala Oeste.

Durante o primeiro mês, a descrença e até o medo de Walsh em relação ao que estava acontecendo na Casa Branca a levaram a pensar em entregar o cargo. Todo dia depois desse período passou a ser uma contagem regressiva pessoal até o momento em que ela sabia que não seria mais capaz de aguentar – algo que enfim viria no fim de março. Para a orgulhosa política profissional Walsh, o caos, as rivalidades, a falta de foco e a despreocupação do presidente eram simplesmente incompreensíveis.

No início de março, Walsh confrontou Kushner e pediu: "Me dê só três coisas em que o presidente queira focar. Quais são as três prioridades dessa Casa Branca?".

"Pois é", disse Kushner, numa resposta totalmente abstraída, "a gente provavelmente devia ter essa conversa."

9. Conferência de Ação Política Conservadora

Em 23 de fevereiro de 2017, com a temperatura de 24°C em Washington, Trump acordou reclamando do calor na Casa Branca. Mas pelo menos dessa vez as queixas presidenciais não eram a principal preocupação. O foco na Ala Oeste era organizar uma série de caronas para a Conferência de Ação Política Conservadora (CPAC, na sigla em inglês), a reunião anual de ativistas do movimento conservador, que não cabiam mais nos hotéis de Washington e se transferiram para o Gaylord Resort, no Porto Nacional de Maryland, às margens do rio Potomac. A Conferência de Ação Política Conservadora, à direita da direita e tentando fincar raízes ali, ambivalente quanto a todos os vetores conservadores que divergissem além desse ponto, há muito mantinha uma relação desconfortável com Trump, vendo-o como um conservador improvável, quando não um charlatão. Além disso, a CPAC via Bannon e o Breitbart News como praticantes de um conservadorismo extravagante. Por muitos anos, o Breitbart promovera mais ou menos na mesma época uma conferência que rivalizava com a CPAC, apelidada de "The Uninvited" — os não convidados.

No entanto, a Casa Branca de Trump dominaria ou mesmo assumiria a conferência naquele ano, e todos queriam estar presentes nesse doce momento. Programado para falar no segundo dia, o presidente Trump, a exemplo de Ronald Reagan, se apresentaria na conferência em seu primeiro ano de mandato, ao contrário de Bush pai e Bush filho, que, receosos da CPAC e de seus ativistas conservadores, desprezaram o evento na maior parte do tempo.

Kellyanne Conway, uma das pessoas escaladas para abrir a conferência, estava acompanhada de sua assessora, duas filhas e uma babysitter. Bannon fazia sua primeira aparição oficial em público no governo Trump, e sua comitiva incluía Rebekah Mercer, doadora fundamental de Trump e financiadora do Breitbart News, a jovem filha dela e Allie Hanley, uma aristocrata de Palm Beach, doadora dos conservadores e amiga de Mercer. (A arrogante Hanley, que ainda não tinha sido apresentada a Bannon, referiu-se a ele como um homem de aspecto "sujo".)

Bannon seria entrevistado na parte da tarde pelo presidente da CPAC, Matt Schlapp, figura de afabilidade fingida que parecia tentar aceitar a invasão de Trump em sua conferência. Alguns dias antes, Bannon decidira levar Priebus à entrevista, tanto num gesto particular de boa vontade como numa exibição pública de unidade — sinal da aliança incipiente contra Kushner.

Não muito longe dali, em Alexandria, Virgínia, Richard Spencer — presidente do Instituto de Política Nacional, às vezes descrito como um "*think tank* da supremacia branca" —, que adotara a eleição de Trump como uma vitória pessoal, para a irritação da Casa Branca, estava organizando sua viagem para a CPAC, que seria para ele uma marcha da vitória tanto quanto para a equipe de Trump. Spencer — que em 2016 declarara "Vamos celebrar como se fosse 1933", ano em que Hitler subiu ao poder — provocou um clamor público com a ampla cobertura de sua saudação "Heil Trump" (ou "Hail Trump", que é claro dá na mesma) após a eleição, e depois virou uma espécie de mártir às avessas ao levar um soco de um manifestante no dia da posse, momento que ficou imortalizado no YouTube.

Organizada pelos remanescentes do movimento conservador depois da apocalíptica derrota de Barry Goldwater em 1964, a Conferência de Ação Política Conservadora se transformara, com estoica persistência, na espinha dorsal da sobrevivência e do triunfo dos conservadores. A entidade expurgara os membros da sociedade John Birch e a direita racista e acolhera os princípios conservadores filosóficos de Russell Kirk e William F. Buckley. Com o tempo, tinha endossado o estado mínimo da era Reagan e a reforma antirregulamentação, e em seguida anexou os componentes das guerras culturais — contra o aborto, contra o casamento gay e com uma inclinação pelos evangélicos — e se uniu à mídia conservadora: primeira rádio direitista, mais tarde, a Fox News. Dessa aglomeração brotou um argumento ainda mais elaborado e abrangente da pureza, da sincronicidade e do peso intelectual da ala conservadora. Parte da diversão de uma CPAC, que atraía um amplo leque de jovens conservadores (acertadamente escarnecidos como o público Alex P. Keaton pela multidão crescente da imprensa liberal que cobria a conferência), era aprender o catecismo conservador.

No entanto, após um grande crescimento sob Clinton na década de 1990, a CPAC começou a se fragmentar durante os anos de George W. Bush. A Fox News se tornou o centro emocional do conservadorismo norte-americano. Os neoconservadores de Bush e a Guerra do Iraque cada vez mais eram rejeitados pelos libertários e outras vertentes subitamente dissidentes (entre elas os paleoconservadores), ao passo que o direito aos valores familiares era cada vez mais questionado pelos conservadores mais jovens. Nos anos Obama, o movimento conservador foi ficando gradativamente mais desnorteado com a rejeição do Tea Party e a iconoclastia de uma nova mídia de direita, exemplificada no Breitbart News, que foi deliberadamente excluída da CPAC.

Em 2011, numa profissão de fé conservadora, Trump fez seu lobby junto ao grupo por um tempo de fala e, com boatos de que fez substancial contribuição financeira, recebeu um espaço de quinze minutos. Se a CPAC supostamente dizia respeito a afiar certo tipo de linha partidária conservadora, também estava atenta a uma ampla variedade de celebridades conservadoras, incluindo, ao longo dos anos, Rush Limbaugh, Ann Coulter e várias estrelas da Fox News. No ano anterior à reeleição de Obama, Trump se encaixava nessa categoria. Mas ele seria visto de forma bem diferente quatro anos depois. No inverno de 2016, durante as ainda competitivas primárias republicanas, Trump — agora encarado não só como um apóstata republicano mas também como uma atração republicana — decidiu desistir da CPAC e do que temia ser uma acolhida não muito carinhosa.

Em 2017, como parte de um novo alinhamento com a Casa Branca de Trump-Bannon, a atração principal da Conferência de Ação Política Conservadora seria o representante da direita alternativa, Milo Yiannopoulos, um provocador gay de direita britânico ligado ao Breitbart News. Yiannopoulos — cuja posição, mais para a de um provocador de esquerda em 1968, parecia escarnecer o politicamente correto e a convenção social, provocando histeria e protestos por parte da esquerda — era uma figura conservadora das mais contraditórias que se poderia imaginar. Na verdade, algo insinuava de modo sutil que a CPAC escolhera Yiannopoulos precisamente para ser a corda com que Bannon e a Casa Branca iriam se enforcar pela conexão implícita com ele: Yiannopoulos fora algo como um protegido de Bannon. Quando, dois dias antes da abertura da CPAC, um blogueiro conservador descobriu um vídeo de Yiannopoulos numa esdrúxula folia parecendo racionalizar a pedofilia, a Casa Branca deixou claro que ele tinha que sair fora.

Mesmo assim, a presença dos integrantes da Casa Branca na CPAC — que, além do presidente, Bannon e Conway, incluía a secretária de Educação Betsy DeVos e o excêntrico conselheiro de política externa e ex-redator do Breitbart Sebastian Gorka — pareceu jogar a saia justa com Yiannopoulos para segundo plano. Se a CPAC estava sempre tentando tornar palatáveis os políticos intragáveis, Trump — e qualquer um ligado a ele — era agora o prato principal. Com sua família posicionada diante de uma plateia lotada, Conway foi entrevistada, em estilo Oprah, por Mercedes Schlapp (esposa de Matt Schlapp: a CPAC era um ambiente familiar), uma colunista do conservador *Washington Times* que mais tarde se juntaria à equipe de comunicações da Casa Branca. Era uma visão intimista e inspiradora de uma mulher de grandes realizações, o tipo de entrevista que Conway acreditava que teria concedido na TV aberta e na TV a cabo se não fosse uma republicana de Trump — o tipo de tratamento, comentou ela, que fora dado a predecessores democratas, como Valerie Jarrett.

No momento em que Conway explicava seu tipo particular de feminismo antifeminista, Richard Spencer chegou ao centro de convenções com a intenção de comparecer ao encontro "The Alt-Right Ain't Right at All" [A direita alternativa não tem nada de bom], um esforço modesto de reafirmar os valores tradicionais da CPAC. Spencer, que desde a vitória de Trump vinha se dedicando ao ativismo em tempo integral e às oportunidades de holofote da imprensa, planejara ficar posicionado de modo a fazer a primeira pergunta. No entanto, tão logo chegou e pagou sua taxa de inscrição de 150 dólares, atraiu primeiro um e depois uma crescente roda de repórteres, numa aglomeração espontânea, e resolveu improvisar uma coletiva de imprensa ali mesmo. Como Yiannopoulos, e de muitas maneiras como Trump e Bannon, Spencer ajudou a moldar as ironias do movimento conservador moderno. Era racista, mas dificilmente conservador — apoiava com teimosia o *single-payer health care*, a assistência médica geral subsidiada por impostos, por exemplo. E a atenção que recebeu era de algum modo menos um voto de confiança para o conservadorismo e mais um esforço da mídia liberal em manchar a imagem dos conservadores. Em pouco tempo, quando a aglomeração à sua volta aumentou para pelo menos trinta pessoas, a patrulha da CPAC interveio.

"O senhor não é bem-vindo aqui", anunciou um segurança. "Eles querem que deixe o local. Querem que pare e saia."

"Uau", disse Spencer. "Eles têm esse direito?"

"Chega de discussão", respondeu o segurança. "Isto aqui é uma propriedade particular e a CPAC quer que o senhor deixe o local."

Uma vez confiscada sua credencial, Spencer foi conduzido para a confortável área de espera no saguão do hotel. Ali, com seu orgulho longe de estar ferido, começou a acompanhar as mídias sociais, a redigir mensagens de texto e a enviar e-mails para repórteres em sua lista de contatos.

O que Spencer provava no episódio era que sua presença não era na verdade tão incômoda ou irônica quanto a de Bannon, nem tampouco, aliás, quanto a de Trump. Podia ter sido expulso, mas em um sentido histórico mais amplo eram os conservadores que estavam agora sendo expulsos de seu próprio movimento pelos novos quadros — que incluíam Trump e Bannon — que Spencer chamava de identitários, proponentes dos "interesses, valores, costumes e cultura brancos".

Spencer, acreditava ele, era o verdadeiro seguidor de Trump, e o restante da CPAC, agora, os de fora.

Na sala verde, após sua própria chegada, assim como a de Priebus e suas respectivas comitivas, Bannon — usando camisa escura, paletó escuro e calça branca — ficou de lado, conferenciando com sua assessora, Alexandra Preate. Priebus se sentou na cadeira de maquiagem, recebendo com paciência uma camada de base, pó de arroz e brilho labial.

"Steve", disse Priebus, se levantando e apontando para a cadeira.

"Não precisa", disse Bannon. Ele ergueu a mão, em mais um dos seus pequenos gestos que destacavam explicitamente que ele era diferente dos outros políticos conversa-fiada que faziam parte do "lamaçal" político — e que era diferente de Reince Priebus, com o rosto tomado de pó branco.

Os desdobramentos da primeira aparição pública de Bannon — após dias de aparente tumulto na Ala Oeste, uma matéria de capa a seu respeito na

Time, a especulação quase interminável sobre seu poder e suas verdadeiras intenções e sua promoção, ao menos aos olhos da mídia, a mistério essencial da Casa Branca de Trump — dificilmente podiam ser subestimados. Aos olhos do próprio Bannon, aquele era um movimento cuidadosamente coreografado. Era sua marcha triunfal. Ele prevalecera na Casa Branca, avaliou. Mostrara, novamente a seus próprios olhos, sua superioridade sobre Priebus e também sobre o genro idiota de Trump. E agora dominaria a Conferência de Ação Política Conservadora. Mas por enquanto ensaiava um ar despreocupado e modesto, embora sendo, ao mesmo tempo, o indiscutível pavão do momento. Recusar-se a usar maquiagem era não apenas uma maneira de denegrir Priebus como também seu modo de afirmar que, sendo sempre o soldado de elite, ele ia para a batalha completamente exposto.

"Você sabe o que ele pensa até quando não sabe o que ele pensa", explicou Alexandra Preate. "É mais ou menos como o bom menino que todos sabem que é um mau menino."

Quando Priebus e Bannon subiram ao palco e apareceram nos telões, o contraste entre os dois dificilmente poderia ter sido maior. A maquiagem fazia Priebus parecer um boneco, e seu terno com o alfinete na lapela passava uma imagem pueril. Bannon, supostamente o sujeito avesso a publicidade, devorava a câmera. Ele era o astro da country music — ele era Johnny Cash. Apertou com vigor a mão de Priebus, depois relaxou em sua cadeira, enquanto Priebus se curvava para a frente na sua, com ar ansioso.

Priebus começou com os tradicionais lugares-comuns. Bannon, quando teve a palavra, partiu com malícia para a provocação: "Quero agradecer a todos por finalmente me convidarem para a CPAC".

"Decidimos dizer que todos são parte de nossa família conservadora", interveio Matt Schlapp, resignado. Então deu as boas-vindas "para o fundo do salão", onde centenas de repórteres que cobriam o evento estavam a postos.

"É o partido de oposição ali?", alfinetou Bannon, protegendo os olhos.

Schlapp passou à pergunta planejada: "Lemos muita coisa sobre os dois. Hum-hum...".

"Tudo bem", respondeu Priebus, desconfortável.

"Aposto que nada disso é muito preciso", prosseguiu Schlapp. "Aposto que muitas coisas incorretas estão sendo publicadas. Deixa eu perguntar para os dois, qual é o maior mal-entendido sobre o que está acontecendo na Casa Branca de Donald Trump?"

Bannon respondeu com um sorrisinho conspiratório quase imperceptível e não disse nada.

Priebus forneceu um depoimento sobre a proximidade de sua relação com Bannon.

Bannon, os olhos agitados, ajustou o microfone como uma trombeta e gracejou da sala confortável de Priebus — dois sofás e lareira — e da sua, despretensiosa e prática.

Priebus continuou pregando sua mensagem. "É, ahh... na verdade, é... algo que vocês todos ajudaram a construir. Quando vocês se juntam, e o que essa eleição mostra, e o que presidente Trump mostrou, e não vamos nos iludir, posso falar dos dados e do trabalho de base e Steve pode falar das grandes ideias, mas a verdade é que Donald Trump, o presidente Trump, uniu o partido e o movimento conservador, e estou dizendo para vocês que se o partido e o movimento conservador estão unidos", Priebus bateu um punho contra o outro, "assim como Steve e eu, bem... ninguém segura. E o presidente Trump é o único sujeito, ele foi a única pessoa, e posso dizer isso depois de cuidar de dezesseis pessoas se esganando, foi Donald Trump quem conseguiu unir o país, o partido e este movimento. E Steve e eu sabemos disso e vivemos um dia de cada vez, e nossa função é conseguir a aprovação da agenda do presidente Trump, de papel passado."

Quando Priebus parou para respirar, Bannon pegou a deixa "Acho que se vocês olharem para o partido de oposição", gesticulando com a mão em direção ao fundo do recinto, "e como eles retrataram a campanha, como retrataram a transição, e agora como estão retratando o governo, está sempre errado. Quer dizer, desde o primeiro dia em que a Kellyanne e eu começamos, a gente deu uma mão para Reince, para Sean Spicer, para Katie... É a mesma equipe, sabe, que todo dia estava ralando na campanha, a mesma equipe que fez a transição. Agora, se vocês se lembram, a campanha foi a mais caótica, na descrição da mídia, a mais caótica, mais desorganizada, mais antiprofissional, sem a menor noção do que se fazia. Bom, vocês presenciaram todos eles chorando as pitangas na noite de 8 de novembro."

Na Casa Branca, Jared Kushner, que começara a assistir distraidamente à conferência e depois passara a prestar mais atenção, começou a sentir raiva de repente. Melindrado, na defensiva, com a guarda erguida, percebeu o discurso de Bannon como um recado direto para ele. Bannon acabara de creditar a vitória de Trump a todos, menos a ele, o que sem dúvida era uma provocação.

Quando Schlapp pediu a Priebus e a Bannon para enumerar as realizações dos últimos trinta dias, Priebus se atrapalhou e então passou ansiosamente ao juiz Gorsuch e às ordens executivas de desregulamentação, que tinham, segundo Priebus — ele hesitou por um breve momento, relutante —, "80% de aprovação dos norte-americanos".

Após uma breve pausa, como que esperando a poeira assentar, Bannon ergueu o microfone: "Eu meio que divido em três linhas de trabalho: a primeira, segurança nacional e soberania, e aí vocês têm a inteligência, o Departamento de Defesa, a segurança doméstica. A segunda linha é o que chamo de nacionalismo econômico, e isso é Wilbur Ross no Comércio, Steven Mnuchin no Tesouro, [Robert] Lighthizer como representante de Comércio, Peter Navarro [e] Stephen Miller, que estão repensando como vão reconstruir nossos acordos comerciais no mundo todo. A terceira linha, grosso modo, é a desconstrução do Estado administrativo". Bannon parou por um momento: a frase, que nunca fora pronunciada antes na política dos Estados Unidos, provocou aplausos entusiasmados. "O jeito de governar da esquerda liberal é que, se não conseguem fazer passar, eles simplesmente colocam em algum tipo de regulamentação numa agência. Isso tudo vai ser desconstruído."

Schlapp fez outra pergunta preparada, dessa vez sobre a mídia.

Priebus começou a responder, divagou e se enrolou por um tempo, encerrando, de algum modo, numa observação positiva. *Vamos conseguir.*

Erguendo mais uma vez o microfone, à maneira de um profeta, e com um meneio de mão abrangente, Bannon decretou: "Não é só que não vai melhorar, mas vai piorar a cada dia" (sua canção apocalíptica fundamental), "e o motivo é o seguinte... e, a propósito, a lógica interna faz sentido... a mídia corporativista, globalista, é irredutivelmente contrária, irredutivelmente contrária, a uma agenda econômica nacionalista como a de Donald Trump. E sabe por que vai piorar? Porque a gente vai continuar impondo a agenda dele. E conforme a situação econômica continuar a melhorar, quanto mais trabalhos melhorarem, eles vão continuar brigando. Se vocês pensam que eles vão entregar o país de volta sem briga estão muito enganados. Todo dia vai ser uma luta. É por isso que tenho o maior orgulho de Donald Trump. Todas as oportunidades que ele teve para empurrar isso com a barriga. Todas as pessoas que chegaram para ele, dizendo: 'Ah, você precisa ser moderado'". Outra alfinetada em Kushner. "Todo dia na Sala Oval ele fala para Reince e para mim: 'Tenho um compromisso com o povo norte-americano. Prometi isso quando me candidatei. E vou cumprir'."

E então a última pergunta, acertada com antecedência: "Esse movimento de Trump pode ser combinado com o que está acontecendo na CPAC e em outros movimentos conservadores há cinquenta anos? Dá para juntar tudo... e isso vai salvar o país?"

"Bom, precisamos ficar unidos como um time", respondeu Priebus. "Vai ser preciso todo mundo trabalhando junto para fazer acontecer."

Quando Bannon começou a dar sua resposta, falou devagar, olhando para seu público seduzido, hipnotizado: "Eu comentei que tem uma nova ordem política sendo formada a partir disso e ela continua em formação. Se vocês pegarem a ampla variedade de opiniões neste salão, tanto se você for um populista, se você for um conservador do governo limitado, se você for libertário, se você for um nacionalista econômico, a gente tem opiniões amplas e às vezes divergentes, mas acho que o cerne do que acreditamos é que somos uma nação com uma economia, não uma simples economia em um mercado global com as fronteiras abertas, mas sim uma nação com uma cultura e uma razão de ser. Acho que é isso que une a gente. E é isso que vai unir este movimento para ele seguir em frente".

Bannon baixou o microfone e, após o que pode ser interpretado como um instante de incerteza, uma estrondosa ovação se seguiu.

Assistindo na Casa Branca, Kushner — que começava a acreditar que havia algo de insidioso quando Bannon usava as palavras "fronteiras", "global", "cultura" e "unir", e que estava cada vez mais convencido de que eram ataques contra ele — ficou furioso.

Kellyanne Conway estava cada dia mais preocupada com as horas de sono perdidas e a expressão abatida do presidente de 71 anos. Para ela, era o caráter infatigável de Trump — sua inquietação constante — que carregava a equipe. Durante a campanha, ele sempre acrescentava novas paradas e discursos. Dobrou seu tempo de campanha. Hillary trabalhava meio período, ao passo que Trump cumpria jornada dupla. Ele sugava a energia da multidão. Porém, agora que estava morando sozinho na Casa Branca, parecia sem energia.

Mas naquele dia o velho Trump estava de volta. O presidente que nega o aquecimento global ficara sob a lâmpada de bronzeamento e fizera luzes no cabelo, e quando acordou para mais uma manhã primaveril de 25ºC em pleno inverno, no segundo dia da Conferência de Ação Política Conservadora, parecia quase outra pessoa, ou, em todo caso, visivelmente mais jovem. À hora combinada, no Gaylord Resort, diante do salão de baile com lugares marcados abarrotado de todo tipo de conservadores — Rebekah Mercer e sua filha na primeira fila — e de centenas de profissionais da imprensa em uma galeria sem lugares para sentar, o presidente surgiu no palco, não com a celeridade enérgica empregada na TV, mas gingando devagar aos acordes de "I'm Proud to Be an American". Ele subiu ao palco como um homem forte da política, um homem aproveitando seu momento, batendo palmas — nisso reverteu à pose do apresentador — ao se aproximar devagar do púlpito, fazendo um "Obrigado" com os lábios, a gravata escarlate descendo sobre o cinto.

Seria o quinto discurso de Trump na CPAC. Por mais que Steve Bannon gostasse de se ver como o inventor de Donald Trump, também não podia deixar de considerar uma prova de legitimidade — e algo até certo ponto espantoso por si só — o fato de que, desde 2011, Trump basicamente comparecia à CPAC com a mesma mensagem. Ele não era uma marionete, era um mensageiro. O país estava uma "bagunça" — palavra que nos lábios de Trump sobreviveu ao teste do tempo. Os líderes da nação eram fracos. Os Estados Unidos perderam a grandeza. A única coisa diferente era que em 2011 ele continuava lendo seus discursos, fazendo apenas improvisos ocasionais, e agora improvisava tudo.

"Meu primeiro discurso importante foi na CPAC", começou o presidente. "Provavelmente cinco ou seis anos atrás. Meu primeiro discurso político importante. Vocês estavam presentes. Eu adorei. Adorei as pessoas. Adorei a comoção. Fizeram aquelas pesquisas que me deixaram nas nuvens. Eu nem era candidato, não é? Mas me deu a ideia! Fiquei um pouco preocupado quando vi o que estava acontecendo no país, então eu disse, vamos nessa. Foi muito empolgante. Subi no palco na CPAC. Quase não tinha anotações e tinha menos preparo." (Na verdade, ele leu seu discurso em 2011, numa folha de papel.) "Então quando você não tem praticamente nenhuma anotação e nenhum preparo, e termina de falar e todo mundo fica emocionado, eu pensei, acho que gosto desse negócio."

O primeiro preâmbulo deu lugar ao preâmbulo seguinte.

"Quero que todos saibam que estamos combatendo as fake news. É algo fajuto. Falso. Alguns dias atrás falei que as fake news são o inimigo do povo dos Estados Unidos. Porque elas não têm fonte. Quando não têm fonte, eles podem inventar tudo. Vi uma matéria outro dia dizendo que nove pessoas tinham confirmado. Não tem nada de nove pessoas. Não acredito que tivesse nem uma ou duas. Nove pessoas. E eu falei: 'Sem essa. Eu conheço as pessoas. Sei com quem elas conversam'. Não tinha nada de nove pessoas. Mas eles dizem nove pessoas..."

Pouco após o início, o discurso de 48 minutos já saíra do controle, o riff sustentado pela repetição.

"Vai ver eles simplesmente são ruins de apuração. Ou quem sabe não são legítimos. Uma coisa ou outra. Eles são muito inteligentes. São muito espertos. E são muito desonestos... Só pra concluir" (embora fosse continuar por mais 37 minutos), "é um tema muito delicado e eles ficam nervosos quando a gente expõe suas matérias falsas. Dizem que a gente não pode criticar a cobertura desonesta que fazem por causa da Primeira Emenda. Vocês sabem como é, sempre batem nessa tecla", e em falsete, "*a Primeira Emenda*. Olha, eu amo a Primeira Emenda. Ninguém a ama mais do que eu. Ninguém."

Todos os membros da comitiva de Trump agora faziam cara de paisagem. Quando alguma expressão surgia no semblante, era como se houvesse um delay, a permissão concedida pelos aplausos ou pelas risadas da multidão. Caso contrário, pareciam não saber dizer se o presidente de fato se safara com suas peculiares digressões.

"A propósito, vocês que estão aqui dentro, o lugar está lotado, tem filas por seis quarteirões" (não havia fila alguma além do saguão cheio de gente), "estou dizendo isso porque vocês não vão ler a respeito. Mas tem filas por seis quarteirões...

"Tem uma lealdade que une todos nós aos Estados Unidos, aos Estados Unidos... Todos nós saudamos com orgulho a mesma bandeira norte-americana... e somos todos iguais, iguais aos olhos de Deus todo-poderoso... Somos iguais... e quero agradecer, aliás, a comunidade evangélica, a comunidade cristã, as comunidades de fé, rabinos, padres e pastores, ministros, porque o apoio que eu tive, como vocês sabem, foi recorde, não só a quantidade de pessoas, mas a porcentagem dessa quantidade que votou em Trump... uma manifestação incrível, e não vou decepcionar vocês... se tivermos fé uns nos outros e confiarmos em Deus, não existe meta fora de alcance para nós... não existe sonho grande demais... nenhuma tarefa é grande demais... somos os Estados Unidos e o futuro é nosso... estamos rugindo. Este país vai ser maior, melhor e mais forte do que nunca..."

Na Ala Oeste, alguns haviam especulado sobre até onde isso iria se ele pudesse ser dono do tempo tanto quanto era da própria língua. O consenso parecia ser: para sempre. O som de sua própria voz, sua falta de inibição, o fato de que a linearidade de pensamento e apresentação se revelara absolutamente desnecessária, a admiração que essa abordagem aleatória parecia despertar e seu próprio suprimento inesgotável de livres associações — tudo isso sugeria que as únicas coisas a restringi-lo eram o horário e o limiar de atenção do público.

Os momentos de improviso de Trump eram sempre existenciais, só que mais para seus assessores do que para ele. Ele falava de maneira absorta e feliz, acreditando-se um contador de histórias e showman de ouvido absoluto, enquanto todos que o acompanhavam prendiam a respiração. Se um momento sem pé nem cabeça ocorria nas — frequentes — ocasiões em que seus comentários rodopiavam sem nenhuma direção clara, a reação da equipe tinha que ser uma intensa imersão no Método: era necessário disciplina absoluta para não demonstrar o que todo mundo podia ver.

Quando o presidente terminou o discurso, Richard Spencer, que em menos de quatro meses após a eleição de Trump estava prestes a se tornar o mais famoso neonazista dos Estados Unidos desde George Lincoln Rockwell, voltou a se sentar no saguão do Gaylord Resort para debater sua afinidade com Donald Trump — que, acreditava, era recíproca.

Richard Spencer, curiosamente, era um dos poucos tentando atribuir uma doutrina intelectual ao trumpismo. Entre os que levavam Spencer ao pé da letra mas não a sério, e os que o levavam a sério mas não ao pé da letra, estava o próprio Spencer. Em termos práticos, ele estava fazendo as duas coisas, argumentando que, se Trump e Bannon pegavam carona em um novo movimento conservador, o próprio Spencer — o dono da altright.com e, acreditava ele, o expoente mais puro do movimento — pegava carona com eles, soubessem eles ou não.

O mais próximo de um nazista na vida real que os repórteres já tinham visto, Spencer foi como um ímã para a imprensa liberal reunida na Conferência de Ação Política Conservadora. Possivelmente, oferecia uma explicação tão boa para a política anômala de Trump quanto qualquer outro.

Spencer ganhara notoriedade escrevendo em publicações conservadoras, mas dificilmente seria identificável como algum tipo oficial de republicano ou de conservador. Era um provocador de pós-direita, mas sem o verniz de jantares WASP, como Ann Coulter ou Milo Yiannopoulos, que eram uma espécie de reacionários de salão. Ele era o cara — um racista da gema com bom nível de instrução, em seu caso, UVA, a Universidade de Chicago, e Duke.

Foi Bannon quem efetivamente deu corda para Spencer ao decretar o Breitbart News como "a plataforma da direita alternativa" — movimento que Spencer alegava ter fundado, ou pelo menos era o dono de seu nome de domínio.

"Não acho que Bannon ou Trump sejam identitários ou direita alternativa", explicou Spencer, quando estava acampado do lado de lá da cerca que separava a CPAC no Gaylord. Eles não eram, como Spencer, racistas filosóficos (por sua vez diferentes de um racista instintivo). "Mas estavam abertos a essas ideias. E abertos às pessoas que estavam abertas a essas ideias. Somos o tempero na mistura."

Spencer tinha razão. Trump e Bannon, com Sessions também na mistura, haviam chegado mais perto do que qualquer outro político nacional importante — desde o movimento dos direitos civis — de tolerar uma visão política matizada de racismo.

"Trump tem dito coisas que os conservadores nunca teriam pensado... Sua crítica da Guerra do Iraque, os ataques à família Bush, não daria para imaginar que ele faria isso... mas fez... Eles que se fodam... se no final das contas uma família WASP produz um Jeb e um W., então está na cara que isso é um sinal claro de negação... E agora eles se casam com mexicanas... A mulher de Jeb... ele se casou com a governanta ou sei lá o quê.

"No discurso de Trump na Conferência de Ação Política Conservadora de 2011, ele pede especificamente um relaxamento das restrições de imigração para europeus... que a gente devia recriar uma nação que fosse bem mais estável e bonita... Nenhum outro político conservador diria essas coisas... mas, por outro lado, praticamente todo mundo pensava assim... então é uma coisa poderosa de dizer... Claramente tem um processo de normalização acontecendo aí.

"Somos a vanguarda de Trump. A esquerda vai dizer que Trump é um nacionalista e um racialista implícito ou quase racialista. Os conservadores, como são tão babacas, falam: 'Ah, não, claro que não, ele é um constitucionalista, ou sei lá o quê'. A gente da direita alternativa fala: 'Ele é um nacionalista e um racialista. O movimento dele é um movimento branco'. Dã."

Aparentando estar muito satisfeito consigo mesmo, Spencer fez uma pausa e então emendou: "A gente concede a ele um tipo de permissão".

Ali perto, no saguão do Gaylord, Rebekah Mercer fazia um lanchinho com sua filha educada no ensino doméstico e uma amiga dela. Também estava à mesa Allie Hanley, mais uma que fazia doações para os conservadores. As duas mulheres estavam de acordo que o discurso na Conferência de Ação Política Conservadora mostrara a graça e o charme do presidente em sua melhor forma.

10. Goldman Sachs

Na Casa Branca, o casal Jarvanka cada vez mais sentia que os rumores vazados por Bannon e seus aliados minavam seu status. Jared e Ivanka, sempre ansiosos por enfatizar sua condição de adultos na sala, ficaram pessoalmente magoados com esses ataques insidiosos. Por sinal, Kushner agora acreditava que Bannon faria qualquer coisa para destruí-los. Era pessoal. Após meses defendendo Bannon contra insinuações da mídia liberal, Kushner concluíra que Bannon era antissemita. Em essência, aí é que estava o problema. Esse era um negócio complicado e frustrante — e muito difícil de comunicar ao sogro —, porque uma das acusações de Bannon contra Kushner, o principal porta-voz do governo sobre Oriente Médio, era de que ele estava longe de ser firme o suficiente em sua defesa de Israel.

Após a eleição, o âncora da Fox News, Tucker Carlson, comentara com discreta jocosidade em uma conversa particular com o presidente que, se entregasse de repente a pasta de Israel para o genro — que, segundo Trump, levaria paz ao Oriente Médio —, na verdade estaria prestando um desserviço a Kushner.

"Eu sei", respondeu Trump, achando graça na piada.

Judeus e Israel eram um subtexto curioso de Trump. Seu bronco pai era um antissemita sem papas na língua. Na divisão do mercado imobiliário nova--iorquino entre judeus e não judeus, a família Trump ficava claramente em posição inferior. Os judeus tinham tradição, e Donald Trump, ainda mais do que seu pai, era visto como vulgar: afinal, ele pusera seu nome nos edifícios, algo muito sem classe de se fazer. (Por ironia, isso se revelou um significativo avanço no mercado imobiliário e, possivelmente, a maior realização de Trump como incorporador — batizar prédios.) Mas Trump crescera e construíra seu negócio em Nova York, a maior cidade judaica do mundo. Fizera sua reputação na mídia, esta que é a mais judaica das indústrias, com uma compreensão penetrante da dinâmica tribal nesse meio. Seu mentor, Roy Cohn, era um judeu mundano, de reputação suspeita, um judeu durão. E Trump cortejava outras figuras que considerava "judeus durões" (um de seus méritos): Carl Icahn, o bilionário dos hedge funds; Ike Perlmutter, o investidor bilionário que comprara e vendera a Marvel Comics; Ronald Perelman, o bilionário presidente da Revlon; Steven Roth, o bilionário nova-iorquino e magnata do ramo imobiliário; e Sheldon Adelson, o bilionário magnata do ramo dos cassinos. Trump adotara uma espécie de vocabulário de tio judeu dos anos 1950 (da variedade *durão*), com iidichismos variados — Hillary Clinton, declarou ele, fora *shlonged** nas primárias de 2008 —, o que contribuiu para emprestar inesperada expressividade a um homem desarticulado. Agora sua filha, a primeira-dama na prática, era, graças à sua conversão, a primeira judia na Casa Branca.

A campanha de Trump e agora sua Casa Branca viviam dando recados fora do tom sobre judeus, de sua consideração equivocada por David Duke ao aparente desejo de dar seu pitaco na história do Holocausto — ou pelo menos a tendência a tropeçar no assunto. A certa altura, no começo da campanha, o genro de Trump, desafiado por sua própria equipe no *New York Observer* e sentindo-se pressionado a demonstrar sua boa-fé, bem como querendo resguardar o sogro, escreveu uma defesa apaixonada de Trump, tentando provar que ele não era antissemita. Pela tentativa, Jared foi repreendido por diversos membros de sua família, que claramente pareciam preocupados tanto com a direção do trumpismo quanto com o oportunismo de Jared.

Havia ainda o flerte com o populismo europeu. Sempre que possível, Trump parecia não só defender como também atiçar a crescente direita europeia, com suas ligações antissemitas, aumentando ainda mais as funestas más vibrações. Sem falar em Bannon, que se permitira lançar — mediante sua orquestração de

* Ao se referir à derrota de Hillary Clinton para Barack Obama nas primárias de 2008, Trump usou o termo "schlonged", transformando em verbo a gíria iídiche para pênis grande. (N. E.)

temas midiáticos direitistas e fomentando o ultraje liberal — uma insinuante piscadela para o antissemitismo. Era sem dúvida um bom negócio para a direita irritar judeus liberais.

Kushner, por sua vez, era o alpinista social de falas ensaiadas que no passado havia rejeitado todas as solicitações de apoiar organizações judaicas tradicionais. Quando requisitado, o herdeiro bilionário se recusara a contribuir. Ninguém estava mais perplexo com a súbita ascensão de Jared Kushner à sua nova posição de grande protetor de Israel do que as organizações judaicas dos Estados Unidos. Agora os judeus, os grandes e os bons, os venerados e os confiáveis, os mandarins e os mirmidões, tinham que cortejar Jared Kushner... que até ontem não passava de um zé-ninguém.

Para Trump, confiar Israel a Kushner foi mais do que um teste, foi um teste de judaísmo: o presidente escolhia o genro por ser judeu, o recompensava por ser judeu, lhe dava uma imensa responsabilidade por ser judeu — e também acabava caindo na crença estereotipada em relação aos poderes de negociação dos judeus. "Henry Kissinger diz que Jared vai ser o novo Henry Kissinger", afirmou Trump mais de uma vez, na verdade tanto um elogio como uma ofensa.

Enquanto isso, Bannon vivia insistindo com Kushner na questão de Israel, essa peculiar prova de fogo da direita. Bannon conseguia atrair judeus — judeus globalistas, cosmopolitas, liberais Davos-cêntricos como Kushner — porque, quanto mais à direita você era, mais correto era em relação a Israel. Netanyahu era um velho amigo da família Kushner, mas fez questão de procurar Steve Bannon quando, no outono, o primeiro-ministro israelense fora a Nova York para se encontrar com Trump e Kushner.

Em Israel, Bannon se associara a Sheldon Adelson, titã de Las Vegas, financiador de peso da direita e, na cabeça do presidente, o judeu durão mais da pesada que havia (ou seja, o mais rico). Adelson depreciava com regularidade os motivos e as capacidades de Kushner. Para grande satisfação de Bannon, o presidente vivia dizendo ao genro que, ao elaborar suas estratégias sobre Israel, procurasse Sheldon e, por tabela, Bannon.

O empenho de Bannon em agarrar o rótulo de o mais forte na questão de Israel era profundamente desconcertante para Kushner, que fora criado como judeu ortodoxo. Avi Berkowitz e Josh Raffel, seus tenentes mais próximos na Casa Branca, eram judeus ortodoxos. Nas tardes de sexta, todos os negócios de Kushner na Casa Branca se encerravam antes do pôr do sol, para a observância do Shabat.

Para Kushner, a defesa direitista de Israel adotada por Trump de algum modo se tornou um golpe de jiu-jítsu antissemita dirigido contra ele. Bannon parecia determinado a fazer Kushner parecer fraco e inadequado.

Assim Kushner partiu para o contra-ataque, levando para a Casa Branca seus próprios judeus durões – judeus Goldman.

Kushner insistira com o então presidente do Goldman Sachs, Gary Cohn, para concorrer ao Conselho Econômico Nacional e ser o principal assessor econômico do presidente. A escolha de Bannon fora Larry Kudlow, o âncora conservador e comentarista da CNBC. Para Trump, o prestígio do nome Goldman superava até uma personalidade da TV.

Foi um momento Riquinho. Kushner tinha feito um estágio de verão no Goldman Sachs quando Cohn estava à frente do mercado de commodities. Cohn depois se tornou presidente do Goldman Sachs, em 2006, e quando ele entrou para a equipe de Trump, Kushner passou a aproveitar qualquer oportunidade para mencionar que o presidente do Goldman Sachs estava trabalhando para ele. Bannon, dependendo de quem queria esnobar, referia-se a Kushner como estagiário de Cohn ou comentava que Cohn estava agora trabalhando para seu estagiário. Trump, de sua parte, continuava arrastando Cohn para reuniões, em particular com líderes estrangeiros, só para apresentá-lo como ex-presidente do Goldman Sachs.

Bannon se anunciara como o cérebro de Trump, uma bravata que tirou o presidente do sério. Mas, em Cohn, Kushner viu um cérebro melhor para a Casa Branca: não só era muito mais político para Cohn ser o cérebro de Kushner, e não de Trump, como também investir Cohn de poderes era uma contramedida perfeita para a filosofia de administração do caos de Bannon. Cohn era o único na Ala Oeste que já dirigira uma grande organização (o Goldman Sachs tinha 35 mil funcionários). E para falar francamente – embora Kushner ficasse feliz em mencionar –, Bannon deixara o Goldman mal tendo alcançado um status gerencial intermediário, ao passo que Cohn, contemporâneo, continuara no escalão mais alto, fazendo centenas de milhões de dólares no processo. Cohn – natural de Manhattan e um democrata globalista-cosmopolita que votara em Hillary Clinton e ainda conversava, e com frequência, com o ex-chefe do Goldman e ex-senador e governador democrata de Nova Jersey, Jon Corzine — imediatamente se tornou a antítese de Bannon.

Para Bannon, o ideólogo, Cohn era o oposto exato, um negociante de commodities fazendo o que negociantes fazem: interpretar os ânimos e identificar para que lado o vento está soprando. "Fazer Gary assumir um lado em alguma coisa é quase impossível", comentou Katie Walsh.

Cohn começou a pintar uma Casa Branca que em breve seria focada nos negócios e comprometida em promover políticas de centro-direita a moderadas. Nessa nova configuração, Bannon seria marginalizado, e Cohn, que menosprezava Priebus, seria o chefe de gabinete de prontidão. Para Cohn, parecia o caminho mais fácil. Claro que funcionaria dessa forma: Priebus era um peso leve, e Bannon, um porcalhão incapaz de administrar fosse lá o que fosse.

Poucas semanas após a chegada de Cohn à equipe de transição, Bannon vetou o plano de Cohn de expandir o Conselho Econômico Nacional para pelo menos trinta pessoas. (Kushner, para não deixar por menos, vetou o plano de Bannon de ter David Bossie montando e chefiando sua equipe.) Bannon também espalhou o boato, provavelmente com algum fundo de verdade (ou, enfim, no mínimo popular dentro do Goldman Sachs), de que Cohn, quando considerado para ser CEO do Goldman, fora obrigado a sair por uma inconveniente sede de poder ao estilo Haig — em 1981, o então secretário de Estado Alexander Haig tentara insistir que estava no comando após o atentado contra Ronald Reagan — quando o CEO do Goldman, Lloyd Blankfein, passava por um tratamento de câncer. Na versão de Bannon, Kushner comprara um produto com defeito. A Casa Branca era sem dúvida a corda de segurança profissional de Cohn — por que outro motivo ele teria entrado para o governo Trump? (Grande parte desse falatório foi passada adiante para os repórteres por Sam Nunberg, ex-pau-para-toda-obra de Trump que agora prestava serviços a Bannon. Nunberg era franco sobre suas táticas: "Eu malho Cohn sempre que dá".)

É uma mostra do poder do sangue (ou do sangue pelo matrimônio), e provavelmente também do poder do Goldman Sachs, que em meio a uma Washington controlada pelos republicanos e por uma virulenta, quando não antissemita (pelo menos em relação a judeus liberais), Ala Oeste direitista, os democratas Kushner-Cohn parecessem em ascensão. Parte do crédito foi para Kushner, que demonstrou inesperada tenacidade. Avesso a conflitos — na família Kushner, o patriarca, monopolizando todo conflito, forçou os demais a serem apaziguadores —, sem confrontar Bannon nem seu sogro, Kushner começou a se enxergar em um sentido estoico: era o último homem de moderação, a genuína figura de discrição, o lastro necessário do navio. Tudo isso se manifestaria numa realização espetacular. Ele completaria a missão que seu sogro lhe impusera, a missão que cada vez mais enxergava como seu — isso mesmo — destino. Ele *levaria* a paz ao Oriente Médio.

"Ele vai levar a paz ao Oriente Médio", costumava dizer Bannon, com um tom de voz reverente e o rosto inexpressivo que fazia os bannonistas caírem na gargalhada.

Assim, em certo sentido, Kushner era uma figura tola e ridícula. Em outro, encorajado pela esposa e por Cohn, era um homem que se via no palco do mundo, incumbido de uma missão singular.

Aí estava mais uma batalha para ser vencida ou perdida. Bannon achava que Kushner e Cohn (e Ivanka) ocupavam uma realidade alternativa que guardava pouca relação com a verdadeira revolução de Trump. Kushner e Cohn consideravam Bannon não apenas destrutivo como autodestrutivo, e estavam confiantes de que ele se destruiria antes de destruí-los.

Na Casa Branca de Trump, observou Henry Kissinger, "há uma guerra entre os judeus e os não judeus".

Para Dina Powell, a outra funcionária do Goldman na Ala Oeste, a principal hesitação quando Ivanka a convenceu a trabalhar na Casa Branca era o medo da avaliação negativa ao ficar associada à presidência de Trump. Powell dirigia o braço filantrópico do Goldman Sachs, uma iniciativa de relações públicas e também um aceno às reservas cada vez mais poderosas de dinheiro filantrópico. Representando o Goldman, ela se tornara algo como uma lenda em Davos, uma networker suprema entre os supremos networkers do mundo. Ela estava na interseção entre a imagem e a fortuna, em um mundo cada vez mais dominado por riqueza privada e marcas pessoais.

Foi em função de sua própria ambição, e também dos talentos de venda de Ivanka Trump durante rápidas reuniões em Nova York e Washington, que Powell, superando as desconfianças, subira a bordo. Isso e a aposta politicamente arriscada mas altamente vantajosa de que ela, alinhada com Jared e

Ivanka, e trabalhando próxima a Cohn, seu amigo e aliado do Goldman Sachs, pudesse controlar a Casa Branca. Esse era o plano implícito: nada menos. Para especificar, a ideia era de que Cohn ou Powell — e muito possivelmente os dois no decorrer dos quatro ou oito anos seguintes — ficassem, à medida que Bannon e Priebus perdessem terreno, com a função de chefe de gabinete. Os constantes resmungos do próprio presidente contra Bannon e Priebus, notados por Ivanka, encorajavam esse cenário.

Não era pouca coisa: uma força motivadora por trás da jogada de Powell era a crença certeira de Jared e Ivanka (crença que Cohn e Powell acharam convincente) de que a Casa Branca estava à disposição deles. Para Cohn e Powell, o convite de participar do governo Trump se metamorfoseou para além de uma oportunidade e se tornou algo como um dever. Seria a missão deles trabalhar com Jared e Ivanka, ajudar a gerenciar e a dar forma a uma Casa Branca que, de outro modo, poderia se tornar o oposto da razão e da moderação que eles poderiam trazer. Eles poderiam ser determinantes em salvar o governo — além de no processo dar um salto quântico pessoal.

Mais diretamente para Ivanka, concentrada nas preocupações com as mulheres na Casa Branca de Trump, Powell era uma correção de imagem para Kellyanne Conway — que, sem levar absolutamente em consideração a guerra do casal Jarvanka com Bannon, era desprezada por Ivanka e Jared. Conway, que continuava desfrutando das boas graças do presidente e sendo sua principal defensora na TV a cabo, havia se declarado publicamente como o rosto do governo — e para Ivanka e Jared, um rosto chocante. Os piores impulsos do presidente pareciam correr nas veias de Conway sem o benefício de um filtro. Ela era a combinação da raiva, da impulsividade e das mancadas de Trump. Embora a obrigação de um conselheiro presidencial fosse supostamente amortecer e interpretar as decisões intuitivas do chefe, Conway as endossava, punha todas suas fichas nelas, compunha uma ópera a partir de cada uma delas. Levava as cobranças de lealdade de Trump muito ao pé da letra. Na visão de Ivanka e Jared, Conway era a teimosa, hostil e melodramática tagarela, ao passo que Powell, assim esperavam, seria uma convidada ponderada, circunspecta e adulta nos programas de domingo de manhã.

No fim de fevereiro, após o primeiro turbulento mês na Ala Oeste, a campanha de Jared e Ivanka para puxar o tapete de Bannon parecia estar funcionando. O casal criara um sistema de retroalimentação que incluía Scarborough e Murdoch, reforçando a profunda irritação e frustração do presidente com a suposta importância de Bannon na Casa Branca. Durante semanas após a matéria de capa da *Time* sobre Bannon, dificilmente havia uma conversa em que Trump não mencionasse o assunto com amargura. ("Ele vê as capas da *Time* como uma soma zero. Se algum outro aparece na capa, ele não aparece", explicou Roger Ailes.) Scarborough, com requintes de crueldade, vivia tagarelando sobre o presidente Bannon. Murdoch falava com ênfase para o presidente sobre o caráter excêntrico e extremista do bannonismo, ligando Bannon a Ailes: "Os dois são loucos", dizia para Trump.

Já Kushner costumava lembrar ao presidente – aproveitando-se da eterna fobia de Trump, que ligava fraqueza à idade – que Bannon, aos 63 anos, não aguentaria o tranco de trabalhar na Casa Branca. De fato, Bannon andava trabalhando de dezesseis a dezoito horas por dia, sete dias por semana, e, com medo de perder um chamado do presidente ou de que outra pessoa fosse convocada em seu lugar, ficava de sobreaviso praticamente a noite toda. Com o decorrer das semanas, o estado de saúde de Bannon pareceu piorar a olhos vistos: o rosto e as pernas ficaram mais inchados; a expressão, mais extenuada; as roupas do corpo, mais amarrotadas; a atenção, mais divagante.

Quando o segundo mês de Trump no poder teve início, o grupo Jared-Ivanka-Gary-Dina se concentrou no discurso presidencial de 28 de fevereiro durante a sessão conjunta do Congresso.

"Reiniciar", declarou Kushner. "Reiniciar do zero."

A ocasião fornecia uma oportunidade perfeita. Trump teria que fazer o discurso na frente dele. A mensagem não só estaria no teleprompter como seria ampla e antecipadamente distribuída. Além do mais, o público educado não ofereceria encorajamento para improvisos. Os conselheiros de Trump estavam no controle. E, ao menos naquela ocasião, Jared-Ivanka-Gary-Dina eram os conselheiros.

"Steve vai levar o crédito por esse discurso se tiver uma única palavra dele ali", disse Ivanka para o pai. Ela sabia perfeitamente que o crédito, muito mais do que o conteúdo, era um calcanhar de aquiles para Trump, e seu comentário garantia que o presidente mantivesse Bannon longe.

"O discurso do Goldman Sachs", batizou Bannon.

O discurso de posse, em grande parte escrito por Bannon e Stephen Miller, chocara Jared e Ivanka. Mas uma peculiaridade particular da Casa Branca de Trump — o que contribuía para os problemas de comunicação — era a falta de uma equipe para redigir discursos. Havia o letrado e altamente verbal Bannon, que nunca escrevia nada de fato; havia Stephen Miller, que fazia pouco mais do que preparar listas de itens. Fora eles, cada um se virava do melhor jeito possível. Faltava uma mensagem coerente porque não havia ninguém para escrever uma mensagem coerente — apenas mais um exemplo de desprezo ao fazer político.

Ivanka assumiu com firmeza o controle da minuta para a sessão conjunta e logo começou a introduzir contribuições da diretriz Jarvanka. No evento, o presidente se comportou exatamente como esperavam. Ali estava o Trump alto-astral, o Trump homem de vendas, o Trump nada-a-temer, o Trump guerreiro. Jared, Ivanka e todos os seus aliados avaliaram a noite como magnífica, concordando que finalmente, em meio a todo o cerimonial — *Senhor presidente da Câmara, o presidente dos Estados Unidos* —, o presidente de fato parecia presidencial. E ao menos dessa vez, a primeira, até a mídia concordou.

As horas subsequentes ao discurso do presidente foram o melhor momento de Trump na Casa Branca. Foi, ao menos durante um ciclo de notícias, uma presidência diferente. Por um momento, houve até algo como uma crise de consciência em parte da mídia: teria aquele presidente sido gravemente mal interpretado? Teria a mídia, a mídia tendenciosa, deixado de perceber um bem-intencionado Donald Trump? Estaria ele finalmente revelando sua melhor natureza? O próprio presidente passou quase dois dias inteiros sem fazer nada além de reler sua cobertura favorável. Até que enfim chegara a uma costa amena (com os nativos embevecidos na praia). Para completar, o sucesso do discurso ratificou a estratégia de Jared e Ivanka: procurar um terreno comum. Ratificou também a opinião que Ivanka tinha de seu pai: ele só queria ser amado. E ratificou ainda os piores temores de Bannon: Trump, no fundo, bem lá no fundo, era um coração mole.

O Trump que todos viram na noite da sessão conjunta não era apenas um novo Trump, mas a declaração de um novo cérebro (que Ivanka planejava integrar formalmente em poucas semanas) na Ala Oeste. Jared e Ivanka, com a ajuda de seus conselheiros do Goldman Sachs, estavam mudando a mensagem, o estilo e os temas da Casa Branca. "Estender a mão" era o novo tema.

Bannon, dificilmente ajudando a própria causa, pintava-se como uma cassandra a quem quisesse ouvir. Ele insistia que apenas um desastre resultaria de uma tentativa de apaziguar seus inimigos mortais. Era preciso levar sem trégua a luta até eles. Você está se iludindo se acredita que um acordo é possível. A virtude de Donald Trump — a virtude, em todo caso, de Donald Trump segundo Steve Bannon — era que a elite cosmopolita nunca iria aceitá-lo. Ele era, afinal, Donald Trump, por mais polimento que lhe dessem.

11. Grampo

Com três telões em seu quarto na Casa Branca, o presidente era a melhor sentinela da TV a seu próprio dispor. No entanto, para a mídia impressa, ele dependia de Hope Hicks, que fora sua assessora júnior durante a maior parte da campanha e sua porta-voz (embora, como o próprio presidente comentaria, na verdade ele era seu próprio porta-voz). Na opinião de muitos, Hicks fora chutada para escanteio na Ala Oeste pelos bannonistas, pela ala Goldman e pelos profissionais de Priebus-CNR. Para os membros de alto escalão, ela não apenas parecia jovem e inexperiente demais — era famosa entre os repórteres de campanha por usar saias tão curtas que limitavam seus movimentos — como também excessivamente ansiosa para agradar, sempre com medo de cometer um erro, sempre se explicando de maneira hesitante e procurando a aprovação de Trump. Mas o presidente sempre a chamava — "Cadê a Hope?" — quando tentavam imputar algum lapso a ela. Desconcertando quase todos, Hicks permaneceu sua assessora mais próxima e de confiança, com possivelmente a função individual mais importante naquela Casa Branca: interpretar a cobertura da mídia para Trump da maneira mais positiva possível e protegê-lo da cobertura que não dava para distorcer positivamente.

O dia seguinte ao discurso "reiniciar" que Trump fez perante a sessão conjunta do Congresso representou certo enigma para Hicks. De modo geral, ali estavam as primeiras boas-novas para o governo. No entanto, o *Washington*

Post, o *New York Times* e a *New Yorker* traziam naquele dia também o cheiro desagradável de notícias negativas. Por sorte, as três matérias diferentes não tinham chegado à TV a cabo, de modo que ainda havia uma breve pausa para respirar. E ao menos durante a maior parte do dia, 1º de março, a própria Hicks pareceu não se dar totalmente conta de até que ponto as notícias eram negativas de verdade.

A matéria no *Washington Post* foi construída em torno do vazamento de uma fonte no Departamento de Justiça (caracterizada como "ex-funcionário de alto escalão norte-americano" — logo, muito provavelmente alguém da Casa Branca de Obama) afirmando que o novo procurador-geral, Jeff Sessions, em duas ocasiões se encontrara com o embaixador russo, Sergey Kislyak.

Quando mostraram a matéria para o presidente, ele não pareceu perceber as implicações. "E daí?", perguntou.

Bem, durante a confirmação do procurador, explicaram eles para Trump, Sessions dissera que não era verdade.

Confrontando Sessions na audiência de 10 de janeiro, Al Franken, o ex-comediante e senador democrata por Minnesota, em seus esforços para achar o que perguntar, parecia arremessar o anzol às cegas na tentativa de pescar um peixe arredio. Parando e recomeçando, penando com a construção das frases, Franken, que tratava de uma questão baseada no recém-revelado dossiê de Steele, encerrou assim:

> Esses documentos também alegadamente dizem, abre aspas: "Houve uma contínua troca de informações durante a campanha entre suplentes de Trump e intermediários do governo russo".
>
> Agora, de novo, estou dizendo isso ao senhor conforme está saindo, então sabe como é. Mas, se for verdade, o que obviamente seria gravíssimo, e se existir alguma evidência de que qualquer um ligado à campanha de Trump se comunicou com o governo russo durante essa campanha, o que o senhor vai fazer?

Em vez de responder à pergunta tortuosa de Franken — "O que o senhor vai fazer?" — com um simples "Vamos sem dúvida investigar e punir todas as possíveis ilegalidades", um confuso Sessions respondeu uma pergunta que ninguém lhe fez.

Senador Franken, não tenho ciência de nenhuma dessas atividades. Fui chamado de suplente em uma ou duas ocasiões nessa campanha e não tive... não mantive comunicações com os russos, nem posso comentar a respeito.

O foco imediato do presidente foi questionar por que alguém acreditava que se comunicar com os russos era ruim. Não havia nada de errado nisso, insistia Trump. Como no passado, era difícil demovê-lo dessa opinião e fazê-lo olhar para o problema em questão: uma possível mentira para o Congresso. A matéria do *Washington Post*, até onde caía a ficha do presidente, não o preocupava. Apoiado por Hicks, via a reportagem como uma tentativa muito remota de culpar Sessions por alguma coisa. E, de todo modo, Sessions estava afirmando que não se encontrara com os russos como *suplente de campanha*. Se ele disse que não era porque não. Caso encerrado.

"Fake news", sentenciou o presidente, usando sua atual réplica das mil e uma utilidades.

Já a matéria negativa do *Times*, conforme Hicks a relatou para o presidente, parecia para ele uma boa notícia. Informada por fontes anônimas no governo Obama (*mais* fontes anônimas de Obama), a reportagem revelava um novo alcance na sugestão cada vez mais forte de uma ligação entre a campanha de Trump e os esforços russos de influenciar a eleição dos Estados Unidos:

Aliados norte-americanos, incluindo os britânicos e os holandeses, forneceram informação descrevendo encontros em cidades europeias entre funcionários russos — e outros próximos ao presidente da Rússia, Vladimir V. Pútin — e pessoas ligadas ao presidente eleito Trump, segundo três ex-funcionários norte-americanos que exigiram anonimato ao discutir inteligência confidencial.

E:

Separadamente, as agências de inteligência dos Estados Unidos tinham interceptado comunicações de funcionários russos, alguns dentro do Kremlin, discutindo contatos com pessoas ligadas a Trump.

A matéria prosseguia:

> Trump negou que sua campanha tenha mantido qualquer contato com funcionários russos e, a certa altura, sugeriu abertamente que as agências de espionagem norte-americanas haviam fabricado inteligência ao insinuar que o governo russo tentara interferir na eleição presidencial. Trump acusa o governo Obama de espalhar a história da Rússia como uma maneira de desacreditar o novo governo.

E então o problema real:

> Na Casa Branca de Obama, as declarações de Trump provocavam temores em alguns de que a inteligência podia ser obstruída ou destruída — ou suas fontes expostas — quando o poder mudasse de mãos. O que se seguiu foi um esforço para preservar a inteligência, o que deixou bem evidente a profunda ansiedade com que a Casa Branca e as agências de inteligência dos Estados Unidos passaram a ver a ameaça vinda de Moscou.

Ali estava mais uma confirmação de uma tese central de Trump: o governo anterior, com sua própria candidata derrotada, estava não apenas desrespeitando o costume democrático de facilitar o caminho para o vencedor da eleição como também, na visão da Casa Branca de Trump, conspirando com a Comunidade de Inteligência para plantar minas subterrâneas no caminho do novo governo. A inteligência sigilosa, sugeria a matéria, estava sendo amplamente difundida entre as agências de inteligência, de modo a tornar mais fácil vazar informação e, ao mesmo tempo, proteger os autores do vazamento. Essa inteligência, diziam os rumores, consistia em planilhas mantidas por Susan Rice, com listas dos contatos russos da equipe de Trump. Tomando emprestada uma técnica do WikiLeaks, os documentos eram escondidos numa dúzia de servidores em lugares diferentes. Antes dessa ampla distribuição, quando a informação era bem guardada, teria sido fácil identificar o pequeno grupo de autores de vazamento. Só que o governo Obama expandira significativamente esse grupo.

Então isso era uma boa notícia, certo? Não seria uma prova de que Obama e sua turma estavam tentando acabar com ele?, perguntou o presidente. A matéria do *New York Times* era um vazamento sobre um plano de vazar informação — e fornecia clara prova da existência de um estado paralelo.

Hope Hicks, como sempre, apoiou a postura de Trump. Os vazamentos eram criminosos, e o culpado era o governo Obama. Trump estava confiante de que o Departamento de Justiça agora investigaria o ex-presidente e sua equipe. Finalmente.

Hope Hicks também mostrou para o presidente um longo artigo que saíra na *New Yorker*. A revista acabara de publicar uma matéria assinada por três autores — Evan Osnos, David Remnick e Joshua Yaffa — atribuindo a agressividade russa a uma nova Guerra Fria. Desde a vitória de Trump, o editor da *New Yorker*, Remnick, propusera uma visão absolutista de que a eleição de Trump ameaçava as normas democráticas.

O artigo de 13 500 palavras — que ligava com conveniência os pontos da mortificação geopolítica da Rússia, a ambição de Pútin, os cibertalentos do país, o autoritarismo incipiente do próprio Trump e as suspeitas da Comunidade de Inteligência dos Estados Unidos acerca de Pútin e da Rússia — sistematizava uma nova narrativa tão coerente e tão apocalíptica quanto a da antiga Guerra Fria. A diferença era que, nesse caso, o resultado final atendia por Donald Trump — ele era a bomba nuclear. Um dos nomes bastante citados no artigo era Ben Rhodes, o assessor de Obama, que, acreditava a turma de Trump, era a principal fonte de vazamento, quando não um dos arquitetos do esforço constante do governo Obama de ligar Trump e sua equipe a Pútin e à Rússia. Muitos na Casa Branca acreditavam que Rhodes *era* o estado dentro do estado. Acreditavam também que toda vez que um vazamento era atribuído a "funcionários antigos e atuais", Rhodes era o ex-funcionário em estreita proximidade com os funcionários atuais.

Embora o artigo não passasse em grande parte de uma funesta recapitulação dos temores relativos a Pútin e Trump, de fato ligava, em um parêntese mais para o fim — reservando o verdadeiro indício para depois —, Jared Kushner a Kislyak, o embaixador russo, em uma reunião na Trump Tower com Michael Flynn em dezembro.

Hicks deixou a questão passar batida. Mais tarde, o ponto teve que ser levado à atenção do presidente por Bannon.

Três pessoas no governo Trump — o antigo conselheiro de Segurança Nacional, o atual procurador-geral e o assessor principal e genro do presidente — tinham agora sido diretamente ligadas ao diplomata russo.

Para Kushner e sua esposa, tinha sido proposital: sentindo uma profunda ameaça, eles suspeitavam de que Bannon estava vazando a informação sobre a reunião de Kushner com Kislyak.

Poucas funções no governo Trump pareciam tão certas, adequadas e até destinadas à pessoa como a nomeação de Jeff Sessions para principal funcionário da aplicação da lei no país. Do modo como Sessions via seu trabalho de procurador-geral, era seu dever controlar, restringir e desfazer a interpretação da lei federal que por três gerações minara a cultura dos Estados Unidos e atentara contra seu próprio lugar nela. "Esse é o trabalho da vida dele", disse Steve Bannon.

E Sessions com certeza não arriscaria seu emprego por conta da tola novela da Rússia, com um acréscimo cada vez maior de figuras de comédia pastelão ligadas a Trump. Sabe-se lá o que aqueles personagens andavam tramando — coisa boa não devia ser, presumiam todos. Melhor não se envolver.

Sem consultar o presidente nem, aparentemente, ninguém na Casa Branca, Sessions decidiu ficar longe do perigo o mais rápido possível. Em 2 de março, um dia após o artigo do *Washington Post*, ele se desqualificou para qualquer coisa que tivesse a ver com a investigação da Rússia.

A notícia de que o procurador-geral se recusara a se envolver com a investigação caiu como uma bomba na Casa Branca. Sessions era a proteção de Trump contra uma investigação russa extremamente agressiva. O presidente simplesmente não conseguia captar a lógica em jogo. Ele se queixou para amigos: por que Sessions não queria protegê-lo? O que Sessions ganharia com aquilo? Ele pensava que aquela história era verdadeira? Sessions precisava fazer seu trabalho!

Na verdade, Trump já contava com um bom motivo para se preocupar com o Departamento de Justiça. O presidente tinha uma fonte particular, alguém que telefonava com frequência e, acreditava ele, o mantinha informado do que estava acontecendo no Departamento de Justiça — e conforme observou o presidente, fazia um trabalho bem melhor do que o próprio Sessions.

O governo Trump, como consequência da história russa, estava envolvido em um arriscado jogo de empurra-empurra burocrático, com o presidente procurando fora do governo a explicação para o que estava acontecendo dentro do governo. Sua fonte, um amigo de longa data com suas próprias fontes no Departamento de Justiça — muitos dos amigos ricos e poderosos do presidente tinham seus próprios motivos para monitorar de perto o que estava acontecendo no Departamento de Justiça —, pintou para Trump o cenário desolador de um Departamento de Justiça e de um FBI desesperados para pegá-lo. "Traição", fora informado o presidente, era uma palavra sendo utilizada.

"O Departamento de Justiça está cheio de mulheres que odeiam você, presidente", informou a fonte de Trump. Era um exército de advogados e investigadores recebendo instruções do governo anterior. "Querem fazer Watergate parecer um Pissgate", prosseguiu a fonte. Essa comparação confundiu Trump: ele pensou que seu amigo estivesse fazendo referência ao dossiê de Steele e à história da chuva dourada.

Após a recusa do procurador-geral, o presidente, cuja reação instintiva para qualquer problema era mandar alguém embora no mesmo segundo, achou que simplesmente deveria se livrar de Sessions. Ao mesmo tempo, não pairavam dúvidas em sua cabeça sobre o que estava acontecendo ali. Ele sabia de onde vinha esse negócio da Rússia, e, se a turma de Obama achava que se safaria com essa, eles não perdiam por esperar. O presidente iria desmascarar todo mundo!

Um dos inúmeros novos protetores de Jared Kushner era Tony Blair, o ex-primeiro-ministro britânico. Kushner e Blair tinham se conhecido em 2010, quando compareceram ao batismo — às margens do rio Jordão — de Grace e Chloe Murdoch, as jovens filhas de Rupert Murdoch e sua esposa na época, Wendi. Jared e Ivanka também haviam morado no mesmo edifício de Trump na Park Avenue. Ali, os Murdoch eram vizinhos (para a família Murdoch, tratava-se de um apartamento alugado enquanto seu triplex na Quinta Avenida era reformado, mas a reforma havia demorado quatro anos), e, durante esse período, Ivanka Trump se tornara uma das amigas mais próximas de Wendi Murdoch. Blair, padrinho de Grace, mais tarde seria acusado por Murdoch de ter um caso com sua esposa e ser a causa da separação. No divórcio, Wendi ficou para os Trump.

Porém, uma vez na Casa Branca, a filha e o genro do presidente se tornaram alvos de renovado e ansioso cultivo, não sem alguma ironia, tanto de Tony Blair como de Murdoch. Carecendo de um círculo de influência em quase todas as muitas áreas do governo com as quais estava envolvido, Kushner era não só suscetível ao cultivo como também um tanto desesperado pelos conselhos que seus cultivadores tinham a oferecer. Blair, agora com interesses filantrópicos, privados e financeiros variados no Oriente Médio, estava particularmente determinado a ajudar a orientar algumas iniciativas de Jared no Oriente Médio.

Em fevereiro, Blair visitou Kushner na Casa Branca.

Nessa visita, o agora diplomata freelance, procurando provar sua utilidade para essa nova Casa Branca, trouxe novidades. Havia, sugeriu ele, a possibilidade de que os britânicos tivessem mantido a equipe de campanha de Trump sob vigilância, monitorando suas ligações telefônicas e outras comunicações, algo que possivelmente se estenderia até o próprio Trump. Aquilo era, como Kushner talvez percebesse, a teoria da inteligência de *Shabat goy*. No Shabat, os observantes judeus não podiam acender a luz nem pedir a outra pessoa que acendesse a luz. Porém, se expressassem a opinião de que seria bem mais fácil enxergar com luz, e se um não judeu por acaso a acendesse, não haveria problema. Assim, embora o governo Obama não tivesse pedido aos britânicos para espionar a campanha de Trump, os britânicos teriam sido levados a entender como seria útil se o fizessem.

Não estava claro se a informação de Blair era um rumor, uma suposição com fonte, uma especulação própria ou algo sólido. No entanto, como exasperava o espírito do presidente, Kushner e Bannon foram ao quartel-general da CIA em Langley para se encontrar com Mike Pompeo e sua vice-diretora, Gina Haspel, para checar a história. Dias depois, a CIA respondeu cripticamente que a informação não estava correta: era uma "falha de comunicação".

A política parecia ter se tornado, mesmo bem antes da era Trump, um negócio de vida ou morte. Era agora uma soma zero: quando um lado lucrava, o outro perdia. A vitória de um lado era a aniquilação do outro. A velha noção de que a política era um jogo de negociantes, um entendimento de que alguém tinha algo que você queria — um voto, boa reputação, um antiquado apadrinhamento — e de que no fim o único problema era o custo, saíra de moda. Agora era uma batalha entre o bem e o mal.

Curiosamente, para alguém que parecia ter liderado um movimento baseado na raiva e na desforra, Trump era realmente (ou ele acreditava que realmente fosse) um representante da velha política – alguém que fazia as coisas andarem. Partidário do uma-mão-lava-a-outra. Ele era, em sua própria opinião, o estrategista supremo, sempre sabedor do que o outro queria.

Steve Bannon insistira para que ele invocasse Andrew Jackson como seu modelo populista e arrumara um monte de livros sobre Jackson (nunca lidos). Porém, o verdadeiro ideal de beleza para Trump era Lyndon Johnson, um grandalhão capaz de se impor, fechar acordos e dobrar inferiores à sua vontade. De negociar até que no fim todos saíssem com alguma coisa, e o melhor negociante, com um pouco mais do que todos. (Trump, porém, era incapaz de apreciar a ironia de onde Lyndon Johnson terminou: um dos primeiros políticos modernos a se ver no lado errado da política, tanto a mortal como a moral.)

Só que agora, depois de pouco mais de sete semanas no poder, Trump via suas próprias atribulações como únicas e quase insuperáveis. Como nunca antes com nenhum outro presidente dos Estados Unidos (embora ele fizesse alguma concessão a Bill Clinton), seus inimigos procuravam deixá-lo em maus lençóis. Pior ainda, o sistema tinha sido armado contra ele. O pântano burocrático, as agências de inteligência, os tribunais injustos, a mídia mentirosa – todos estavam contra ele. Aquele era, para sua equipe de alto escalão, um tema seguro de conversa com o presidente: o possível martírio de Donald Trump.

Nos telefonemas noturnos, Trump vivia batendo na tecla de como isso era injusto, e do que Tony Blair dissera – além de outros! Tudo fazia sentido. Havia um complô contra ele.

Ora, com certeza, era verdade que a equipe mais próxima de Trump apreciava essa volatilidade, mas, sem exceção, ficavam alarmados com ela. Ao longo dos acontecimentos políticos adversos do dia, ele podia ter momentos de, quase todos admitiriam, irracionalidade. Quando isso acontecia, ficava sozinho com sua raiva e ninguém chegava perto. A equipe principal lidava com essas horas sombrias em grande parte concordando com ele, independente do que dissesse. E se alguns ocasionalmente tentavam fugir do assunto, Hope Hicks era a eterna exceção. Ela concordava em gênero, número e grau com cada detalhe.

Em Mar-a-Lago, na noite de 3 de março, o presidente assistiu a Bret Baier entrevistando Paul Ryan na Fox. Baier perguntou ao porta-voz sobre uma matéria no site de notícias Circa – propriedade do Sinclair, um grupo de telecomunicações conservador –, envolvendo alegações de que a Trump Tower ficara sob vigilância durante a campanha.

Em 4 de março, os tuítes matinais de Trump começaram:

Terrível! Acabo de descobrir que Obama pôs "escutas" na Trump Tower pouco antes da vitória. Não encontraram nada. Isso é mccarthismo! (4h35)

É legal um presidente em exercício usar "escutas" na corrida presidencial antes de uma eleição? Rejeitado pelo tribunal hoje cedo. NÃO DÁ PRA DESCER MAIS BAIXO! (4h49)

O presidente Obama desceu muito baixo grampeando meus telefones durante o sagrado processo eleitoral. É um novo Nixon/Watergate. O cara é do mal (ou doente)! (5h02)

Às 6h40 ele ligou para Priebus, acordando-o. "Você viu meu tuíte?", perguntou. "A gente pegou eles com a mão na botija!" Então o presidente segurou o telefone para que Priebus pudesse ouvir a gravação do programa de Baier.

Trump não tinha o menor interesse na precisão, nem sequer na capacidade de ser preciso. Era pura exclamação pública, uma janela para a dor e a frustração. Com seus erros de ortografia e seu uso de um jargão da década de 1970 — instalar escutas evocava a imagem de agentes do FBI espremidos num furgão na Quinta Avenida —, soava excêntrico e absurdo. Dos inúmeros tuítes em que Trump parecera se enforcar com a própria corda do ponto de vista da mídia, da Comunidade de Inteligência e de democratas extremamente satisfeitos, os tuítes dos grampos o haviam erguido o mais alto possível e o deixado ali pendurado na ignorância e no constrangimento.

Segundo a CNN: "Dois ex-funcionários de alto escalão do governo descartaram as acusações de Trump sem sequer fazer comentários. 'Bobagem', disse um ex-funcionário de alto escalão do governo". Dentro da Casa Branca, acreditava-se que a palavra "bobagem" tivesse vindo de Ben Rhodes, dita à maneira do gato que comeu o canário.

Ryan, por sua vez, disse a Priebus que não fazia ideia do que Baier estava perguntando e que estava só enchendo linguiça durante a entrevista.

De todo modo, se o grampo nos telefones de Trump não era uma verdade literal, houve um súbito empenho para encontrar algo que pudesse ser, e uma Casa Branca frenética abriu fogo com um artigo do Breitbart que se ligava a uma matéria de Louise Mensch, uma ex-política britânica que, agora morando nos Estados Unidos, se tornara um Jim Garrison da conexão Trump-Rússia.

Houve um esforço adicional para impingir uma série de incidentes agressivos e desmascaramentos à Casa Branca de Obama. No entanto, no fim das contas, foi mais um — e para alguns o supremo — exemplo de como era difícil para o presidente funcionar num mundo político literal, definido, legal, com causa e efeito.

Foi um divisor de águas. Até então, o círculo íntimo de Trump levara sua defesa sempre na esportiva. Mas após os tuítes dos grampos, todos, exceto talvez Hope Hicks, passaram a um estado de constrangimento, quando não de constante incredulidade.

Sean Spicer, de sua parte, repetia seu mantra diariamente, quando não de hora em hora: "Você não pode inventar essa merda".

12. Revogar e substituir

Alguns dias após a eleição, Steve Bannon disse ao presidente eleito — o que Katie Walsh caracterizaria, com um erguer de sobrancelha, como mais "esquemas Breitbart" — que eles contavam com os votos necessários para substituir o presidente da Câmara, Paul Ryan, por Mark Meadows, líder do grupo conservador Freedom Caucus, de inspiração no Tea Party, e antigo aliado de Trump. (A esposa de Meadows tinha um lugar especial de consideração entre os seguidores de Trump por continuar fazendo campanha para ele no Cinturão da Bíblia durante o fim de semana Billy Bush.)

Quase tanto quanto ganhar a própria presidência dos Estados Unidos, remover Ryan — na verdade, humilhá-lo — foi uma expressão suprema do que Bannon almejava realizar e da telepatia bannonismo-trumpismo. Desde o início, a campanha do Breitbart *contra* Paul Ryan foi parte central da campanha *por* Donald Trump. A adoção de Trump pelo site de notícias — e o envolvimento pessoal de Bannon na campanha catorze meses depois do seu início — aconteceu em parte porque Trump, mandando a sensatez política às favas, estava disposto a liderar o ataque contra Ryan e os poderosos chefões do Partido Republicano. Mesmo assim, havia uma diferença entre o modo como o Breitbart via Ryan e o modo como Trump o via.

Para o Breitbart, a rebelião e a transformação na Câmara que levaram seu antigo presidente, John Boehner, a deixar o cargo — e que plausivelmente estavam prestes a fazer da Câmara o centro do novo republicanismo radical —

foram interrompidas pela eleição de Ryan para presidente. Companheiro de chapa de Mitt Romney e figura que fundira um conservadorismo fiscal caxias – na Câmara ele fora presidente do Comitê de Meios e Medidas, responsável pela criação de impostos, bem como da Comissão Orçamentária – com uma ideia antiquada de retidão republicana inatacável, Ryan era oficialmente a última e a maior esperança do Partido Republicano. (Bannon, do seu modo típico, transformara essa imagem em um tema de discussão oficial do trumpismo: "Ryan foi criado numa placa de Petri na Heritage Foundation".) Se o Partido Republicano se movera mais para a direita pela rebelião do Tea Party, Ryan era parte do lastro que o impediria de se mover ainda mais, ou pelo menos em um ritmo bem menos acelerado. Nesse aspecto, ele representava a confiabilidade adulta de um irmão mais velho, em contraste com a imaturidade hiperativa do Tea Party – e uma resistência estoica, quase de mártir, ao movimento de Trump.

Enquanto o establishment republicano promovera Ryan a essa figura símbolo tanto de maturidade como de sagacidade, a ala Tea Party-Bannon-Breitbart montava uma campanha de difamação para colar em Ryan a imagem de descomprometido com a causa, um estrategista inepto e um líder incompetente. Ele era a piada pronta do Tea Party-Bannon-Breitbart: a figura decorativa suprema, o alvo de risadas debochadas, um constrangimento.

O desprezo de Trump por Ryan era significativamente menos estrutural. Ele não tinha opiniões sobre as capacidades políticas de Ryan nem tampouco prestara atenção de verdade nas posições reais dele. Sua opinião era pessoal. Ryan o insultara: reiteradas vezes. Ryan continuara apostando suas fichas contra ele. Ryan se tornara o símbolo efetivo do horror e da descrença em relação a Trump no establishment republicano. Para piorar, Ryan conquistara até certa estatura moral humilhando Trump (que, como sempre, ficava duplamente ofendido com qualquer um tirando proveito às suas custas). Na primavera de 2016, Ryan continuava sendo a alternativa – na época, única – a Trump no partido para a corrida presidencial. Muitos republicanos sentiam que bastava uma ordem para a convenção se bandear para Ryan. Porém, o cálculo aparentemente mais esperto de Ryan foi deixar Trump emplacar a candidatura e depois emergir como a figura óbvia para liderar o partido após a derrota histórica de Trump e o inevitável expurgo da ala Tea Party-Trump-Breitbart.

Em vez disso, a eleição destruiu Paul Ryan, pelo menos aos olhos de Steve Bannon. Trump não só salvara o Partido Republicano como também lhe dera uma poderosa maioria. O sonho inteiro de Bannon fora realizado. O movimento do Tea Party, com Trump como seu notável rosto e marcante voz, chegara ao poder — nas linhas de um poder total. Ele agora era o dono do Partido Republicano. Acabar com Paul Ryan publicamente era o passo óbvio e necessário.

Mas muita coisa podia cair na fenda existente entre o desprezo estrutural de Bannon por Ryan e o ressentimento pessoal de Trump. Se Bannon enxergava Ryan como relutante e incapaz de pôr em pauta a nova agenda Bannon-Trump, Trump enxergava Ryan, de modo súbito e gratificante, como abjeto, submisso e útil. Bannon queria se livrar de todo o establishment republicano, ao passo que Trump estava absolutamente satisfeito de que esse mesmo establishment agora parecesse se curvar a ele.

"É um cara bem inteligente", disse Trump depois de sua primeira conversa pós-eleição com o presidente da Câmara. "Um sujeito muito sério, respeitado por todos."

Ryan, "alçando-se a um cinematográfico papel de bajulação e puxa--saquismo que era doloroso de presenciar", segundo um importante assessor de Trump, foi capaz de postergar sua execução. Com Bannon argumentando a favor de Meadows — que estava significativamente menos disposto a ceder do que Ryan —, Trump hesitou e depois acabou decidindo que não só *não* iria defender a expulsão de Ryan como também que Ryan seria seu homem, seu parceiro. Em um exemplo dos estranhos e imprevisíveis efeitos da química pessoal em Trump — de como pode ser fácil vender o vendedor —, ele iria agora defender com ansiedade a agenda de Ryan, e não o contrário.

"Acho que deixamos de calcular direito que o presidente daria carta branca a ele", refletiu Katie Walsh. "O presidente e Ryan passaram de um estranhamento tão forte durante a campanha para um romance tão grande depois que o presidente ficava feliz de concordar com tudo que Ryan queria."

Não foi exatamente uma surpresa para Bannon quando Trump virou a casaca: Bannon percebia como era fácil levar na lábia o rei da lábia. Bannon admitia também que a aproximação com Ryan se relacionava com a nova apreciação de Trump sobre seu lugar no mundo. Não era apenas que Ryan se mostrara disposto a abaixar a cabeça para Trump, mas também que Trump estava disposto a se curvar perante seus próprios temores a respeito do pouquíssimo que sabia de fato sobre o exercício da presidência. Se dava para contar com Ryan para lidar com o Congresso, pensou o presidente, bom, ufa, isso resolve a questão.

Trump tinha pouco ou nenhum interesse no objetivo republicano primordial de revogar o Obamacare. Para um homem de setenta anos de idade acima do peso e com diversas fobias físicas (por exemplo, ele mentia sobre sua altura para não ficar com um índice de massa corporal que o rotularia como obeso), qualquer tipo de assunto sobre sistema de saúde e tratamentos médicos era detestável. Os detalhes da legislação contestada eram, para Trump, particularmente entediantes, e sua atenção começava a se dispersar após as primeiras palavras de uma conversa sobre políticas públicas de saúde. Ele era capaz de enumerar poucas particularidades do Obamacare — com exceção de expressar seu júbilo sobre a tola promessa de Obama de que todo mundo podia ter seu próprio médico — e com certeza era incapaz de fazer qualquer distinção significativa, favorável ou desfavorável, entre o sistema de saúde anterior ao Obamacare e o que o sucedeu.

Antes de ser presidente, provavelmente nunca tivera uma discussão significativa na vida sobre planos de saúde. "Ninguém nos Estados Unidos, ou no mundo, pensou menos em planos de saúde do que Donald", comentou Roger Ailes. Perguntado em uma entrevista de campanha sobre a importância de revogar e reformar o Obamacare, Trump se mostrou, para dizer o mínimo, bastante inseguro quanto ao lugar da pauta na sua agenda: "Esse é um tema importante, mas há uma série de temas importantes. Talvez esteja entre os dez mais. Provavelmente sim. Mas a competição é pesada. Então não dá pra ter certeza. Podem ser doze. Ou quinze. Definitivamente, entre os vinte mais. Com certeza".

Era mais uma de suas ligações contraintuitivas com muitos eleitores: Obama e Hillary Clinton pareciam de fato querer falar sobre planos de saúde, ao passo que Trump, como praticamente todo mundo, não tinha a menor vontade.

Pesando os prós e os contras, ele provavelmente preferia a ideia de mais gente com plano de saúde à de menos gente com plano de saúde. Era até, quando o punham contra a parede, mais a favor do que pela revogação do Obamacare. Além disso, fizera uma série de ousadas promessas ao estilo Obama, chegando ao ponto de dizer que, com um futuro Trumpcare (ele teve que ser firmemente desencorajado de usar esse tipo de *rebranding* — especialistas políticos lhe disseram que nesse caso podia não ser uma boa alternativa reivindicar a posse com seu nome), ninguém perderia seu plano de saúde e que doenças preexistentes continuariam cobertas. De fato, ele provavelmente preferiria planos de saúde financiados pelo governo mais do que qualquer outro republicano. "Por que o Medicare não pode simplesmente cobrir todo mundo?", questionara em voz alta, impaciente, durante uma conversa com assessores, que, sem exceção, tomaram cuidado de não reagir a tal heresia.

Foi Bannon quem bateu o pé, insistindo com rigor que o Obamacare era uma questão crucial da candidatura republicana e que, obtendo maioria no Congresso, eles não poderiam encarar os eleitores republicanos sem ter seguido à risca o agora catecismo republicano da revogação. A revogação, no entender de Bannon, era uma promessa e seria o resultado mais gratificante, até mesmo catártico. Também seria o mais fácil de conquistar, uma vez que, em tese, todo republicano já estava publicamente comprometido em votar pela revogação. Ainda assim, Bannon, vendo o sistema de saúde como um elo fraco no apelo do bannonismo-trumpismo junto à classe trabalhadora, tomou o cuidado de manter distância do debate. Mais tarde, quase nem se esforçou em racionalizar o modo como lavara as mãos nesse imbróglio, dizendo apenas: "Evitei a questão do sistema de saúde porque não é minha praia".

Foi Ryan quem, com "revogar e substituir", ofuscou a questão e conquistou Trump. Revogar seria o resultado satisfatório para os republicanos, e substituir compensaria as promessas que o próprio Trump havia tirado da cartola. (Melhor ignorar a probabilidade de que a interpretação presidencial de revogar e substituir devia ser bem diferente da interpretação de Ryan.) "Revogar e substituir" também foi um slogan útil na medida em que veio a ter significado sem ter qualquer significado real ou específico.

Na semana após a eleição, Ryan, ao lado de Tom Price – o congressista e ortopedista da Geórgia que se tornara especialista residente em sistema de saúde de Ryan –, viajou para a propriedade de Trump em Bedminster, Nova Jersey, para um briefing sobre revogação e substituição. Ryan e Price resumiram para Trump – que não parava de fazer digressões e mudar o assunto da conversa para o golfe – sete anos de pensamento legislativo republicano sobre o Obamacare e as alternativas republicanas. Aí estava o exemplo perfeito de um paradigma essencial de Trump: ele aquiescia a quem quer que parecesse saber mais sobre qualquer assunto que não o interessava, ou simplesmente um assunto em cujos detalhes não conseguisse se concentrar direito. *Ótimo!*, dizia, pontuando cada afirmação com uma exclamação similar e se esforçando para pular com regularidade da cadeira. Ali mesmo, Trump concordou ansiosamente em deixar Ryan cuidar da legislação da saúde e em fazer de Price o secretário de Saúde e Serviços Humanos.

Kushner, ficando em silêncio na maior parte do debate sobre o sistema de saúde, parecia aceitar na esfera pública o fato de que um governo republicano tivesse que lidar com o Obamacare, mas na esfera privada sugeria que era pessoalmente contra revogar apenas e também contra revogar e substituir. Ivanka e ele assumiam uma visão democrata convencional sobre o Obamacare (era melhor do que as alternativas, e seus problemas podiam ser consertados no futuro) e acreditavam que seria uma estratégia melhor para o novo governo ter algumas vitórias mais fáceis na bagagem antes de entrar numa briga difícil ou impossível de vencer. (Sem falar que Josh, irmão de Kushner, tinha uma operadora de saúde que dependia do Obamacare.)

Não seria a última vez que a Casa Branca ficaria dividida ao longo do espectro político, com Bannon assumindo uma posição basicamente absolutista, Priebus alinhado com Ryan no apoio à liderança republicana, e Kushner mantendo, sem ver a menor contradição nisso, uma opinião democrata moderada. Quanto ao próprio Trump, ali estava um homem apenas tentando se livrar de algo que particularmente não o interessava.

Os talentos de vendedor de Ryan e Priebus prometiam livrar o presidente também de outras questões. A reforma do sistema de saúde, segundo o plano de Ryan, era uma espécie de remédio milagroso. A reforma que o presidente da Câmara faria passar no Congresso financiaria os cortes de impostos que Trump havia garantido, o que por sua vez tornaria possível todo aquele investimento em infraestrutura prometido por Trump em campanha.

Com base nisso — essa teoria do dominó que estava destinada a carregar triunfalmente o governo Trump até o recesso de agosto e marcá-lo como uma das presidências mais transformadoras dos tempos modernos —, Ryan conservou sua função de presidente da Câmara, passando de odiado símbolo de campanha a homem do governo no Capitólio. De fato, Trump, ciente da própria inexperiência e da inexperiência de sua equipe em criar projetos de lei (na verdade, ninguém em sua equipe principal tinha a menor experiência nisso), decidiu terceirizar sua agenda — e para um até então arqui-inimigo.

Vendo Ryan roubar a iniciativa legislativa durante a transição, Bannon enfrentou um primeiro momento de realpolitik. Se o presidente estava disposto a ceder iniciativas importantes, Bannon precisaria fazer uma contraoperação e estar a postos com mais esquemas Breitbart. Já Kushner desenvolveu uma postura zen — só precisava acompanhar os caprichos do presidente. Quanto a Trump, estava bastante claro que decidir entre abordagens contraditórias para as políticas públicas não era seu estilo de liderança. Ele apenas torcia para que as decisões difíceis se resolvessem por si sós.

Bannon não apenas desdenhava a ideologia de Ryan como também não tinha o menor respeito por sua capacidade na função. Para Bannon, o que a nova maioria republicana precisava era de um homem como John McCormick, o falecido presidente democrata da Câmara que servira durante a adolescência de Bannon e conduzira a legislação da Grande Sociedade de Johnson. McCormick e outros democratas da década de 1960 eram os heróis políticos de Bannon — Tip O'Neill também estava incluído nesse panteão. Um irlandês católico da classe trabalhadora como Bannon era filosoficamente diferente da aristocracia e da classe alta — e não aspirava a nenhuma das duas coisas. Bannon venerava políticos da velha guarda. Ele mesmo parecia ser um: manchas na pele, papada, edema. E odiava políticos modernos: careciam não só de talentos políticos como também de autenticidade e alma. Ryan era um coroinha irlandês que continuara sendo coroinha. Não crescera para se tornar bandido, policial ou padre — ou político de verdade.

Ryan com certeza não era um apurador de votos. Era um limitado, sem capacidade de enxergar adiante. Seu coração estava na reforma tributária, mas, até onde conseguia perceber, o único caminho para a reforma tributária era o sistema de saúde. No entanto, ele se interessava tão pouco pelo assunto que — assim como a Casa Branca terceirizara o sistema de saúde para ele — terceirizou a redação do projeto de lei para operadoras de saúde e lobistas da K Street.

Na verdade, Ryan tentara agir como McCormick ou O'Neill, oferecendo garantia absoluta de seu controle da legislação. Era, dizia ao presidente em suas inúmeras ligações diárias, um "assunto resolvido", o que levou a confiança de Trump em Ryan a ir ainda mais às alturas. Na cabeça de Trump, parecia ser prova de que ele atingira uma espécie de domínio sobre o Capitólio. Se o presidente tinha alguma preocupação antes, agora não estava mais preocupado. Assunto resolvido. A Casa Branca, quase sem suar, estava prestes a obter uma grande vitória, gabou-se Kushner, acolhendo a esperada vitória sobre seu desagrado à legislação.

A súbita preocupação de que o resultado pudesse ser outro começou no início de março. Katie Walsh, que Kushner agora descrevia como "exigente e petulante", começou a soar o alarme. Mas os esforços dela de envolver pessoalmente o presidente na coleta de votos foram barrados por Kushner numa série de enfrentamentos cada vez mais tensos. O confronto começara.

Trump continuava se referindo à situação desdenhosamente como "o negócio russo: um enorme monte de nada". No entanto, em 20 de março, James Comey, diretor do FBI, compareceu perante a Comissão de Inteligência da Câmara e apresentou a história num pacote bem embrulhado:

> Fui autorizado pelo Departamento de Justiça a confirmar que o FBI, como parte de nossa missão de contrainteligência, está investigando os esforços do governo russo de interferir na eleição presidencial de 2016, o que inclui investigar a natureza de quaisquer elos entre indivíduos associados à campanha de Trump e o governo russo, e se existe alguma coordenação entre a campanha e os esforços russos. A exemplo de qualquer investigação de contrainteligência, isso também vai incluir uma avaliação de possíveis crimes cometidos. Como se trata de uma investigação aberta, em andamento e confidencial, não posso dizer mais nada sobre o que estamos fazendo e a conduta de quem estamos examinando.

Dissera, porém, mais do que o suficiente. Comey converteu rumores, vazamentos, teorias, insinuações e a retórica oca dos especialistas — e até esse momento era tudo que havia, na melhor das hipóteses a torcida por um escândalo — em uma busca formal da Casa Branca. Os esforços de denegrir essa narrativa — o rótulo de fake news, a defesa germofóbica do presidente contra as acusações de chuva dourada, o desprezo presunçoso de colegas menos importantes e parasitas incorrigíveis, a insistência chorosa, se real, de que nenhum crime sequer tinha sido alegado, e a acusação presidencial de ser vítima de um grampo de Obama — haviam fracassado. O próprio Comey descartara a alegação de grampo. Na noite após o comparecimento de Comey na Câmara, ficou evidente para todos que a história do complô russo, longe de perder a força, tinha toda uma vigorosa e sangrenta vida pela frente.

Kushner, sempre se lembrando de como seu pai batera de frente com o Departamento de Justiça, ficou particularmente agitado com o foco cada vez maior de Comey na Casa Branca. Fazer alguma coisa sobre Comey se tornou um tema rotineiro de Kushner. O que a gente vai fazer com ele?, era uma pergunta recorrente. E que ele vivia fazendo para o presidente.

No entanto, havia também – como sem grande sucesso Bannon tentou explicar internamente – um problema estrutural. Era uma jogada da oposição. Você podia expressar surpresa em como as jogadas acabavam se revelando ferozes, criativas e diabólicas, mas não devia ficar surpreso que seus inimigos tentassem feri-lo. Era xeque, mas longe de mate, e você precisava continuar jogando, sabendo que a partida seria bem longa. A única maneira de vencê-los, argumentava Bannon, era com uma estratégia disciplinada.

Só que o presidente, instigado aqui e ali por sua família, era um obcecado, não um estrategista. Em sua mente, não havia um problema a ser resolvido, mas uma pessoa em quem ficar de olho: Comey. Trump evitava abstrações e, em ataques pessoais, visava seu oponente. Comey fora um enigma difícil para Trump: ele se recusara a deixar que o FBI acusasse formalmente Hillary Clinton no episódio dos e-mails deletados. Então, em outubro, Comey sozinho ajudara Trump com a carta reabrindo a investigação sobre Clinton.

Em suas interações pessoais, Trump avaliara que Comey era excessivamente formal – ele não fazia graça, não tinha senso de humor. Mas Trump, que invariavelmente pensava que as pessoas o achavam irresistível, acreditava que Comey admirava *seus* gracejos e seu senso de humor. Quando foi pressionado por Bannon e outros a exonerar Comey em um de seus primeiros atos – ideia rejeitada por Kushner, e assim mais um item na lista de Bannon das recomendações furadas feitas por Kushner –, o presidente disse: "Não se preocupe, estou cuidando disso". Logo, ele não tinha dúvida de que poderia flertar com o diretor do FBI e bajulá-lo para atrair sentimentos positivos, quando não completa submissão.

Alguns sedutores exibem sensibilidade sobrenatural aos sinais de quem tentam seduzir, ao passo que outros tentam seduzir sem fazer distinção e, pela lei das médias, muitas vezes conseguem (hoje esse segundo grupo talvez seja visto como o dos assediadores). Essa era a abordagem de Trump em relação às mulheres – satisfeito quando faturava, despreocupado quando não faturava (e com frequência, apesar das evidências, acreditando que havia faturado). E assim foi com o diretor Comey.

Em suas inúmeras reuniões desde que assumira a presidência – em 22 de janeiro, quando deu um abraço presidencial em Comey; no jantar de 27 de janeiro, quando fizera o pedido para Comey permanecer na direção do FBI; no bate-papo de Dia dos Namorados, quando mandara todos os demais deixarem a sala, incluindo Sessions, chefe titular de Comey – Trump estava confiante de que sua cantada colara. O presidente tinha certeza quase absoluta de que Comey, compreendendo que ele, Trump, cuidava de seus interesses (ou seja, deixara que mantivesse o emprego), retribuiria na mesma moeda.

Mas agora Comey vinha com aquele depoimento. Não fazia sentido. O que *fazia* sentido para Trump era que Comey queria que tivesse a ver com ele. Ele era ávido por mídia – isso Trump compreendia. Tudo bem, então, ele também sabia jogar esse jogo.

De fato, a questão do sistema de saúde, bem chata – de repente com potencial para ficar cada vez mais chata se, como parecia uma possibilidade cada vez maior, Ryan não conseguisse cumprir o prometido –, perdia a importância diante do assunto Comey e entediava Trump.

Comey era o problema nevrálgico. Acabar com Comey, a solução óbvia. Conquistar Comey se tornou a missão.

À maneira de policiais em um filme pastelão, a Casa Branca recrutou o diretor da Comissão de Inteligência da Câmara, Devin Nunes, num esforço rocambolesco de desacreditar Comey e dar apoio à teoria do grampo. O estratagema em pouco tempo caiu no ridículo geral.

Bannon, lavando as mãos publicamente em relação ao Obamacare e a Comey, começou a avisar os repórteres de que a grande história não era o sistema de saúde, e sim a Rússia. Era um conselho enigmático: não ficou claro se ele estava tentando desviar a atenção do iminente fiasco na questão da saúde, ou se combinava tal fracasso com essa perigosa nova variável, aumentando assim o tipo de caos de que normalmente se beneficiava.

Mas Bannon era claro a respeito de uma coisa. *Conforme a história da Rússia se desenrola*, aconselhava aos repórteres, *fiquem de olho em Kushner.*

Em meados de março, Gary Cohn fora convocado para o esforço de salvar a vacilante legislação da saúde. Isso talvez tenha parecido uma espécie de cortina de fumaça para Cohn, cuja compreensão das questões legislativas era ainda mais limitada do que para a maioria na Casa Branca.

Na sexta-feira, 24 de março, teoricamente manhã da votação da legislação republicana da saúde na Câmara, o *Politico Playbook* considerou as chances de uma votação entrar de fato na pauta como uma "incógnita". Na reunião com a equipe principal naquela manhã, foi perguntado a Cohn em que pé achava que o assunto estava, e ele respondeu, sem pestanejar: "Acho que é uma incógnita".

"Sério?", pensou Katie Walsh. "É isso que você acha?"

Bannon, unindo-se a Walsh em um impiedoso desprezo pelo esforço da Casa Branca, mirou em Kushner, Cohn, Priebus, Price e Ryan numa série de telefonemas para repórteres. Kushner e Cohn, segundo Bannon, provavelmente fugiriam ao primeiro som de disparo. (Kushner, de fato, passara a maior parte da semana esquiando.) Priebus recitou os temas controversos e as desculpas de Ryan. Price, o suposto especialista da legislação sobre a saúde, era um impostor apalermado: ele se levantava nas reuniões e apenas murmurava bobagens.

Esses eram os caras maus, que iriam levar o governo a perder a Câmara em 2018, assegurando desse modo o impeachment do presidente. Esta era a análise vintage de Bannon: um apocalipse político certo e imediato andando de mãos dadas com o potencial para meio século de domínio do bannonismo--trumpismo.

Convencido de que sabia para que lado sopravam os ventos do sucesso, extraordinariamente ciente de sua própria idade e das oportunidades limitadas, e se vendo — por nenhum motivo claro — como um talentoso boxeador político, Bannon procurou traçar a linha entre os fiéis e os vendidos, entre o ser e o nada. Para ser bem-sucedido, precisava isolar as vertentes de Ryan, Cohn e Kushner.

A vertente de Bannon defendeu com tenacidade a obrigação de votar sobre a legislação da saúde — mesmo sabendo que a derrota era inevitável. "Quero isso em forma de um relatório sobre o trabalho de Ryan como presidente da Câmara", disse Bannon. Em suma, um relatório devastador, uma falha épica.

No dia da votação, Pence foi enviado ao Capitólio para um último discurso de vendas perante o Freedom Caucus de Meadows. (O pessoal de Ryan acreditava que Bannon estava insistindo com Meadows em segredo para se abster, embora mais para o começo da semana Bannon tivesse ordenado com ênfase que o Freedom Caucus votasse a favor da nova legislação – "um show ridículo de Bannon", segundo Walsh.) Às três e meia, Ryan ligou para o presidente e disse que faltavam quinze ou vinte votos e era preciso suspender a votação. Bannon, apoiado por Mulvaney, que se tornara o espião da Casa Branca no Capitólio, seguia insistindo em uma votação imediata. Uma derrota ali seria uma derrota maiúscula para a liderança republicana. Para Bannon, estava ótimo: eles que se estrepassem.

Mas o presidente recuou. Diante dessa singular oportunidade de fazer da liderança republicana o problema e dar nome aos bois, Trump titubeou, provocando a ira não muito silenciosa de Bannon. Ryan então deixou vazar que fora o presidente que lhe pedira para cancelar a votação.

No fim de semana, Bannon ligou para uma longa lista de repórteres e contou – em off, mas de maneira enfática: "Não vejo Ryan continuando por perto muito mais tempo".

Após a malsucedida votação na sexta, Katie Walsh, sentindo raiva e desgosto, informou a Kushner que queria ir embora. Esboçando o que via como um grave fiasco da Casa Branca de Trump, ela falou com dura franqueza sobre rivalidades amargas combinadas a uma vasta incompetência e a uma missão incerta. Kushner, percebendo que Walsh precisava ser desacreditada o quanto antes, insinuou que ela andara vazando e, portanto, precisava ser mandada embora.

Na noite de domingo, Walsh teve um jantar com Bannon em seu reduto no Capitólio, a Embaixada Breitbart. Bannon aproveitou a ocasião para implorar que ela ficasse, mas sem sucesso. Na segunda, Walsh explicou os detalhes para Priebus – trabalharia em meio período para a Convenção Nacional Republicana e meio período para a organização sem fins lucrativos (na área do bem-estar social) de Trump, o grupo de campanha externa. Na terça, estava fora.

Dez semanas após o início do novo governo, a Casa Branca de Trump perdera, depois de Michael Flynn, seu segundo membro de alto escalão – e o único cujo trabalho estava efetivamente resolvendo alguma coisa.

13. Bannon, o agonista

Ele também se sentia um prisioneiro, dissera a Katie Walsh, quando ela foi lhe avisar que sairia.

Após dez semanas, o domínio que Steve Bannon tinha das políticas de Trump, ou pelo menos do próprio Trump, parecia ter desmoronado. Seu sofrimento atual era ao mesmo tempo de natureza católica — a autoflagelação de um homem que acredita viver em um plano moral superior a todos — e fundamentalmente misantrópico. Antissocial, desajustado, na pós-meia-idade, Bannon precisava fazer um esforço extremo para conviver com os outros, um esforço que costumava não terminar bem. Sofria sobretudo por conta de Donald Trump, cujas crueldades, notáveis mesmo quando de brincadeira, eram insuportáveis quando se voltava de fato contra alguém.

"Eu detestei fazer a campanha, detestei a transição e detesto estar aqui na Casa Branca", declarou Bannon, no gabinete de Reince Priebus, em uma noite quente, algo anormal para o começo da primavera. A porta francesa da sala se abria para o pátio com pérgulas, onde Priebus e ele, agora ótimos amigos e aliados na antipatia pelo casal Jarvanka, haviam instalado uma mesa.

Mas Bannon, de acordo com sua própria visão, tinha seu motivo para estar ali. E tinha uma crença inabalável — uma crença que era incapaz de guardar para si e que minava reiteradamente seu prestígio com o presidente — de que fora seu empenho que levara todo mundo até ali. Mais importante ainda: ele era a única pessoa que trabalhava todos os dias e estava comprometido com o objetivo de realmente mudar o país. Mudar de maneira rápida, radical e verdadeira.

A ideia de um eleitorado dividido — de estados azuis e vermelhos, de duas correntes de princípios opostas, de globalistas e nacionalistas, de revolta contra o establishment e contra o populismo — era a simplificação da mídia para o mal-estar cultural e tempos politicamente conturbados, assim como, em grande medida, para a manutenção do estado das coisas. Mas Bannon acreditava que a divisão era literal. Os Estados Unidos tinham se tornado um país de dois povos hostis. Um necessariamente venceria e o outro perderia. Ou um seria dominante e o outro se tornaria marginal.

Essa era a guerra civil moderna — a guerra de Bannon. O país baseado na virtude, no caráter e na força do trabalhador norte-americano por volta de 1955-1965 era o ideal que ele pretendia defender e restaurar: acordos comerciais, ou *guerras comerciais*, que sustentavam a manufatura dos Estados Unidos; políticas migratórias que protegiam trabalhadores norte-americanos (e, portanto, a cultura norte-americana, ou pelo menos a identidade dos Estados Unidos de 1955 a 1965); e um isolamento internacional que preservaria recursos norte-americanos e deteria a sensibilidade da classe dominante a Davos (e também salvaria a vida de militares da classe trabalhadora). Isso era, na opinião de quase todos, menos de Donald Trump e da direita alternativa, um pouquinho de vodu econômico e absurdo político. Mas, para Bannon, era uma ideia revolucionária e religiosa.

Para a maioria da Casa Branca, era o sonho impossível de Bannon. "Steve é... Steve" virou o jeito sutil de fazer referência à arte de tolerá-lo. "Muita coisa passa pela cabeça dele", comentou o presidente, seguindo um de seus temas de conversas seguros, fazendo pouco-caso de Bannon.

Mas não era Bannon contra todos, e sim Trump-Bannon contra Trump-sem-Bannon. Se Trump, com seu estado de espírito sombrio, determinado e agressivo, podia representar Bannon e suas opiniões, seria fácil não representar absolutamente nada — ou representar apenas sua própria necessidade de satisfação imediata. Era isso o que os defensores do sem-Bannon entendiam a respeito de Trump. Se o patrão estivesse feliz, talvez prevalecesse uma abordagem da política que fosse normal, gradativa, dois-passos-para-a-frente-e-um-passo-para-trás. Mesmo um novo tipo de centrismo, tão contrário ao bannonismo quanto seria possível conceber, poderia despontar. Os cinquenta anos de governo trumpista, de acordo com as declarações de Bannon, poderiam ser derrubados pelo reinado de Jared, Ivanka e o Goldman Sachs.

No final de março, era esse o lado que estava vencendo. As tentativas de Bannon de usar o épico fracasso do sistema de saúde como prova de que o establishment era o inimigo saíram irremediavelmente pela culatra. Trump viu o fracasso do sistema de saúde como dele próprio, mas como ele nunca fracassava, não poderia ser um fracasso: no final seria um sucesso – se não agora, em breve. Logo, Bannon, uma cassandra jogada para escanteio, era o problema.

Trump racionalizava seu acolhimento inicial de Bannon fazendo dele o alvo de seus escárnios – e negando um dia tê-lo acolhido. Se havia algo de errado com sua Casa Branca, era Steve Bannon. Caluniar Bannon era uma grande diversão para Trump. Em relação a Bannon, Trump chegava a fazer uma análise aguçada: "O problema do Steve Bannon é de relacionamento. Ele não entende. Todo mundo o odeia. Porque... olhe para ele. As péssimas relações por parte dele contaminam os outros".

A verdadeira questão, é claro, era como Bannon, o populista do "foda-se o sistema", tinha cogitado em algum momento se dar bem com Donald Trump, o bilionário do "use o sistema a seu favor". Para Bannon, Trump era o jogo que ele precisava jogar. Mas na verdade ele quase não havia jogado – ou não conseguia não minar a estratégia. Embora sempre proclamasse que a vitória era de Trump, Bannon destacava inutilmente que, quando de sua adesão, a campanha enfrentava um déficit de votos que nenhuma outra, a dez semanas do dia das eleições, conseguiria recuperar. Trump sem Bannon, segundo Bannon, era Wendell Willkie.

Bannon compreendia a necessidade de não roubar os holofotes que normalmente seriam de Trump e estava bastante ciente de que o presidente registrava, com meticulosidade, todas as reivindicações dos créditos que acreditava serem somente seus. Tanto ele como Kushner, as duas figuras mais importantes da Casa Branca depois do presidente, pareciam mudos do ponto de vista profissional. Porém, Bannon parecia estar em todos os lugares, e o presidente tinha a convicção – correta – de que isso era resultado da gestão midiática pessoal de Bannon. Com mais frequência do que uma simples brincadeira sobre si mesmo permitiria, Bannon se referia a si mesmo como "presidente Bannon". Uma Kellyanne Conway amarga, sempre humilhada por suas tentativas de chamar a atenção, confirmou a observação do presidente de que Bannon entrava em todas as sessões possíveis de fotografia da Casa Branca. (Aparentemente, todos faziam as contas das aparições em fotografias de todos.) Bannon também não fez muito esforço para disfarçar suas incontáveis citações anônimas, nem tampouco se empenhou para moderar suas ofensas não tão discretas contra Kushner, Cohn, Powell, Conway, Priebus e até mesmo contra a filha do presidente (aliás, sobretudo contra a filha do presidente).

Curiosamente, Bannon nunca manifestava qualquer pensamento contra Trump — até então. A retidão e a sanidade de Trump eram cruciais demais para a construção do trumpismo por Bannon. Trump era a ideia que ele precisava apoiar. Talvez possa parecer a tradicional ideia de respeito ao cargo. Na verdade, era o contrário. O homem era o instrumento: não havia Bannon sem Trump. Por mais que pudesse se fiar em suas contribuições singulares, até aparentemente mágicas, à vitória de Trump, a oportunidade de Bannon tinha sido integralmente propiciada pelo talento peculiar de Trump. Ele não passava do homem atrás do homem — o Cromwell de Trump, nas palavras dele, embora soubesse muito bem qual destino tivera Cromwell.

No entanto, sua lealdade ao conceito de Trump nem de longe o protegia das constantes declarações do verdadeiro Trump contra ele. O presidente havia reunido um júri amplo para avaliar o destino de Bannon, exibindo perante seus membros, como um ofensivo comediante do Borscht Belt, uma lista longa dos aborrecimentos gerados por Bannon: "O cara parece um sem-teto. Tome um banho, Steve. Faz seis dias que você está usando essa calça. Ele fala que ganhou muita grana, eu não acredito". (Cabe notar que o presidente nunca discordou das opiniões políticas de Bannon.) O governo Trump mal tinha completado dois meses e todos os veículos da mídia já previam a futura defenestração de Bannon.

Uma transação particularmente rentável era trazer para o presidente novas críticas, cada vez mais duras, quanto ao seu estrategista-chefe, ou relatórios de outras pessoas o criticando. Era importante saber que nada de positivo sobre Bannon deveria ser dito a Trump. Até elogios leves antes do "mas" — "É óbvio que Steve é inteligente, mas..." — eram capazes de provocar uma carranca e um beicinho, caso o interlocutor não partisse logo para o "mas". (Por sinal, dizer que alguém era "inteligente" sempre gerava aborrecimento em Trump.)

Kushner recrutou Scarborough e Brzezinski para uma espécie de festival de críticas a Bannon nos programas matinais de TV.

H. R. McMaster, o general de três estrelas que substituíra Michael Flynn no posto de conselheiro de Segurança Nacional, tinha obtido a promessa do presidente de que poderia vetar membros do Conselho. Kushner, que apoiara a nomeação de McMaster, havia rapidamente garantido que Dina Powell, peça-chave de sua vertente, participaria do Conselho e que Bannon seria afastado.

Os bannonistas, em voz baixa e com certa compaixão, perguntavam entre si como Bannon parecia estar e como estava se saindo: sem exceção, concordavam sobre sua péssima aparência, cuja tensão marcava cada vez mais fundo o rosto já arruinado. David Bossie achava que Bannon "parecia que ia morrer".

"Agora entendo como é estar na corte dos Tudor", refletiu Bannon. Na corrida eleitoral, relembrava ele, Newt Gingrich "dava uma série de ideias idiotas. Quando ganhamos, ele virou meu novo melhor amigo. Todo dia, uma centena de ideias. Quando" (na primavera, já na Casa Branca) "passei frio, quando atravessei o meu Vale da Morte, um dia avistei Newt no saguão e ele baixou o rosto, evitando meu olhar com uma espécie de murmúrio: 'Olá, Steve'. E eu perguntei: 'O que é que você está fazendo aqui? Vamos lá para dentro'. Então ele respondeu: 'Não, não, estou bem. Estou esperando Dina Powell'."

Depois de conseguir o inimaginável — alçar um feroz etnopopulismo antiprogressista, de direita alternativa, a um posto central da Casa Branca —, Bannon se viu frente a frente com o indefensável: era solapado por democratas ricos, arrogantes, e tinha que responder a eles.

O paradoxo da presidência de Trump: ela era ao mesmo tempo a mais e a menos condicionada ideologicamente. Representava um ataque profundamente estrutural aos valores progressistas — a desconstrução do Estado administrativo por Bannon pretendia levar consigo a mídia, a academia e as instituições sem fins lucrativos. Porém, desde o início também ficou claro que o governo Trump poderia com facilidade se tornar um regime de republicanos do establishment ou dos democratas de Wall Street. Ou apenas uma tentativa constante de manter Donald Trump feliz. Trump tinha sua coleção de problemas de estimação, testados em diversas apresentações para a mídia e em comícios gigantescos, mas nenhum parecia tão relevante quanto sua grande meta de sair na frente.

À medida que aumentavam os rufos dos tambores pela demissão de Bannon, os Mercer entraram em cena para proteger seu investimento na derrubada radical do governo e no futuro de Steve Bannon.

Para uma época em que todos os candidatos políticos bem-sucedidos são rodeados — quando não estão aos pés — de ricos difíceis, até mesmo sociopatas, tentando superar os limites do próprio poder — e quanto mais ricos são, mais difíceis, mais sociopatas e mais sedentos de poder podem ser —, Bob e Rebekah Mercer eram bastante introvertidos. Se a ascensão de Trump era improvável, a dos Mercer era mais ainda.

Mesmo os ricos difíceis — os irmãos Koch e Sheldon Adelson à direita, David Geffen e George Soros à esquerda — são influenciados e contidos pelo fato de que o dinheiro existe em um mercado competitivo. A repugnância tem seus limites. O mundo dos ricos é, à sua maneira, autorregulado. O alpinismo social tem regras.

Porém, entre os ricos difíceis e arrogantes, os Mercer permaneciam quase inteiramente insociáveis, abrindo caminho por meio do espanto e da incredulidade. Ao contrário de outras pessoas que doavam enormes quantias a candidatos políticos, eles estavam dispostos a não ganhar — nunca. A bolha deles era a bolha deles.

Por isso, quando ganharam, por um inesperado alinhamento de estrelas a favor de Donald Trump, ainda eram imaculados. Agora, se vendo no poder — em todos os aspectos uma esdrúxula combinação de raras circunstâncias —, não abririam mão dele só porque Steve Bannon estava magoado ou não dormia o suficiente.

No final de março, os Mercer organizaram uma série de reuniões emergenciais. Pelo menos uma delas foi com o presidente. Era exatamente o tipo de encontro que Trump evitava: ele não tinha interesse nenhum em problemas de equipe, já que nesse caso a ênfase estava nos outros. De uma hora para outra, ele era obrigado a lidar com Steve Bannon, em vez do contrário. Além do mais, era um problema que, em certa medida, ele tinha criado com as ofensas constantes a Bannon, e agora lhe pediam que reconhecesse seu erro. Apesar de Trump não parar de dizer que poderia e deveria despedir Bannon, tinha noção de seu preço — uma revolta da direita de proporções imprevisíveis.

Assim como todos, Trump achava os Mercer excêntricos. Não gostava de Bob Mercer fitando-o sem dizer uma palavra, nem de estar na mesma sala que Mercer ou a filha. Eram aliados superesquisitos — "excêntricos", na sua avaliação. Ainda assim, embora se recusasse a admitir que a decisão dos Mercer de apoiá-lo e a imposição, em agosto, de Bannon na campanha tinham sido, provavelmente, o acontecimento para que assumisse a Casa Branca, Trump entendia que, se aborrecidos, os Mercer e Bannon poderiam ser encrenqueiros de primeira.

A complexidade da questão Bannon-Mercer motivou Trump a consultar duas figuras contraditórias: Rupert Murdoch e Roger Ailes. Mesmo fazendo isso, talvez soubesse com antecedência que acabaria com duas respostas que se anulariam.

Murdoch, já preparado por Kushner, declarou que se livrar de Bannon era o único jeito de lidar com a disfunção na Casa Branca. (Murdoch, é claro, pressupôs que não existia a opção de se livrar de Kushner.) Era o desfecho inevitável, então que fizesse isso de uma vez e o quanto antes. A reação de Murdoch fazia pleno sentido: àquela altura, ele tinha se tornado um ativo defensor político dos moderados Kushner-grupo Goldman, vendo-os como as pessoas que salvariam o mundo das garras de Bannon e, aliás, também das de Trump.

Ailes, ríspido e assertivo como sempre, disse: "Donald, você não pode fazer isso. Você fez a cama, e o Steve deitou nela. Você não precisa dar ouvidos a ele. Você não precisa nem se dar bem com ele. Mas está casado com ele. No momento, você não pode bancar um divórcio".

Jared e Ivanka estavam exultantes com a perspectiva de Bannon ser expulso. Sua dispensa devolveria a organização Trump ao controle puramente familiar — a família e seus funcionários, sem um rival interno pela liderança e pelo significado da marca. Do ponto de vista familiar, também — pelo menos em tese — facilitaria uma das transformações de marca mais implausíveis da história: de Donald Trump à respeitabilidade. O sonho da guinada de Trump, há muito protelado, poderia acontecer de fato sem Bannon. Pouco importava que esse ideal de Kushner — salvar Trump de si mesmo e lançar Jared e Ivanka rumo ao futuro — fosse quase tão absurdo e radical quanto a fantasia de Bannon sobre uma Casa Branca dedicada ao retorno da mitologia norte-americana pré-1965.

Se Bannon fosse mandado embora, talvez também causasse o racha definitivo no já fraturado Partido Republicano. Antes da eleição, uma teoria sugeria que um Trump derrotado pegaria seus 35% de amargurados e faria bom uso da minoria rancorosa. Agora, a teoria alarmante era a de que, enquanto Kushner tentava transformar o sogro no Rockefeller moderno que Trump, por mais implausível que isso fosse, em certas ocasiões sonhava ser (o Rockefeller Center inspirou a construção de sua própria marca no setor imobiliário), Bannon poderia fugir com uma parte expressiva desses 35%.

Essa era a ameaça do Breitbart News. O Breitbart continuava sob o domínio dos Mercer, e a qualquer momento poderia ser devolvida a Steve Bannon. E agora, que da noite para o dia Bannon havia se transformado em gênio da política e criador de reis, e com o triunfo da direita alternativa, o Breitbart tinha a possibilidade de ser muito mais influente. A vitória de Trump, em certo sentido, dera aos Mercer a ferramenta para destruí-lo. No fim das contas, com a grande mídia e o pântano burocrático cada vez mais organizados para militar contra ele, Trump sem dúvida precisava que a direita alternativa financiada pelos Mercer saísse em sua defesa. Afinal, o que era sem eles?

À medida que a pressão aumentava, Bannon — até então totalmente disciplinado em sua concepção de Donald Trump como a encarnação ideal do trumpismo (e do bannonismo), sem nunca sair do papel de personagem de auxiliar e defensor de um talento político inconformista — começava a ruir. Trump, como quase todos que já trabalharam para ele avaliavam, era, apesar do que se esperava que fosse, Trump — e era sempre azedo com todos que o rodeavam.

Mas os Mercer puseram mãos à obra. Sem Bannon, acreditavam que a presidência de Trump, pelo menos a presidência de Trump que haviam imaginado (e ajudado a pagar), estava encerrada. O foco se tornou como melhorar a vida de Steve. Fizeram Bannon prometer que deixaria o escritório em um horário razoável — nada de ficar esperando para o caso de Trump precisar de companhia para jantar. (Nos últimos tempos, de qualquer modo, Jared e Ivanka evitavam que isso acontecesse.) A solução incluía a busca do Bannon de Bannon — um estrategista-chefe para o estrategista-chefe.

No final de março, os Mercer conseguiram uma trégua consensual com o presidente: Bannon não seria demitido. Embora não fosse nenhuma garantia a respeito de sua influência e prestígio, ganhavam tempo para Bannon e seus aliados. Poderiam se reorganizar. Um assessor presidencial estava à altura do último bom conselho que dera, e assim Bannon acreditava que a inépcia de seus rivais, Kushner e Ivanka, selaria o destino do casal.

Apesar de ter concordado em não despedir Bannon, o presidente deu algo em troca para Kushner e a filha: expandiria seus papéis.

Em 27 de março, o Escritório de Inovação foi criado, e Kushner assumiu a chefia. Sua missão declarada era reduzir a burocracia federal — isto é, reduzi-la criando mais burocracia, um comitê para dar fim aos comitês. Além disso, a nova equipe de Kushner estudaria a tecnologia interna do governo, se concentraria na criação de empregos, incentivaria e sugeriria políticas referentes a aprendizes, recrutaria empresas para parcerias com o governo e ajudaria em relação à epidemia de opioides. Seria, em outras palavras, mais do mesmo, ainda que com uma nova onda de entusiasmo pelo Estado administrativo.

Mas a verdadeira importância era que assim Kushner teria a própria equipe interna da Casa Branca, um grupo que trabalharia não só nos projetos defendidos por Kushner — todos basicamente opostos aos projetos de Bannon —, como também, em sentido mais amplo, de acordo com a explicação de Kushner a um funcionário, "na expansão do meu alcance". Kushner conseguiu até uma "pessoa da comunicação", porta-voz exclusiva e promotora de Kushner. Tratava-se de uma construção burocrática com o intuito não só de realçar Kushner como de rebaixar Steve Bannon.

Dois dias após o anúncio da base de poder expandida de Jared, Ivanka também ganhou um emprego formal na Casa Branca: conselheira do presidente. Desde o começo, ela tinha sido uma consultora fundamental do marido — e vice-versa. Porém, o poder da família Trump na Casa Branca se consolidava da noite para o dia. Era, muito às custas de Steve Bannon, um golpe burocrático extraordinário: agora, uma Casa Branca dividida estava quase unida sob a família do presidente.

O genro e a filha esperavam — tinham até certeza — que pudessem tocar o lado bom de Trump, ou pelo menos equilibrar as necessidades republicanas com a lógica liberal, compaixão e boas ações. Além disso, poderiam apoiar essa moderação encaminhando à Sala Oval um fluxo constante de executivos com ideias afins. E, de fato, o presidente raramente discordava e costumava se empolgar com o projeto do casal Jarvanka. "Se Jared e Ivanka lhe disserem que é preciso salvar as baleias, ele basicamente vai ser a favor", observou Katie Walsh.

Já Bannon, sofrendo em seu exílio interno, continuava convicto de que representava as verdadeiras crenças de Donald Trump, ou, para ser mais exato, o que o presidente sentia. Sabia que Trump era essencialmente um homem emotivo, e tinha certeza de que no fundo estava zangado e abatido. Por mais que o presidente quisesse apoiar as aspirações da filha e do genro, a visão de mundo do casal não era igual à dele. Na opinião de Walsh, "Steve acredita que é o Darth Vader e que Trump está sendo chamado para o lado sombrio".

Na verdade, o esforço brutal de Trump para negar a influência de Bannon talvez tenha sido inversamente proporcional à influência que Bannon teve de fato.

O presidente não dava ouvidos a ninguém. Quanto mais alguém falava, menos ele escutava. "Mas Steve toma cuidado com o que diz, e existe alguma coisa, o timbre de sua voz, sua energia e sua empolgação, que realmente pode atrair toda a atenção do presidente, bloqueando tudo o mais", comentou Walsh.

Enquanto Jared e Ivanka comemoravam a vitória, Trump assinava a Ordem Executiva 13783, uma alteração da política ambiental cuidadosamente dirigida por Bannon e que, na prática, argumentava ele, esvaziava a lei nacional pelo meio ambiente, a lei de 1970 que serviu de alicerce às proteções ambientais modernas e exigia que todos os órgãos executivos preparassem pareceres de impacto ambiental para os atos da entidade. Entre outros impactos, a OE 13783 eliminava a diretriz anterior de que a mudança climática fosse levada em consideração — um precursor dos debates iminentes sobre a posição dos Estados Unidos a respeito do Acordo de Paris.

Em 3 de abril, Kushner inesperadamente apareceu no Iraque, acompanhando o general Joseph Dunford, chefe do Estado-Maior Conjunto. De acordo com o Departamento de Imprensa da Casa Branca, Kushner "viajava em nome do presidente, para expressar o apoio e o compromisso de Trump para com o governo do Iraque e os funcionários dos Estados Unidos atualmente envolvidos na campanha". Kushner, em geral uma presença distante e sem voz na mídia, foi vastamente fotografado ao longo da viagem.

Bannon, assistindo a uma das diversas telas de TV que formavam um constante pano de fundo na Ala Oeste, vislumbrou Kushner usando um fone de ouvido no helicóptero que sobrevoava Bagdá. Sem se dirigir a ninguém em especial, relembrando um tolo e inexperiente George W. Bush com a farda de piloto da Força Aérea no porta-aviões USS *Abraham Lincoln* proclamando o fim da Guerra do Iraque, ele entoou: "Missão cumprida".

Rangendo os dentes, Bannon viu a estrutura da Casa Branca se mover exatamente na direção oposta ao trumpismo-bannonismo. Porém, mesmo naquele momento, ele tinha certeza de que percebia os verdadeiros impulsos do governo vindo em sua direção. Era Bannon, estoico e decidido, o poderoso, ainda que inesperado guerreiro, quem, pelo menos na sua própria cabeça, estava destinado a salvar a nação.

14. Sala de Crise

Pouco antes das sete da manhã de terça-feira, 4 de abril, o 74º dia do governo Trump, as forças do governo sírio atacaram com armas químicas a cidade de Khan Shaykhun, ocupada por rebeldes. Muitas crianças morreram. Era a primeira vez que um grande acontecimento no exterior afetava a presidência de Trump.

A maioria das presidências é moldada por crises externas. A presidência, em seu papel mais crítico, é uma função reativa. Boa parte do alarmismo com relação a Donald Trump vinha da convicção generalizada de que seria imprevisível saber se ele manteria a calma e uma atitude ponderada diante de uma tempestade. Até então, ele vinha tendo sorte: dez semanas no cargo e ainda nenhum teste mais sério. Em certa medida, talvez isso se devesse ao fato de que as crises geradas dentro da Casa Branca ofuscavam todas as concorrentes de fora.

Mesmo um ataque horripilante, mesmo um contra crianças em uma guerra já longa, poderia não representar ainda uma mudança no jogo presidencial do tipo que todos sabiam que estava por vir. Porém, eram armas químicas lançadas por um infrator reincidente, Bashar al-Assad. Em qualquer outro governo, tal atrocidade mereceria uma resposta ponderada e, na melhor das hipóteses, habilidosa. Faltara astúcia à reflexão de Obama, que proclamou que o uso de armas químicas era uma fronteira intransponível — e depois permitiu que essa fronteira fosse transposta.

Quase ninguém no governo Trump estava disposto a prever como o presidente reagiria – ou até mesmo se reagiria. Ele achava o ataque químico relevante ou irrelevante? Ninguém sabia dizer.

Se a Casa Branca de Trump era tão inquietante quanto qualquer outra da história dos Estados Unidos, as ideias do presidente sobre política externa e o mundo como um todo eram um de seus aspectos mais fortuitos, desinformados e aparentemente imprevisíveis. Seus assessores não sabiam se ele era isolacionista ou militarista, ou se era capaz de distinguir os dois conceitos. Trump estava encantado com generais e decidido a deixar que pessoas experientes no comando militar tomassem a dianteira na política externa, mas detestava que lhe dissessem o que fazer. Era contra a construção de nação, mas acreditava que eram poucas as situações que ele mesmo não poderia melhorar. Tinha de pouca a nenhuma experiência em política externa, mas tampouco tinha respeito pelos especialistas.

De repente, a questão de como o presidente reagiria ao ataque em Khan Shaykhun era um teste decisivo para a normalidade e para aqueles que esperavam representá-la na Casa Branca de Trump. Aí estava o tipo de justaposição dramática produzindo uma peça de teatro vívida e eficiente: as pessoas que trabalhavam na Casa Branca de Trump tentando se comportar com normalidade.

Talvez houvesse, surpreendentemente, algumas pessoas assim.

Agindo com normalidade, incorporando a normalidade – fazendo coisas do jeito que uma pessoa esforçada, bem-sucedida e racional faria –, era assim que Dina Powell via sua função na Casa Branca. Aos 43 anos, Powell fizera carreira na interseção entre o mundo empresarial e o de políticas públicas: se saía bem (muito, muito bem) ao fazer o bem. Conseguira grandes avanços na Casa Branca de George W. Bush e depois no Goldman Sachs. Voltar à Casa Branca no penúltimo degrau da hierarquia, com ao menos a chance de alcançar um dos postos mais altos do país que não passam pelo crivo eleitoral, poderia valer uma quantia enorme quando ela voltasse ao mundo empresarial.

No entanto, na Trumplândia, poderia acontecer exatamente o oposto. A reputação que Powell cultivava com zelo, sua marca (e ela era uma dessas pessoas que davam muita atenção à marca pessoal), poderia se tornar inextrincavelmente ligada à marca de Trump. Pior ainda: existia a possibilidade de que virasse parte do que poderia facilmente se tornar uma calamidade histórica. Para muitas pessoas que conheciam Dina Powell — e todo mundo que era alguém conhecia Dina Powell —, o fato de ela ter aceitado um cargo na Casa Branca de Trump já indicava ou imprudência ou séria falta de sensatez.

"Como ela consegue justificar isso?", se perguntava um amigo de longa data. Amigos, parentes e vizinhos questionavam, em pensamentos ou em voz alta: *Você sabe o que está fazendo? E como você* consegue? *E por que* fazer *isso?*

Ali estava a linha que dividia aqueles cuja razão para estar na Casa Branca era a lealdade declarada ao presidente dos profissionais que o governo tinha necessidade de contratar. Bannon, Conway e Hicks — assim como uma série de ideólogos mais ou menos peculiares que eram afeiçoados a Trump e, é claro, sua família, todos sem reputação claramente monetizáveis antes da vinculação a Trump — estavam, para o bem ou para o mal, amarrados a ele. (Até entre apoiadores dedicados de Trump havia sempre certo grau de ansiedade e reexame constante das opções.) Mas aqueles que faziam parte do círculo de influência mais amplo da Casa Branca, aqueles que tinham certa estatura, ou pelo menos estatura imaginária, precisavam lidar com contorcionismos bem mais complexos de justificativa pessoal e profissional.

Em geral, guardavam os escrúpulos na manga. Mick Mulvaney, o diretor do Gabinete de Gestão e Orçamento, fez questão de ressaltar o fato de que trabalhava no Edifício do Gabinete Executivo Eisenhower, não na Ala Oeste. Michael Anton, que ocupava o cargo que antes era de Ben Rhodes, no Conselho de Segurança Nacional, havia aprimorado seu habilidoso olhar de impaciência (apelidado de "olhar Anton"). H. R. McMaster parecia estar sempre com uma careta no rosto e ter uma eterna nuvem de fumaça emergindo da careca. ("O que é que ele tem?", o presidente volta e meia perguntava.)

Havia, é claro, uma justificativa mais nobre: a Casa Branca precisava de profissionais normais, sãos, coerentes e adultos. Em sua grande maioria, esses profissionais achavam que traziam características positivas — mentes sensatas, poder de análise, experiência profissional relevante — a uma situação extremamente carente de tais qualidades. Estavam fazendo o pouco que podiam para deixar as coisas mais normais e, portanto, mais estáveis. Eram baluartes, ou assim se enxergavam, contra o caos, a impulsividade e a burrice. Eram menos defensores de Trump que antídotos contra ele.

"Se tudo começar a ir ladeira abaixo — mais abaixo do que já está indo —, não tenho dúvida de que Joe Hagin assumiria pessoalmente a responsabilidade e faria o que fosse preciso fazer", declarou um republicano do alto escalão em Washington, em uma tentativa de se tranquilizar, a respeito do ex-funcionário de Bush que agora servia de chefe de gabinete de operações de Trump.

Mas essa sensação de dever e virtude envolvia um complexo cálculo do impacto positivo que teria na Casa Branca em comparação com o impacto negativo sobre a reputação da pessoa. Em abril, um e-mail que de início fora copiado para mais de uma dezena de destinatários teve uma circulação bem mais ampla ao ser encaminhado e reencaminhado. Sob o pretexto de representar as opiniões de Gary Cohn e resumir de maneira bem sucinta a consternação de grande parte da Casa Branca, a mensagem do e-mail dizia:

> É pior do que vocês imaginam. Um idiota rodeado de palhaços. Trump não lê nada — nem memorandos de uma página, nem relatórios breves: nada. Ele se levanta no meio de reuniões com líderes mundiais porque está entediado. E a equipe dele não é muito melhor. Kushner é um bebezinho insolente que não sabe de nada. Bannon é um babaca arrogante que se acha mais esperto do que é. Trump é menos uma pessoa do que uma coleção de características terríveis. Ninguém além da família dele vai sobreviver ao primeiro ano. Detesto o trabalho, mas sinto que preciso continuar porque sou a única pessoa com noção do que está fazendo. A razão para tão poucos cargos terem sido ocupados é que eles só aceitam gente que passa por ridículos testes de pureza, mesmo para postos de elaboração de políticas de médio escalão, em que as pessoas nunca verão a luz do dia. Estou em estado constante de choque e horror.

Porém, a desordem que poderia causar sérios estragos à nação e, por tabela, à sua própria marca poderia ser superada caso a pessoa fosse vista, por meio da competência e da conduta profissional, como quem assumia o controle.

Powell, que entrara na Casa Branca como assessora de Ivanka Trump, foi alçada em poucas semanas a um cargo no Conselho de Segurança Nacional, e de repente passou a ser, junto com Cohn, seu colega do Goldman Sachs, candidata a alguns dos cargos mais altos do governo.

Paralelamente, tanto ela como Cohn passavam bastante tempo com seus consultores externos ad hoc pensando em uma forma de pular fora da Casa

Branca. Powell vislumbrava até empregos de sete dígitos na área de comunicação em diversas empresas do ranking das 100 da *Fortune*, ou um futuro como alta executiva de uma empresa de tecnologia – afinal de contas, Sheryl Sandberg, do Facebook, tinha experiência em filantropia empresarial e no governo Obama. Por sua vez, Cohn, já centimilionário, pensava no Banco Mundial ou no FED (Sistema de Reserva Federal).

Ivanka Trump – lidando com alguns dos mesmos questionamentos pessoais e profissionais que Powell, mas sem um plano de fuga viável – ficava no próprio canto. Inexpressiva e até robótica em público, mas loquaz e estratégica entre amigos, Ivanka havia se tornado mais defensiva em relação ao pai e mais alarmada sobre o rumo que sua Casa Branca tomava. Ela e Kushner botavam a culpa em Bannon e em sua filosofia de "deixar Trump ser Trump" (muitas vezes interpretada como "deixar Trump ser Bannon"). O casal Jarvanka passara a considerar Bannon mais diabólico que Rasputin. Logo, cabia a eles afastar Bannon e seus ideólogos do presidente, que, acreditavam Kushner e Ivanka, no fundo era um sujeito prático (pelo menos quando estava de bom humor), abalado apenas por aqueles que se aproveitavam de seu tempo curto de atenção.

Em um estilo de codependência mútua, Ivanka confiava que Dina sugeriria táticas administrativas para ajudá-la a lidar com seu pai e a Casa Branca, e Dina confiava que Ivanka lhe forneceria garantias constantes de que nem todos da família Trump eram completamente doidos. Em termos práticos, esse vínculo significava que, dentro da numerosa população da Ala Oeste, Powell era vista como parte do círculo familiar bem mais próximo, o que, embora lhe conferisse influência, também fazia dela o alvo de ataques cada vez mais cáusticos. "Ela vai se expor como uma pessoa totalmente incompetente", disse uma amarga Katie Walsh, vendo Powell menos como uma influência desestabilizadora e mais como outra faceta do jogo de poder da anormal família Trump.

E, de fato, Powell e Cohn tinham concluído que a função em que os dois estavam de olho – chefe de gabinete, esse cargo administrativo peculiarmente necessário à Casa Branca – sempre seria impossível de alcançar se a filha e o genro do presidente – independente do quanto se unissem a eles – tivessem na prática o comando sempre que quisessem exercê-lo.

Jared e Ivanka encabeçavam uma iniciativa que normalmente seria uma responsabilidade fundamental do chefe de gabinete: controlar o fluxo de informação do presidente.

* * *

O problema singular em questão era, em parte, como passar informações a alguém que não iria (ou não conseguia ou não queria) lê-las, e que na melhor das hipóteses escutava de modo seletivo. Já a outra parte do problema era a melhor maneira de classificar as informações que ele gostava de receber. Hope Hicks, depois de mais de um ano ao lado de Trump, afinara seus instintos para achar o tipo de informação — os recortes de jornais — que o agradaria. Bannon, com sua voz forte e confiante, se insinuava na cabeça do presidente. Kellyanne Conway trazia os últimos insultos contra ele. Havia os telefonemas pós-jantar — o coro dos bilionários. E também a TV a cabo, programada para atingi-lo — para cortejá-lo ou enfurecê-lo.

As informações que Trump não recebia eram as formais. Os dados. As minúcias. As opções. As análises. PowerPoint não fazia seu gênero. Se qualquer coisa tivesse um quê de sala de aula ou de palestra — para ele, "professor" era palavrão, e se orgulhava de nunca ter se importado em frequentar uma sala de aula, nunca ter comprado um livro escolar, nunca ter tomado notas —, ele se levantava e se retirava.

Aquele era um problema sob diversos aspectos — aliás, em quase todas as funções prescritas à presidência. Mas talvez fosse, acima de tudo, um problema para a avaliação de opções de estratégias militares.

O presidente gostava de generais. Quanto mais condecorações, melhor. Ele estava muito contente com os elogios que recebia por ter nomeado generais que impunham respeito, como Mattis, Kelly e McMaster (melhor deixar de lado Michael Flynn). O presidente não gostava era de *dar ouvidos* aos generais, que eram consideravelmente versados no novo jargão das tropas do PowerPoint, do despejo de dados e de apresentações ao estilo McKinsey. Um dos motivos que levou Flynn a cair nas graças do presidente foi que Flynn, rei do dramalhão e grande defensor de teorias da conspiração, tinha ótima verve para contar histórias.

Quando do ataque sírio a Khan Shaykhun, McMaster já era o conselheiro de Segurança Nacional de Trump havia cerca de seis semanas. Porém, suas tentativas de informar o presidente já tinham virado um treinamento para ensinar um aluno cabeça-dura e rancoroso. As últimas reuniões de Trump com McMaster quase terminaram em grosserias, e agora o presidente contava a vários amigos que seu novo conselheiro de Segurança Nacional era muito chato e que iria demiti-lo.

McMaster fora a escolha padrão, um fato que Trump sempre retomava: por que o nomeara? Ele botava a culpa no genro.

Depois que o presidente despediu Flynn, em fevereiro, passara dois dias em Mar-a-Lago entrevistando substitutos, o que sobrecarregou bastante sua paciência.

John Bolton, ex-embaixador dos Estado Unidos nas Nações Unidas e opção coerente de Bannon, fez seu agressivo discurso no estilo anime o mundo e vá à guerra.

Então o tenente-general Robert L. Caslen Jr., superintendente da Academia Militar dos Estados Unidos em West Point, se apresentou com o que Trump via positivamente como um decoro militar antiquado. *Sim, senhor. Não, senhor. Correto, senhor. Bom, acho que nós sabemos que a China tem alguns problemas, senhor.* E logo depois tudo indicava que Trump ofereceria o cargo a Caslen.

"É esse o sujeito que eu quero", afirmou Trump. "Ele tem o visual certo."

Só que Caslen relutou. Nunca tivera um trabalho administrativo. Kushner achava que ele talvez não estivesse preparado.

"É, mas eu gostei do sujeito", insistiu Trump.

Em seguida, McMaster, trajando uniforme com a estrela prateada, entrou e foi logo iniciando uma aula abrangente sobre estratégia global. Obviamente, Trump logo se distraiu e, com a continuação da aula, foi se aborrecendo.

"Esse cara me mata de tédio", Trump anunciou depois que McMaster saiu da sala. No entanto, Kushner o pressionou a fazer outra reunião com McMaster, que no dia seguinte apareceu sem o uniforme e de terno folgado.

"Ele parece um vendedor de cerveja", comentou Trump, declarando que contrataria McMaster mas não queria fazer mais nenhuma reunião com ele.

Pouco depois da nomeação, McMaster apareceu no *Morning Joe*. Trump assistiu ao programa e observou com admiração: "O sujeito sem dúvida gera publicidade boa".

Assim, o presidente decidiu que fizera uma boa escolha.

No meio da manhã de 4 de abril, um briefing completo sobre os ataques químicos foi feito na Casa Branca para o presidente. Além de sua filha e de

Powell, a maioria dos assessores de Segurança Nacional mais próximos do presidente considerava o bombardeio de Khan Shaykhun uma oportunidade óbvia de registrar sua absoluta objeção moral. A circunstância era evidente: o governo de Bashar al-Assad, desafiando mais uma vez as leis internacionais, havia usado armas químicas. Existiam vídeos documentando o ataque e uma forte concordância entre órgãos de inteligência em relação à responsabilidade de Assad. A ideia política estava delineada: Barack Obama não agira quando confrontado com um ataque químico da Síria, e agora Trump poderia fazê-lo. Os contras eram poucos, e seria uma reação contida. Sem contar que havia a vantagem extra de parecer uma resistência aos russos, parceiros ativos de Assad na Síria, o que lhe garantiria um ponto político em casa.

Bannon, no que talvez fosse seu momento menos influente na Casa Branca — muitos continuavam achando que sua demissão era iminente —, era a única voz argumentando contra uma reação militar. Ele tinha um raciocínio de purista: mantenha a nação fora dos problemas espinhosos, e obviamente não aumente nosso envolvimento neles. Ele defendia a posição contrária à crescente vertente de se seguir os procedimentos típicos, que tomava decisões baseadas na mesma série de pressuposições, acreditava Bannon, que tinham ocasionado o atoleiro do Oriente Médio. Estava na hora de romper o padrão de comportamento da reação convencional, representado pela aliança Jarvanka-Powell-Cohn-McMaster. Esqueça a normalidade — aliás, para Bannon, a normalidade era exatamente o problema.

O presidente já tinha concordado com a exigência de McMaster — de que Bannon fosse retirado do Conselho de Segurança Nacional —, mas a mudança só seria anunciada no dia seguinte. No entanto, Trump também se sentia tentado pela visão estratégica de Bannon: para que fazer alguma coisa se não era obrigado? Ou por que fazer uma coisa que na verdade não lhe traria nada? Desde a posse, o presidente vinha desenvolvendo uma opinião intuitiva sobre Segurança Nacional: mantenha todos os déspotas que podem ferrar com você na maior alegria possível. Supostamente tirano, Trump também era um conciliador essencial. Nesse caso, então, por que aborrecer os russos?

À tarde, a equipe de Segurança Nacional vivia um pânico cada vez maior: o presidente, na opinião de seus membros, não parecia entender bem a situação. Bannon não ajudava. Como era óbvio, seu método extremamente racional agradava ao nem sempre racional presidente. Um ataque químico não alterava as circunstâncias na linha de frente, argumentou Bannon. Além disso, houve ataques bem piores com muito mais baixas do que esse. Se estamos à procura de crianças feridas, dá para achá-las em tudo que é canto. Por que estas crianças feridas?

O presidente não era de debater — bem, não no sentido socrático. Também não era de tomar decisões em qualquer sentido convencional. E claro que não era tampouco um estudante com visões e alternativas de relações exteriores. Mas ainda assim o assunto estava se tornando um genuíno confronto filosófico.

"Não fazer nada" havia muito era considerado por especialistas norte-americanos em política externa uma postura de impotência inaceitável. O instinto de fazer algo era guiado pelo desejo de provar que não se era limitado ao nada. Era impossível não fazer nada e demonstrar força. Só que a abordagem de Bannon era bem ao estilo "que se danem vocês todos": a bagunça não era nossa e, a julgar por todos os indícios recentes, nada de bom sairia se tentassem ajudar a limpá-la. Essa iniciativa custaria vidas de militares sem recompensa militar. Bannon, acreditando na necessidade de uma mudança radical na política externa, propunha uma nova doutrina: fodam-se. Esse isolacionismo implacável tinha a simpatia do presidente, com sua personalidade transacional: o que nós (ou ele) vamos ganhar com isso?

Por isso a urgência de tirar Bannon do Conselho de Segurança Nacional. O curioso é que, no começo, acreditavam que ele era bem mais sensato do que Michael Flynn, com sua obsessão pelo Irã como fonte de todos os males. Bannon deveria ser a babá de Flynn. No entanto, Bannon, para o enorme choque de Kushner, tinha não apenas uma visão isolacionista, mas também apocalíptica. Grande parte do mundo arderia e não havia nada que pudesse ser feito.

O anúncio da retirada de Bannon do conselho foi feito no dia seguinte ao ataque. Por si só, era uma façanha digna de nota da parte dos moderados. Em pouco mais de dois meses, a liderança de segurança nacional radical de Trump, quando não excêntrica, fora substituída por pessoas supostamente sensatas.

Agora, a missão era trazer o presidente ao círculo da razão.

À medida que o dia transcorria, Ivanka Trump e Dina Powell permaneciam unidas na resolução de persuadir o presidente a reagir... com normalidade. No mínimo, uma condenação absoluta do uso de armas químicas e uma série de sanções. Na melhor das hipóteses, uma resposta militar — mas não muito grande. Não havia nada de excepcional naquilo. Este era meio que o objetivo: era crucial não responder de maneira radical, desestabilizadora — o que incluía uma radical falta de resposta.

A essa altura, Kushner reclamava com a esposa que o pai dela simplesmente não entendia. Foi difícil até obter um consenso sobre a divulgação de uma declaração firme sobre a inaceitabilidade do uso de armas químicas na coletiva de imprensa do meio-dia. Para Kushner e McMaster, era óbvio que o presidente estava mais incomodado por ter que pensar no ataque do que pelo ataque em si.

Por fim, Ivanka falou para Dina que precisavam mostrar ao presidente um outro tipo de abordagem. Fazia bastante tempo que Ivanka tinha descoberto como ser bem-sucedida na hora de vender ideias ao pai. Era preciso mexer com seu entusiasmo. Ele podia até ser empresário, mas não se convencia com números. Ele não era um homem de planilhas — os funcionários das exatas é que lidavam com planilhas. Ele gostava de nomes imponentes. Gostava do quadro mais amplo — *literalmente* mais amplo. Gostava de ver. Gostava de "impacto".

Mas em um sentido os militares, a Comunidade de Inteligência e a equipe de Segurança Nacional da Casa Branca continuavam atrasados: o mundo deles era dos dados e não das imagens. No momento em que aconteceu, o ataque em Khan Shaykhun produzira uma profusão de indícios visuais. Bannon podia até ter razão ao dizer que aquele ataque não era mais fatal do que tantos e tantos outros, mas se eles focassem nesse e selecionassem as provas visuais, a atrocidade se tornaria singular.

No fim daquela tarde, Ivanka e Dina haviam criado uma apresentação que Bannon, enojado, caracterizou como fotos de crianças espumando pela boca. Quando as duas mostraram a apresentação ao presidente, ele a reviu várias vezes. Parecia hipnotizado.

Ao observar a reação do presidente, Bannon viu o trumpismo derreter diante de seus olhos. Trump — apesar da resistência visceral à autoproteção do establishment e à expertise-padrão em política externa que havia enfiado o país em guerras desesperadas — de repente estava maleável. Depois de ver todas aquelas fotos horripilantes, foi logo adotando um ponto de vista totalmente convencional: lhe parecia inconcebível que não pudessem fazer algo.

Naquela noite, o presidente descreveu as imagens em um telefonema para um amigo – a espuma, toda aquela espuma. *São apenas crianças.* Em geral, demonstrava um desprezo constante por qualquer coisa, salvo uma reação militar esmagadora. Agora, exprimia um interesse repentino, ingênuo, por todos os outros tipos de intervenção militar.

Na quarta-feira, 5 de abril, Trump recebeu um briefing que resumia diversas opções de como reagir. No entanto, de novo, McMaster o enchia com detalhes. Ele ficou logo frustrado, sentindo-se manipulado.

No dia seguinte, o presidente e vários de seus assessores mais importantes foram à Flórida para um encontro com o presidente chinês, Xi Jinping – uma reunião organizada por Kushner com a ajuda de Henry Kissinger. A bordo do Força Aérea Um, Trump fez uma reunião com o Conselho de Segurança Nacional, incentivando a equipe ali mesmo. A essa altura, a decisão sobre a resposta ao ataque químico já havia sido tomada: as Forças Armadas lançariam um ataque com mísseis de cruzeiro Tomahawk na base aérea de Shayrat. Após uma rodada final de discussão, ainda a bordo, o presidente, de modo quase cerimonioso, ordenou o ataque para o dia seguinte.

Com a reunião encerrada e a decisão tomada, um animado Trump voltou para bater papo com os repórteres que viajavam com ele no Força Aérea Um. Num estilo provocador, se negou a dizer o que planejava fazer quanto à Síria. Uma hora depois, o Força Aérea Um aterrissou e o presidente foi levado às pressas para Mar-a-Lago.

O presidente chinês e sua esposa chegaram para o jantar logo após as cinco da tarde e foram recebidos pela guarda militar na entrada de Mar-a-Lago. Com Ivanka supervisionando o planejamento, praticamente todo o alto escalão da Casa Branca marcava presença.

Durante o jantar com linguado, vagem e cenouras – Kushner sentado perto do presidente e da primeira-dama da China, Bannon na cabeceira da mesa –, o ataque à base aérea de Shayrat foi lançado.

Pouco antes das dez da noite, o presidente, lendo o texto direto do teleprompter, anunciou que a missão estava cumprida. Dina Powell organizou uma foto para a posteridade do presidente com os assessores e a equipe de Segurança Nacional na Sala de Crise improvisada em Mar-a-Lago. Ela era a única mulher no recinto. De seu lugar à mesa, Steve Bannon fechou a carranca, revoltado com a encenação e a "falsidade dessa merda".

Foi um Trump alegre e aliviado que interagiu com os convidados em meio às palmeiras e mangues. "Esse foi dos grandes", confidenciou ele a um amigo. Sua equipe de Segurança Nacional estava ainda mais aliviada. O presidente imprevisível parecia quase previsível. O presidente incontrolável, controlável.

15. Mídia

Em 19 de abril, Bill O'Reilly, âncora da Fox e maior estrela dos noticiários da TV a cabo, foi demitido pela família Murdoch por conta de acusações de assédio sexual. Era a continuação da faxina da rede, iniciada nove meses antes com a demissão de seu diretor-geral, Roger Ailes. A Fox chegou ao seu ápice de influência política com a eleição de Donald Trump, mas agora o futuro da rede parecia estar em um peculiar limbo da família Murdoch, entre o pai conservador e os filhos liberais.

Poucas horas depois do anúncio da saída de O'Reilly, Ailes, em sua nova casa de frente para o mar em Palm Beach — impedido por acordo com a Fox de qualquer tentativa de competir com o canal por dezoito meses —, enviou um emissário à Ala Oeste com uma pergunta para Steve Bannon: *O'Reilly e Hannity estão dentro, e você?* Em segredo, Ailes tramava sua volta com uma nova rede conservadora. Atualmente em exílio interno na Casa Branca, Bannon — "o próximo Ailes" — era todo ouvidos.

Não era apenas uma trama de homens ambiciosos em busca de oportunidade e de vingança: a ideia de uma nova rede também era impulsionada pela clara sensação de que o fenômeno Trump dizia respeito, tanto quanto tudo mais, à imprensa direitista. Durante vinte anos, a Fox tinha afinado sua mensagem populista: liberais estavam roubando e destruindo os Estados Unidos. Então, no exato momento em que muitos liberais — inclusive os filhos de Rupert Murdoch, cada vez mais no controle da empresa do pai — tinham começado a acreditar que o público da Fox estava ficando velho para aquela mensagem social contra casamento gay, contra o aborto, contra imigrantes, aparentemente muito antiquada para republicanos mais jovens, surgiu o Breitbart News. O Breitbart não só falava com um público de direita bem mais novo — Bannon tinha a impressão de que estava tão sintonizado com seu público quanto Ailes com o dele — como também transformava seus leitores em um enorme exército de ativistas digitais (ou trolls das redes sociais).

Enquanto a mídia direitista se unia com ferocidade em torno de Trump — desculpando prontamente todas as suas maneiras que poderiam contradizer o espírito conservador tradicional —, a grande mídia resistia com ferocidade. Os Estados Unidos estavam divididos em relação tanto à imprensa quanto à política. A mídia era a encarnação da política. Um Ailes fora de jogo estava ansioso para voltar à partida. Aquele era seu campo de jogo natural: (1) a vitória de Trump provava o poder de uma base eleitoral bem menor porém mais dedicada — assim como, nos termos da TV a cabo, uma base menos numerosa porém fervorosa tinha mais valor do que uma base maior e menos dedicada; (2) isso significava uma dedicação inversa por um círculo igualmente pequeno de inimigos acalorados; (3) logo, haveria derramamento de sangue.

Se Bannon estivesse mesmo tão liquidado quanto parecia na Casa Branca, essa também seria sua chance. Aliás, o problema do Breitbart News, centrado na internet, que rendia 1,5 milhão de dólares por ano, era não poder ser monetizado ou muito incrementado, mas com O'Reilly e Hannity a bordo, poderia haver riquezas televisivas alimentadas por, no futuro próximo, uma nova era — inspirada por Trump — de entusiasmo e hegemonia direitista.

O recado de Ailes para o futuro protegido era simples: não apenas a ascensão de Trump como também a queda da Fox poderia representar o momento de Bannon.

Em resposta ao emissário de Ailes, Bannon disse que, por enquanto, estava tentando manter seu cargo na Casa Branca. Mas, sim, a oportunidade era óbvia.

Ao mesmo tempo que o destino de O'Reilly era debatido pela família Murdoch, Trump, entendendo o poder do âncora e ciente de que grande parte do público de O'Reilly formava sua própria base, expressava seu apoio e aprovação — "Não acho que Bill tenha feito algo errado... Ele é uma boa pessoa", declarou ao *New York Times*.

Mas na verdade um paradoxo da nova força da imprensa conservadora era o próprio Trump. Durante a campanha, quando lhe convinha, ele tinha se voltado contra a Fox. Se havia outras oportunidades de mídia, ele aproveitava. (Em um passado recente, republicanos, em especial na época das primárias, tinham o cuidado de reverenciar a Fox em detrimento de outros veículos de imprensa.) Trump vivia insistindo que ele era maior do que a mídia conservadora.

No último mês, Ailes, que volta e meia ligava para Trump e era seu conselheiro pós-jantar, tinha praticamente parado de falar com o presidente, irritado com as notícias constantes de que Trump andava falando mal dele e elogiando o mais recente melhor amigo Murdoch, que antes das eleições só fazia ridicularizar Trump.

"Os homens que exigem mais lealdade tendem a ser os idiotas menos leais", observou o sarcástico Ailes (um sujeito que exigia muita lealdade).

O enigma era que a mídia conservadora via Trump como sua criatura, ao passo que Trump se considerava uma estrela, um produto alardeado e apreciado por toda a mídia, um produto que estava chegando ainda mais alto. Era um culto à personalidade, e ele era a personalidade. Era o homem mais famoso do mundo. Todo mundo o amava — ou tinha que amar.

Essa era, possivelmente, uma parte do grande equívoco de Trump sobre a natureza da mídia conservadora. Era óbvio que ele não entendia que aquilo que a mídia conservadora promovia a mídia liberal necessariamente derrubava. Instigado por Bannon, Trump continuaria fazendo as coisas que agradariam a mídia conservadora e provocariam a ira da mídia liberal. Esse era o plano. Quanto mais os defensores o amassem, mais os antagonistas o odiariam. Era assim que deveria funcionar. E era assim que estava funcionando.

Porém, o próprio Trump estava magoadíssimo com o tratamento que recebia da grande mídia. Ficava obcecado por cada ofensa até ser dominado pela ofensa seguinte. As desfeitas eram selecionadas e revistas diversas vezes, seu estado de espírito piorava a cada repetição (e ele as revia sem parar). Boa parte das conversas diárias do presidente era uma análise repetitiva do que diversos âncoras e apresentadores tinham dito sobre ele. E Trump se chateava não apenas quando era atacado, mas também quando pessoas de seu círculo eram atacadas. Mas não creditava esses ataques à lealdade que seus funcionários demonstravam, nem culpava a si mesmo ou responsabilizava a natureza da imprensa liberal pelas injúrias proferidas: para Trump, a culpa era dos seus subordinados e da incapacidade que tinham de conseguir boa publicidade.

O falso moralismo e o menosprezo da grande mídia por Trump ajudaram a proporcionar um tsunami de cliques para a mídia direitista. No entanto, sempre feroz, frustrado e atormentado, o presidente não captara essa mensagem ou não conseguira entendê-la. Ele procurava o amor da mídia em todos os lugares. Nesse ponto, Trump parecia totalmente incapaz de distinguir sua vantagem política e suas necessidades pessoais — ele pensava de maneira emotiva, não estratégica.

A grande vantagem de ser presidente, para ele, era ser o homem mais famoso do mundo, e a fama é sempre venerada e adorada pela mídia. Não é? Mas, o que era confuso, Trump tinha sido eleito em grande medida em razão de seu talento especial, consciente ou involuntário, para alienar a mídia, que então o tornou uma figura vilipendiada em seus meios. Não era um posto dialético confortável para um sujeito inseguro.

"Para Trump, a mídia representava o poder muito mais do que a política, e ele queria a atenção e o respeito de seus homens mais poderosos", observou Ailes. "Donald e eu fomos ótimos amigos por mais de 25 anos, mas ele preferia ser amigo do Murdoch, que o achava um idiota, pelo menos antes de Donald virar presidente."

O Jantar dos Correspondentes da Casa Branca estava marcado para 29 de abril, o centésimo dia do governo Trump. O jantar anual, antigamente frequentado apenas pelos íntimos, havia se tornado uma oportunidade de promoção para a mídia, que recrutava celebridades — a maioria sem nada a ver com jornalismo ou política — para se sentarem às suas mesas. Essa mudança propiciou a notável humilhação de Trump quando, em 2011, Barack Obama o escolheu como alvo de uma gozação específica. Na crença de Trump, foi esse insulto que o incitou a fazer a campanha de 2016.

Não muito tempo após a chegada da equipe de Trump à Casa Branca, o Jantar dos Correspondentes se tornou motivo de preocupação. Em uma tarde de inverno, no gabinete de Kellyanne Conway, no segundo andar da Ala Oeste, Conway e Hope Hicks tiveram uma angustiante conversa sobre o que fazer.

O problema fundamental era que o presidente não estava nem disposto a fazer piada de si mesmo, nem tampouco era um sujeito engraçado — pelo menos não, segundo Conway, "daquele jeito humorístico".

Todos sabiam que George W. Bush não gostava do Jantar dos Correspondentes e sofria muito às vésperas do evento, mas se preparava bastante e todo ano tinha um desempenho aceitável. Mas nenhuma das duas, confidenciando suas preocupações a um jornalista que consideravam simpático em torno da pequena mesa no gabinete de Conway, achava que Trump tinha qualquer chance de tornar o jantar algo próximo de um sucesso.

"Ele não gosta de humor cáustico", declarou Conway.

"O estilo dele é mais antiquado", sugeriu Hicks.

Nitidamente vendo o Jantar dos Correspondentes como um problema insolúvel, as duas não paravam de caracterizar a festa como "injusta", que também era, de maneira mais geral, a forma como caracterizavam a opinião da mídia sobre Trump. "Ele é retratado de maneira injusta." "Não dão a ele o benefício da dúvida." "Ele não recebe o mesmo tratamento que os outros presidentes receberam."

Para o fardo de Conway e Hicks, o presidente não via a falta de respeito da mídia por ele como parte da divisão política, em que ele representava um dos lados. Na verdade, Trump considerava aquilo um intenso ataque pessoal: por razões totalmente injustas, razões ad hominem, a mídia simplesmente não gostava dele. Ele era ridicularizado. Com crueldade. Por quê?

O jornalista, tentando oferecer algum conforto, disse às duas que circulava um boato de que Graydon Carter — o editor da *Vanity Fair* e anfitrião de uma das festas mais importantes do fim de semana do Jantar dos Correspondentes, e, por décadas a fio, um dos principais atormentadores de Trump na imprensa — em breve seria posto para fora da revista.

"Sério?!", exclamou Hicks, pulando da cadeira. "Meu Deus do céu! Posso contar para ele? Tudo bem se eu contar? Ele vai gostar de saber." Ela foi logo descendo a escada rumo à Sala Oval.

Curiosamente, Conway e Hicks eram um retrato do problema midiático do alter ego do presidente. Conway era a antagonista amarga, a mensageira do toma-na-cara que, com confiança, provocava na mídia o auge das afrontas contra o presidente. Hicks era a confidente que sempre tentava dar um respiro e notícias boas a Trump na única mídia que importava de verdade para ele — a mídia que mais o detestava. No entanto, por mais diferentes que fossem nas funções midiáticas e no temperamento, as duas tinham conquistado uma influência digna de nota no governo, sendo as principais assessoras da preocupação mais urgente do presidente: sua reputação na mídia.

Embora na maioria dos sentidos Trump fosse um misógino convencional, no local de trabalho era muito mais próximo das mulheres do que dos homens. Nelas, ele confiava; deles, mantinha certa distância. Gostava e precisava de suas consortes de trabalho, e confiava nelas em relação às suas questões pessoais mais relevantes. As mulheres, segundo Trump, eram simplesmente mais leais e mais confiáveis do que os homens. Os homens podiam ser mais fortes e competentes, mas também costumavam ter suas próprias pautas. As mulheres, por natureza, ou de acordo com a versão de Trump para a natureza delas, eram mais propensas a centrar seus objetivos em um homem. Um homem como Trump.

Não era por acaso nem por mero equilíbrio de elenco que seu braço direito no *Apprentice* fosse uma mulher, nem tampouco que a filha Ivanka tivesse se tornado uma de suas maiores confidentes. Trump tinha a impressão de que as mulheres o entendiam. Ou de que mulheres que faziam o seu tipo — mulheres leais, otimistas, confiantes, que também eram bonitas — o entendiam. Todos que tinham sido bem-sucedidos ao trabalhar para ele entendiam que existia sempre um implícito de necessidades e tiques pessoais que precisavam ser saciados com escrúpulo. Nesse sentido, Trump não era muito diferente de outras figuras de grande sucesso, apenas era assim em maior grau. Seria difícil imaginar alguém que esperasse mais consciência e mais atenção a seus caprichos, ritmos, preconceitos e, muitas vezes, desejos incipientes. Ele precisava de tratamento especial — muito especial. As mulheres, explicou a um amigo, demonstrando autoconhecimento, costumavam entender isso com mais precisão do que os homens. Acima de tudo, as mulheres que escolhiam agir com tolerância ou alienação ou se divertir ou se blindar diante de sua misoginia espontânea e suas constantes insinuações sexuais — características que, de modo incongruente e muitas vezes dissonante, eram combinadas com um respeito paternal — entendiam isso.

Kellyanne Conway conheceu Donald Trump em uma reunião do conselho de condomínio do Trump International Hotel, que ficava bem de frente para o prédio da ONU e onde ela vivia, no começo dos anos 2000, com o marido e os filhos. O marido de Conway, George, formado na Harvard College e na Yale Law School, era sócio da grande firma de aquisições e fusões corporativas Wachtell, Lipton, Rosen & Katz. (Embora a firma Wachtell pendesse para o lado dos democratas, George tivera um papel nos bastidores na equipe que representou Paula Jones no processo contra Bill Clinton.) Em seu equilíbrio profissional e doméstico, a família Conway se organizava em torno da carreira de George: a de Kellyanne era secundária.

Kellyanne, que na campanha de Trump usaria sua biografia de classe trabalhadora para gerar um bom impacto, cresceu no centro de Nova Jersey. Filha de caminhoneiro, fora criada pela mãe solteira (e, sempre em sua narrativa, pela avó e duas tias solteiras). Depois de estudar direito na George Washington e fazer estágio com o pesquisador eleitoral de Reagan, Richard Wirthlin, tornou-se assistente de Frank Luntz, uma figura curiosa no Partido Republicano, conhecido tanto pelos acordos televisivos e pelo aplique de cabelo quanto pelo tino para as pesquisas. A própria Conway começou a fazer aparições na TV a cabo quando trabalhava com Luntz.

Uma virtude do negócio de pesquisas e sondagens de opinião que ela começou em 1995 era o fato de ser adaptável à carreira do marido. Ainda assim, Conway nunca foi além de uma presença mediana em círculos políticos republicanos, nem superou as também nulidades Ann Coulter e Laura Ingraham na TV a cabo — onde Trump a viu pela primeira vez e o motivo por que a reconheceu no conselho de condomínio.

No entanto, na realidade, sua vantagem não era conhecer Trump, e sim ter sido adotada pelos Mercer. Eles recrutaram Conway em 2015, para trabalhar na campanha de Cruz, quando Trump ainda estava bem longe do ideal conservador, e depois, em agosto de 2016, eles a incorporaram à campanha de Trump.

Ela entendia seu papel. "Vou chamá-lo somente de sr. Trump", disse ela ao candidato, com uma dose perfeita de seriedade quando ele a entrevistou para a função. Era um clichê que ela repetiria entrevista após entrevista — Conway era um catálogo de frases decoradas —, uma mensagem repetida tanto para Trump como para os outros.

Ela tinha o cargo de chefe de campanha, mas o nome estava errado. Bannon era o verdadeiro chefe, ela era a pesquisadora eleitoral veterana. De qualquer maneira, em pouco tempo, Bannon a substituiu nessa função, e a ela restou um papel que Trump considerava muito mais importante: o de porta-voz para canais a cabo.

Conway parecia ter um conveniente botão de liga/desliga. Em particular, na posição desligada, parecia ver Trump como uma figura de exageros cansativos ou até de disparates — ou, ao menos, se alguém visse Trump dessa forma, ela dava a entender que via. Conway ilustrava sua opinião sobre o chefe com uma grande série de expressões faciais: olhos revirados, boca aberta, cabeça jogada para trás. Já na posição ligada, ela se metamorfoseava em uma crente, protetora, defensora e agente. Conway é antifeminista (ou, na verdade, em uma complexa cambalhota ideológica, ela vê feministas como antifeministas), atribuindo seus métodos e seu temperamento ao fato de ser esposa e mãe. É instintiva e reativa. Resulta disso seu papel como a suprema defensora de Trump: do ponto de vista verbal, se jogaria na frente de qualquer bala que o tivesse como alvo.

Trump adorava seu interesse em defendê-lo a qualquer preço. Ele se programava para ver as aparições de Conway ao vivo. Normalmente, o primeiro telefonema que ela recebia ao sair do ar era o dele. Conway canalizava Trump: ela dizia exatamente as coisas de Trump que normalmente a fariam mirar a cabeça como se o dedo fosse um revólver.

Após a eleição — a vitória de Trump deflagrou um reordenamento doméstico no lar dos Conway e uma luta para dar ao marido dela, George, um cargo no governo —, Trump presumia que ela poderia ser sua secretária de imprensa. "Ele e a minha mãe", declarou Conway, "porque veem muita televisão, pensaram que esse fosse um dos cargos mais importantes." Na versão de Conway, ela recusou a oferta de Trump ou fez objeções. Ela não parava de propor alternativas em que seria a porta-voz principal, mas não só isso. Na verdade, quase todos davam a volta no desejo de Trump de promover Conway.

A lealdade era a característica mais valiosa para Trump, e, na opinião de Conway, sua defesa midiática do presidente, ao estilo camicase, havia lhe garantido um cargo de extrema relevância na Casa Branca. Porém, em suas aparições públicas, tinha levado os limites da lealdade longe demais: era tão hiperbólica que até os partidários de Trump achavam sua conduta extrema e sentiam repulsa. Ninguém ficara mais desconcertado do que Jared e Ivanka, que, estarrecidos com o descaramento de suas participações na televisão, se estenderam em uma crítica mais abrangente da vulgaridade de Conway. Quando aludiam a ela, gostavam sobretudo de usar o apelido "unhas", uma referência às suas unhas do tamanho das de Cruela Cruel.

Em meados de fevereiro, já era alvo de vazamentos — muitos originários de Jared e Ivanka — sobre como fora jogada para escanteio. Ela se defendeu com veemência, mostrando a lista de aparições televisivas que ainda estavam em sua agenda, embora em menor número. Mas também protagonizou uma cena de choro com Trump na Sala Oval, quando se ofereceu a pedir demissão caso o presidente tivesse perdido a fé nela. Quase sempre, quando confrontado com a abnegação, Trump dava garantias copiosas. "Vai sempre ter um lugar para você no meu governo", garantiu ele. "Você vai passar oito anos aqui."

Mas ela tinha mesmo sido jogada para escanteio, rebaixada à mídia de segundo escalão, à função de emissária para grupos de direita, e excluída de qualquer tomada de decisão expressiva. Conway pôs a culpa na mídia, um flagelo que a uniu em autocomiseração a Donald Trump. Na verdade, sua relação com o presidente se estreitou porque formaram um elo baseado nas feridas causadas pela imprensa.

Hope Hicks, então com 26 anos, foi a primeira contratação da campanha. Ela conhecia o presidente bem melhor do que Conway: entendia que sua função midiática mais importante era não estar na mídia.

Hicks cresceu em Greenwich, Connecticut. O pai era um executivo de relações públicas que agora trabalhava no Glover Park Group, firma de consultoria política e comunicação com tendência democrata. Já a mãe era ex-assessora de um congressista democrata. Aluna sem muito brilho, Hicks frequentou a Southern Methodist University e fez alguns ensaios como modelo antes de conseguir um emprego em relações públicas. Começou trabalhando com Matthew Hiltzik, que tinha uma firma pequena de relações públicas em Nova York e era célebre pela capacidade de ter clientes difíceis de satisfazer, inclusive o produtor cinematográfico Harvey Weinstein (mais tarde exposto por anos de assédios e abusos sexuais — acusações que Hiltzik e sua equipe o ajudavam a acobertar havia anos) e a celebridade Katie Couric. Hiltzik, um democrata atuante que trabalhou para Hillary Clinton, também representava a linha de roupas de Ivanka Trump: assim, Hicks começou a fazer uns trabalhos temporários e depois passou a trabalhar na empresa de Ivanka em tempo integral. Em 2015, Ivanka apoiou seu nome para a campanha do pai: à medida que a campanha de Trump progredia, se transformando de projeto inovador em fator político e depois rolo compressor, mais a família de Hicks, incrédula, a via como refém. (Após a vitória de Trump e sua mudança para a Casa Branca, os amigos e parentes falavam com muita preocupação sobre de que tipos de terapia e recuperação ela precisaria depois que o mandato enfim acabasse.)

No decorrer dos dezoito meses de campanha, o grupo itinerante costumava ser formado pelo candidato, por Hicks e pelo chefe de campanha, Corey Lewandowski. Com o tempo, ela virou — além de participante involuntária da história, algo que a espantaria na mesma medida que espantou a todos — uma espécie de mulher perfeita, tão dedicada e tolerante ao sr. Trump quanto todos que já trabalharam para ele.

Pouco depois de Lewandowski — com quem Hicks teve um relacionamento cheio de idas e vindas — ser demitido em junho de 2016 por bater de frente com membros da família Trump, Hicks se reuniu na Trump Tower com Trump e seus filhos, preocupados com a maneira como Lewandowski era tratado na mídia e pensando alto em como ela poderia ajudá-lo. Trump, que de resto tratava Hicks de um jeito protetor e até paternal, ergueu os olhos e disse: "Por quê? Você já fez muita coisa por ele. Ele nunca na vida vai ter rabo de saia melhor do que você", o que levou Hicks a sair correndo da sala.

Enquanto novas camadas começavam a se formar ao redor de Trump, primeiro como candidato e depois como presidente eleito, Hicks continuava exercendo o papel de relações-públicas pessoal de Trump. Ela se manteria como sua sombra constante e a pessoa com mais acesso a ele. "Você já falou com a Hope?", era uma das frases mais ditas na Ala Oeste.

Hicks, amadrinhada por Ivanka e sempre leal a ela, na verdade era vista como a filha autêntica de Trump, ao passo que Ivanka era considerada a esposa autêntica. Do ponto de vista mais funcional, mas também elementar, Hicks era a gestora-chefe de mídia do presidente. Trabalhava ao lado de Trump, totalmente afastada da Secretaria de Comunicação da Casa Branca, com seus quarenta funcionários. Ela era a encarregada da mensagem pessoal e da imagem do presidente — ou, para ser mais exato, era a agente do presidente na venda dessa mensagem e dessa imagem, que ele não confiava a ninguém além de si mesmo. Juntos, constituíam uma espécie de administração autônoma.

Sem nenhuma opinião política específica e com seu passado nas relações públicas nova-iorquinas, com certo desprezo pela imprensa direitista, ela era o contato oficial da grande mídia com o presidente. O presidente a encarregara da missão suprema: uma reportagem elogiosa no *New York Times*.

Na avaliação do presidente, isso ainda não havia acontecido, "mas a Hope está sempre tentando", declarava.

Não foi apenas uma vez que, após um dia — um dos inúmeros dias — de notícias muito negativas, o presidente a cumprimentava, em tom afetuoso: "Você deve ser a pior relações-públicas do mundo".

No começo da transição, com Conway fora da corrida para o cargo de secretária de imprensa, Trump estava decidido a achar uma "estrela". A locutora de rádio conservadora Laura Ingraham, que discursara na convenção, estava na lista, bem como Ann Coulter. Maria Bartiromo, do canal a cabo Fox Business, também era cogitada. (Trata-se de televisão, explicou o presidente eleito, e tem que ser uma mulher bonita.) Já que nenhuma dessas possibilidades vingou, o emprego foi oferecido a Tucker Carlson, do canal Fox News, que recusou a oferta.

Porém, havia quem defendesse uma opinião contrária: a secretária de imprensa tinha que ser o oposto de uma estrela. Na verdade, a direção de imprensa inteira tinha que ser reduzida. Se a mídia era a inimiga, por que agradá-la, por que lhe dar mais visibilidade? Era o bannonismo fundamental: pare de pensar que você consegue dar um jeito de ter uma relação boa com seus inimigos.

Enquanto o debate avançava, Priebus lutava para emplacar no cargo um de seus delegados na Convenção Nacional Republicana, Sean Spicer, um bem-aceito profissional da política de Washington, de 45 anos, que tinha na bagagem uma série de cargos no Capitólio na época de George W. Bush, e também no CNR. Spicer, hesitando em aceitar o posto, demonstrava sua ansiedade ao perguntar o tempo todo a colegas do pântano de Washington: "Se eu aceitar, vou conseguir trabalhar de novo?".

As respostas não eram unânimes.

Durante a transição, muitos membros da equipe de Trump passaram a concordar com Bannon quanto à abordagem que a Casa Branca deveria adotar em relação à Secretaria de Imprensa: a de botá-la para fora — e quanto maior fosse a distância, melhor. Para a mídia, essa iniciativa, ou boatos sobre ela, virou outro sinal da postura contrária à imprensa do novo governo e suas tentativas sistemáticas de cortar a fonte de informações. Na verdade, as insinuações sobre a mudança da sala de imprensa para longe da Casa Branca, ou a restrição da agenda de coletivas, ou o corte das janelas de exibição ou do acesso dos representantes da mídia, foram discutidos de diversos modos por outros governos que tomavam posse. Na Casa Branca do marido, Hillary Clinton defendia que o acesso da imprensa fosse limitado.

Era Donald Trump quem não conseguia abdicar da proximidade com a mídia e o palco na própria casa. Vivia recriminando Spicer por suas atuações grosseiras, volta e meia prestando atenção total nelas. A reação de Trump às coletivas de Spicer era parte de sua crença pessoal duradoura de que ninguém manipulava a mídia como ele, de que acabara preso a uma equipe de comunicação ridícula, desprovida de carisma, magnetismo e contatos decentes.

A pressão de Trump sobre Spicer — uma torrente constante de punições diretoriais e instruções que sempre perturbavam o secretário de imprensa — ajudou a transformar as coletivas em um desastre imperdível. Nesse meio-tempo, a verdadeira direção de imprensa tinha sido mais ou menos delegada a uma série de departamentos de imprensa concorrentes dentro da Casa Branca.

Havia Hope Hicks e o presidente, vivendo no que outros gabinetes da Ala Oeste caracterizavam como um universo paralelo em que a grande mídia ainda descobriria o charme e a sabedoria de Donald Trump. Enquanto antigos presidentes eram capazes de passar uma parte do dia falando de necessidades, desejos e formas de pressão entre diversos membros do Congresso, o presidente e Hicks passavam boa parte do tempo falando de um elenco fixo de personalidades midiáticas, tentando adivinhar as intenções verdadeiras e os pontos fracos de âncoras e produtores da TV a cabo e de repórteres do *New York Times* e do *Washington Post*.

Em geral, o foco dessa ambição sobrenatural se voltava para Maggie Haberman, a repórter do *New York Times*. O espaço de Haberman na primeira página do jornal, que poderia ser chamado de espaço "esquisitices de Donald Trump", abarcava a apresentação de narrativas vívidas de excentricidades, condutas questionáveis e merdas que o presidente dizia, contadas em um estilo astuto, frio. Além de entender que Trump era um garoto do Queens ainda fascinado com o *New York Times*, ninguém na Ala Oeste conseguia explicar por que ele e Hicks sempre se voltavam para Haberman para o que indubitavelmente seria um retrato zombeteiro e ofensivo. Havia a sensação de que Trump retomava cenas do sucesso passado: o *New York Times* podia estar contra ele, mas Haberman havia trabalhado por anos a fio no *New York Post*. "Ela é muito profissional", disse Conway, falando em defesa do presidente e tentando justificar a ascensão extraordinária de Haberman. Porém, por mais que estivesse decidido a conseguir matérias elogiosas no *New York Times*, o presidente considerava Haberman "cruel e horrível". E, no entanto, com uma regularidade quase semanal, ele e Hicks tramavam quando deixariam o *New York Times* entrar outra vez.

Kushner tinha sua própria gestão de imprensa, o que não era diferente com Bannon. A cultura do vazamento havia se tornado tão escancarada e evidente — na maioria das vezes todos conseguiam identificar os vazamentos de todos — que agora ganhava uma equipe formal.

O Escritório de Inovação Americana de Kushner empregava como porta-voz Josh Raffel, que, assim como Hicks, vinha da firma de relações públicas de Matthew Hiltzik. Raffel, um democrata que vinha trabalhando em Hollywood, atuava como representante pessoal de Kushner e da esposa — sobretudo porque o casal Jarvanka sentia que Spicer, que devia lealdade a Priebus, não os representava de maneira agressiva. Era explícito. "O Josh é a Hope do Jared" era a descrição de seu cargo dentro da Ala Oeste.

Raffel coordenava toda a imprensa pessoal de Kushner e Ivanka, embora houvesse mais imprensa para Ivanka do que para Kushner. Porém, o mais importante é que Raffel coordenava todos os vazamentos de peso de Kushner, ou por assim dizer seus informes e suas orientações em off — e não era pequena a parte que dizia respeito a Bannon. Kushner, que afirmava com enorme convicção que jamais tinha vazado, em certa medida justificava sua operação midiática como uma defesa à operação midiática de Bannon.

A "pessoa" de Bannon, Alexandra Preate — uma espirituosa socialite conservadora com gosto para champanhe —, antes representara o Breitbart News e outras figuras conservadoras como Larry Kudlow, da CNBC. Era também muito amiga de Rebekah Mercer. Em uma relação que ninguém parecia capaz de explicar, ela lidava com toda a "aproximação" de Bannon com a mídia, mas não era funcionária da Casa Branca, apesar de ter um escritório lá, ou pelo menos fazer parecer que lá era seu escritório. O recado era claro: seu cliente era Bannon e não o governo Trump.

Para o constante sobressalto de Jared e Ivanka, Bannon tinha acesso exclusivo às expressivas possibilidades do Breitbart mudar o clima e o foco da direita. Bannon insistia que precisava romper os laços com os ex-colegas do Breitbart, mas essa afirmação punha a credulidade de todos à prova — e todos imaginavam que ninguém deveria acreditar. Pelo contrário: deveriam ter medo.

O curioso é que todos da Ala Oeste concordavam que Donald Trump, o presidente da mídia, tinha uma das secretarias de comunicação mais problemáticas da história moderna da Casa Branca. Mike Dubke, um assessor de relações públicas republicano, contratado como diretor de comunicação da Casa Branca, estava, segundo todas as estimativas, com o pé na porta da rua desde o primeiro dia. No final das contas, durou apenas três meses.

O Jantar dos Correspondentes da Casa Branca surgiu, tanto quanto qualquer outro desafio para o novo presidente e sua equipe, como um teste de suas habilidades. Trump queria comparecer. Tinha certeza de que o poder de seu charme era maior do que o rancor que causava na plateia — ou que a plateia causava nele.

Ele se lembrou de sua participação no *Saturday Night Live* em 2015 — na sua opinião, um grande sucesso. Na verdade, havia se recusado a se preparar, não parava de dizer que "improvisaria", que não tinha problema. Os comediantes não improvisam de verdade, contaram para ele: é tudo roteirizado e ensaiado. Mas a recomendação teve um impacto desprezível.

Quase ninguém além do próprio presidente achava que ele daria conta do Jantar dos Correspondentes. Sua equipe estava apavorada com a possibilidade de que Trump agonizasse diante da agitada e desdenhosa plateia. Embora pudesse distribuir alfinetadas, geralmente com muita rispidez, ninguém achava que ele aguentaria uma. Porém, o presidente parecia ávido por comparecer ao evento, apesar de tratar o assunto de modo casual — com Hicks, que normalmente incentivava todos os ímpetos que ele tinha, tentando não fazê-lo.

Bannon apertou o botão simbólico: o presidente não deve ser visto tentando cair nas graças de seus inimigos, nem tentando diverti-los. A mídia era melhor como bode expiatório do que como cúmplice. O princípio de Bannon, o pilar de aço enterrado no solo, persistia: não se dobre, não se adapte, não faça concessões. E no fundo, em vez de insinuar que Trump não tinha talento e sagacidade para mexer com a plateia, essa foi uma maneira bem melhor de persuadir o presidente a não aparecer no jantar.

Quando Trump enfim concordou em faltar ao evento, Conway, Hicks e quase todo mundo da Ala Oeste respiraram melhor.

Pouco depois das cinco horas do centésimo dia na presidência — um dia especialmente abafado —, enquanto cerca de 2500 membros de organizações de notícias e amigos se reuniam no Washington Hilton para o Jantar dos Correspondentes da Casa Branca, o presidente deixou a Casa Branca rumo ao helicóptero presidencial, que em pouco tempo estava a caminho da base aérea de Andrews. Era acompanhado por Steve Bannon, Stephen Miller, Reince Priebus, Hope Hicks e Kellyanne Conway. O vice-presidente Pence e sua esposa foram ao encontro do grupo em Andrews, para fazer um breve voo no Força Aérea Um até Harrisburg, Pensilvânia, onde o presidente faria um discurso. Durante o voo, foram servidos bolinhos de siri, e John Dickerson, do *Face the Nation*, conseguiu uma entrevista especial por conta do centésimo dia.

O primeiro evento em Harrisburg aconteceu em uma fábrica que manufaturava ferramentas de jardinagem e paisagismo: o presidente inspecionou de perto uma fileira de carrinhos de mão coloridos. O evento seguinte, no qual o discurso seria proferido, foi na arena de rodeios do Farm Show Complex & Expo Center.

E essa era toda a relevância da curta viagem. Ela tinha sido planejada tanto para lembrar ao resto dos Estados Unidos que o presidente não era apenas mais um tagarela fajuto de smoking como os convidados no Jantar dos Correspondentes da Casa Branca (isso de certa forma pressupunha que a base do presidente se importava com o evento ou sequer sabia de sua existência) quanto para manter a cabeça de Trump longe do fato de que estava perdendo o jantar.

Mas o presidente não parava de pedir atualizações sobre as piadas.

16. Comey

"É impossível fazê-lo entender que não tem como parar as investigações", declarou Roger Ailes no começo de maio, uma voz frustrada no grupo de assessores extraoficiais de Trump. "Antigamente, podíamos dizer para deixar isso para lá. Agora você diz para deixar para lá e é você quem acaba investigado. Isso não entra na cabeça dele."

Na verdade, enquanto vários membros do grupo de bilionários tentavam acalmar o presidente durante os telefonemas noturnos, eles estavam em grande medida o incitando ao expressar a enorme preocupação com os riscos que corria com o Departamento de Justiça e o FBI. Muitos dos amigos ricos de Trump se achavam especialistas em lidar com o Departamento de Justiça. Em suas carreiras, tiveram problemas suficientes com a Justiça, o que os levou a estabelecer relações e fontes no Departamento, e agora estavam sempre a par das fofocas internas. Flynn lhe traria problemas. Manafort daria voltas. E não era só a Rússia. Era Atlantic City. E Mar-a-Lago. E Trump SoHo.

Tanto Chris Christie quanto Rudy Giuliani — os dois autoproclamados especialistas em Departamento de Justiça e FBI, e sempre garantindo a Trump suas fontes — o instigavam a adotar a visão de que a Justiça já estava decidida contra ele: era tudo parte de uma trama remanescente de Obama.

Mais premente ainda era o medo de Charlie Kushner, canalizado pelo filho e pela nora, de que os negócios da família estavam se embolando com a atividade de Trump. Vazamentos em janeiro tinham liquidado o acordo dos Kushner com o colosso financeiro chinês Anbang Insurance Group para refinanciar a enorme dívida que tinham em um de seus principais investimentos imobiliários, o edifício nº 666 da Quinta Avenida. No final de abril, o *New York Times*, abastecido por vazamentos do Departamento de Justiça, publicou em sua primeira página a ligação entre os negócios dos Kushner e Beny Steinmetz – bilionário israelense das áreas de diamante, mineração e imobiliária ligadas aos russos, alvo de uma investigação inveterada mundo afora. (A situação dos Kushner não era favorecida pelo fato de que o presidente dizia alegremente a inúmeras pessoas que Jared podia resolver o problema do Oriente Médio porque a família Kushner conhecia todos os escroques de Israel.) Durante a primeira semana de maio, o *Times* e o *Washington Post* cobriram as tentativas da família Kushner de atrair investidores chineses prometendo vistos americanos.

"As crianças" – Jared e Ivanka – pareciam estar cada vez mais apavoradas com a possibilidade de o FBI e o Departamento de Justiça estarem indo além da questão da interferência russa nas eleições e investigando também as finanças da família. "Ivanka está em pânico", declarou um Bannon satisfeito.

Trump passou a sugerir a seu coro de bilionários que talvez demitisse o diretor do FBI, Comey. Tinha mencionado essa ideia diversas vezes, mas sempre, ao que parecia, ao mesmo tempo e no mesmo contexto em que trazia à baila a possibilidade de demitir outras pessoas. *Será que eu demito o Bannon? Será que eu demito o Reince? Será que eu demito o McMaster? Será que eu demito o Spicer? Será que eu demito o Tillerson?* Esse ritual era, todos compreendiam, mais um pretexto para discutir o poder que ele tinha do que para tomar qualquer decisão em relação à equipe. Ainda assim, no estilo Trump, de envenenar o poço, a pergunta "será que eu demito o fulano", e qualquer consideração feita por algum dos bilionários, se traduzia em concordância, por exemplo: *O Carl Icahn acha que eu devo demitir o Comey (ou Bannon, ou Priebus, ou McMaster, ou Tillerson).*

A filha e o genro, com uma urgência agravada pelo pânico de Charlie Kushner, o encorajavam, argumentando que Comey, antes passível de sedução, agora era um jogador perigoso e incontrolável cujo lucro inevitavelmente seria o prejuízo deles. Quando Trump ficava nervoso com algum assunto, Bannon observou, em geral era porque alguém o tinha deixado assim. O foco familiar do debate – insistente, quase exaltado – se voltou integralmente para a ambição de Comey. Ele ascenderia causando-lhes danos. E o rufar dos tambores aumentava.

"Aquele filho da puta vai tentar demitir o diretor do FBI", disse Ailes.

Na primeira semana de maio, o presidente teve uma reunião inflamada com Sessions e seu adjunto Rod Rosenstein. Foi um encontro humilhante para ambos, com Trump insistindo que eles eram incapazes de controlar seus próprios funcionários e fazendo pressão para que achassem um motivo para demitir Comey — de fato, ele os culpava por não terem arrumado o tal motivo meses antes. (Era culpa deles, insinuava, Comey não ter sido despedido logo de cara.)

Na mesma semana, houve uma reunião em que estavam presentes o presidente, Jared e Ivanka, Bannon, Priebus e o conselheiro da Casa Branca, Don McGahn. Foi uma reunião a portas fechadas — todos perceberam, já que o comum era a porta da Sala Oval estar aberta.

Todos os democratas detestam o Comey, afirmou o presidente, expressando sua opinião infalível e autojustificada. *Todos os agentes do FBI também o odeiam — 75% o acham insuportável.* (Esse era o número com que Kushner de alguma forma tinha se deparado, e Trump adotou.) *Demitir Comey será uma grande vantagem na hora de arrecadar fundos*, declarou o presidente, um homem que quase nunca falava em arrecadar fundos.

McGahn tentou explicar que, na verdade, não era o próprio Comey quem conduzia a investigação sobre a Rússia, que mesmo sem Comey a investigação prosseguiria. McGahn, o advogado cuja função era necessariamente emitir advertências, era alvo frequente da fúria de Trump. Em geral, começava com uma espécie de exagero ou encenação e depois se entregava às reações genuínas: acessos de raiva incontroláveis, com veias saltadas e cara feia. Era primitivo. Agora as acusações do presidente se concentravam na ira cruel contra McGahn e seus avisos em relação a Comey.

"O Comey foi um rato", repetia Trump. Havia ratos por todos os lados e era preciso se livrar deles. *John Dean, John Dean*, ele repetia. "Você sabe o que o John Dean fez com o Nixon?"

Trump, que via a história através de personalidades — pessoas de que talvez gostasse ou não gostasse —, tinha fascínio por John Dean. Ia à loucura quando o agora grisalho e muito envelhecido Dean aparecia em programas de entrevistas para comparar a investigação Trump-Rússia a Watergate. Isso chamava a atenção do presidente de imediato e ensejava um inevitável monólogo de réplicas em frente à TV sobre lealdade e sobre o que as pessoas eram capazes de fazer pela atenção da mídia. Também poderia ser acompanhado pelas diversas teorias revisionistas de Trump sobre Watergate e como armaram para Nixon. E havia sempre ratos. Um rato era alguém que o derrubaria para obter vantagens. Se tivesse um rato, você tinha de matá-lo. E havia ratos por todos os lados.

(Mais tarde, foi Bannon quem teve que puxar o presidente de lado e lhe dizer que John Dean fora o conselheiro da Casa Branca no governo Nixon, portanto seria uma boa ideia pegar leve com McGahn.)

Conforme a reunião prosseguia, Bannon, em desgraça e agora aliado de Priebus, devido à antipatia de ambos por Jarvanka, aproveitou a oportunidade para se opor com veemência a qualquer jogada contra Comey — o que também era uma tentativa de se opor a Jared e Ivanka e seus aliados, "os gênios". ("Os gênios" era um dos termos depreciativos de Trump a quem o amolasse ou se achasse mais inteligente que ele, e Bannon tinha se apropriado do termo e agora o aplicava à família de Trump.) Dando avisos contundentes e desesperados, Bannon disse ao presidente: "Essa história da Rússia é uma história de terceira categoria, mas se você despedir Comey, será a maior história do mundo".

Quando a reunião terminou, Bannon e Priebus acreditavam ter levado a melhor. Mas naquele fim de semana, em Bedminster, o presidente, de novo atento ao grande desalento da filha e do genro, ergueu outra mola propulsora. Com Jared e Ivanka, Stephen Miller também esteve presente no fim de semana. O tempo estava ruim e o presidente perdeu a partida de golfe, insistindo, com Jared, na fúria contra Comey. Foi Jared, na versão contada por quem estava de fora do círculo Jarvanka, quem o pressionou a agir, mais uma vez enervando o sogro. Com o consentimento do presidente, Kushner, nessa versão, entregou a Miller anotações do porquê o diretor do FBI deveria ser demitido e pediu que ele rascunhasse uma carta que lançasse as bases para a demissão sumária. Miller — sem nenhum jeito para rascunhar o texto — recrutou a ajuda de Hicks, outra pessoa sem habilidades claramente relevantes. (Mais tarde, Miller seria repreendido por Bannon por se envolver, e possivelmente ser enredado, na confusão relativa a Comey.)

A carta, em um rascunho construído por Miller e Hicks tomados pelo pânico, segundo as instruções de Kushner ou instruções recebidas direto do presidente, era uma confusão que continha os pontos de discórdia — o tratamento de Comey à investigação sobre Hillary Clinton; a afirmação (de Kushner) de que o próprio FBI tinha se voltado contra Comey; e, a grande obsessão do presidente, o fato de que Comey não admitia publicamente que o presidente não estava sob investigação — que embasariam a defesa da família Trump para justificar a demissão de Comey. Isto é, tudo menos o fato de que o FBI de Comey investigava o presidente.

O lado de Kushner, por sua vez, lutou com amargura contra qualquer caracterização de Kushner como principal proponente ou arquiteto, colocando toda a iniciativa da carta de Bedminster — bem como a decisão de que se livrassem de Comey — inteiramente na cabeça do presidente e citando Kushner como espectador passivo. (O lado de Kushner foi articulado da seguinte forma: "Ele [Kushner] apoiou a decisão? Sim. Foi informado de que isso aconteceria? Sim. Ele incentivou? Não. Estava lutando por isso [a expulsão de Comey] há semanas ou meses? Não. Ele lutou contra [a expulsão]? Não. Disse que terminaria mal? Não".)

Horrorizado, McGahn revogou seu envio. Porém, a carta foi passada a Sessions e a Rosenstein, que começaram logo a rascunhar a própria versão do que Kushner e o presidente obviamente queriam.

"Eu sabia que quando ele voltasse estouraria a qualquer instante", disse Bannon depois que o presidente retornou do fim de semana em Bedminster.

Na manhã de segunda-feira, 8 de maio, em uma reunião na Sala Oval, o presidente disse a Priebus e Bannon que tinha se decidido: demitiria o diretor Comey. Os dois novamente fizeram súplicas inflamadas contra a medida, pedindo, no mínimo, que discutissem mais sobre o assunto. Aí estava a técnica principal para lidar com o presidente: adiamento. Deixar algo para depois podia significar que outra coisa — um fiasco igual ou maior — surgiria para esvaziar o fiasco que tinha nas mãos. Além do mais, o adiamento funcionava de modo vantajoso com o intervalo de atenção de Trump: fosse qual fosse a questão do momento, em pouco tempo ele estaria focado em outra coisa. Quando a reunião terminou, Priebus e Bannon acreditavam ter conseguido um respiro.

Naquele mesmo dia, mais tarde, Sally Yates e o ex-diretor de Inteligência Nacional James Clapper se apresentaram à subcomissão de Crime e Terrorismo da Comissão Judiciária do Senado — e foram recebidos com uma série de tuítes enfurecidos do presidente.

Ali estava, Bannon tornou a perceber, o problema essencial de Trump. Ele era irremediavelmente passional. Via o mundo em termos de comércio e show business: alguém estava sempre tentando superá-lo, alguém estava sempre tentando puxar seu tapete. A batalha era entre ele e alguém que almejava o que ele tinha. Para Bannon, reduzir o mundo político a confrontos e brigas ofuscava o que Trump e seu governo haviam conquistado. Mas também camuflava os verdadeiros poderes que enfrentavam. Não eram pessoas — eram instituições.

Para Trump, ele estava somente contra Sally Yates, que era, ele espumava, "uma filha da puta".

Desde sua demissão, em 30 de janeiro, Yates guardava um silêncio suspeito. Quando os jornalistas a abordavam, ela, ou seus intermediários, explicava que segundo seus advogados ela estava impedida de aparecer em todas as mídias. O presidente acreditava que Yates estava simplesmente armando uma emboscada. Em telefonemas a amigos, ele expunha sua preocupação com o "plano" e a "estratégia" de Yates, e não parava de pressionar suas fontes pós-jantar para que lhe dissessem o que achavam que ela e o conspirador de Obama predileto de Trump, Ben Rhodes, guardavam "na manga".

Para cada um de seus inimigos — e, a bem da verdade, para cada um de seus amigos — a questão se resumia, sob diversos aspectos, ao plano midiático pessoal. A mídia era o campo de batalha. Trump presumia que todo mundo quisesse seus quinze minutos de fama e que todo mundo tinha uma estratégia para quando os obtivesse. Se não conseguisse mídia para si, a pessoa se tornava fonte de vazamentos. Não existia notícia acidental, na visão de Trump. Todas as notícias eram manipuladas e criadas, planejadas e plantadas. Todas as notícias eram em certa medida falsas — entendia isso muito bem, pois as tinha inventado inúmeras vezes ao longo de sua carreira. Era por isso que tinha uma simpatia natural pelo rótulo "fake news". "Invento coisas desde sempre, e eles sempre botam no papel", ele se gabava.

O retorno de Sally Yates, com seu testemunho à Comissão Judiciária do Senado, marcava o começo, Trump acreditava, de seu lançamento midiático duradouro e bem planejado. (A visão que ele tinha da imprensa foi confirmada no fim de maio, com um perfil generoso e hagiográfico de Yates na *New Yorker*. "Há quanto tempo você acha que ela estava planejando isso?", ele fez a pergunta retórica. "Você sabe que ela estava. Ela vai receber uma bolada.") "Yates só é famosa por minha causa", o presidente reclamou em tom amargo. "Se não fosse eu, quem seria ela? Ninguém."

Diante do Congresso naquela manhã de segunda-feira, Yates teve um desempenho cinematográfico – calma, controlada, detalhista, abnegada –, contribuindo para a fúria e a agitação de Trump.

Na manhã de terça-feira, dia 9 de maio, com o presidente ainda obcecado por Comey, e com Kushner e sua filha por trás, Priebus tentou um novo adiamento: "Existem um jeito certo e um errado de fazer isso", ele disse ao presidente. "Não é bom que ele fique sabendo pela televisão. Vou dizer pela última vez: esse não é o jeito certo de fazer isso. Se você quiser, o jeito certo é chamá-lo para conversar. Essa é a forma decente e profissional." Mais uma vez, o presidente pareceu se acalmar e focar mais no procedimento necessário.

Mas foi uma falsa impressão. Na verdade, o presidente, a fim de evitar seguir o processo convencional – ou, aliás, qualquer noção real de ação e reação –, apenas eliminou todo mundo de *seu* procedimento. Durante boa parte do dia, quase ninguém saberia que ele se decidira a resolver a situação por conta própria. Nas crônicas presidenciais, talvez a demissão do diretor do FBI James Comey seja a atitude mais importante que um presidente moderno tenha tomado completamente sozinho.

Por ironia do destino, o Departamento de Justiça – o procurador-geral Sessions e o procurador-geral adjunto Rod Rosenstein – estava, independente dos movimentos do presidente em relação a isso, preparando os argumentos contra Comey. Pegaria o caminho de Bedminster e responsabilizaria Comey pelos erros ao lidar com a confusão dos e-mails de Clinton – uma acusação problemática, pois se realmente era essa a questão, por que Comey não fora demitido com base nisso assim que o governo Trump tomou posse? Mas, de fato, apesar do processo de Sessions e Rosenstein, o presidente estava decidido a agir sozinho.

Jared e Ivanka instigavam o presidente a ir em frente, mas nem eles sabiam que a guilhotina seria solta em breve. Hope Hicks, a sombra inabalável de Trump, que de resto sabia tudo o que o presidente pensava – principalmente porque ele era incapaz de não expressar em voz alta o que lhe passava pela cabeça –, não sabia. Steve Bannon, por mais que estivesse preocupado com os acessos do presidente, não sabia. O chefe de gabinete não sabia. E a porta-voz da Casa Branca não sabia. O presidente, prestes a começar uma guerra contra o FBI, o Departamento de Justiça e muitos congressistas, pegava um caminho perigoso.

Em certo momento daquela tarde, Trump contou o plano à filha e ao genro. Eles logo se tornaram coconspiradores e excluíram firmemente qualquer conselho conflitante.

É curioso que esse tenha sido um dia de notável pontualidade e serenidade na Ala Oeste. Mark Halperin, repórter de política e cronista da campanha, esperava Hope Hicks na recepção, e ela o buscou pouco antes das cinco da tarde. Howard Kurtz, da Fox, também estava lá, aguardando seu compromisso com Sean Spicer. E a assistente de Reince Priebus tinha acabado de aparecer para avisar que o compromisso das cinco horas começaria dali a poucos minutos.

Pouco antes desse horário, na verdade, o presidente, que pouco antes avisara McGahn de sua intenção, apertou o gatilho. O segurança pessoal de Trump, Keith Schiller, deixou a carta de demissão no escritório de Comey no FBI pouco depois das cinco. A segunda frase da carta incluía as palavras "O senhor está por meio desta despedido e afastado do cargo, com vigência imediata".

Logo em seguida, a maioria dos funcionários da Ala Oeste, por cortesia de uma notícia errônea da Fox News, ficou por um breve instante com a impressão de que Comey tinha renunciado. Então, em uma série de sinapses informativas ao longo dos escritórios da Ala Oeste, ficou claro o que havia acontecido de verdade.

"Então o próximo é um procurador especial!", disse Priebus, incrédulo, sem se dirigir a ninguém, ao descobrir pouco antes das cinco o que estava acontecendo.

Spicer, que mais tarde seria responsabilizado por não enxergar uma forma de dar um toque positivo à demissão de Comey, só teve minutos para digerir o ocorrido.

Não só a decisão foi tomada pelo presidente sem quase nenhuma consulta além daquela aos parentes mais próximos, mas a reação, e explicação, e até as justificativas legais eram conduzidas quase exclusivamente por ele e pela família. A argumentação paralela de Rosenstein e Sessions para a demissão foi adequada no último minuto, momento em que, segundo as instruções de

Kushner, a explicação inicial para a demissão de Comey passou a ser a de que o presidente agira por conta própria seguindo as recomendações deles. Spicer foi obrigado a enunciar esse raciocínio improvável, assim como o vice-presidente. Mas a falsa aparência se desfez quase imediatamente, também com ajuda de quase todo mundo da Ala Oeste, já que ninguém queria ter qualquer envolvimento com a decisão de despedir Comey.

Na divisão da Casa Branca, o presidente, junto com a família, estava de um lado, enquanto a equipe — toda boquiaberta, incrédula e emudecida — estava do outro.

Mas o presidente também parecia desejar que soubessem que ele, animado e perigoso, derrubara Comey com as próprias mãos. Esqueçam Rosenstein e Sessions, foi *sim* pessoal. Era um presidente poderoso e vingativo, sob todos os aspectos irritado e ofendido por aqueles que o caçavam, e decidido a proteger seus parentes, que por sua vez estavam decididos a contar com a proteção dele.

"A filha vai derrubar o pai", disse Bannon, com um ar shakespeariano.

Dentro da Ala Oeste cenários alternativos eram constantemente construídos. Se queria se livrar de Comey, sem dúvida havia maneiras políticas de fazê-lo — o que haviam sugerido a Trump. (Uma forma curiosa — uma ideia que mais tarde pareceria irônica — era se livrarem do general Kelly da Segurança Nacional e botarem Comey no cargo.) Mas a questão era que Trump de fato desejara confrontar e humilhar o diretor do FBI. A crueldade era uma característica de Trump.

A demissão fora levada a cabo publicamente e perante a família de Comey — pegando-o totalmente desprevenido quando proferia um discurso na Califórnia. Em seguida, o presidente levou o golpe para o lado ainda mais pessoal com um ataque ad hominem ao diretor, sugerindo que o FBI estava do lado de Trump e que a agência também só tinha desprezo por Comey.

No dia seguinte, tentando dar ainda mais ênfase e se deleitando com a ofensa e sua impunidade pessoal, o presidente se encontrou com mandachuvas russos na Sala Oval, inclusive o embaixador da Rússia, Kislyak, o foco de grande parte da investigação Trump-Rússia. Aos russos, ele declarou: "Acabei de demitir o diretor do FBI. Ele era maluco, louco de pedra. Enfrentei muita pressão por causa da Rússia. Agora acabou". Além disso, revelou informações dadas aos Estados Unidos por Israel, colhidas por seu agente na Síria, sobre a utilização de laptops pelo Estado Islâmico para contrabandear bombas em linhas aéreas — revelando informações suficientes para expor o agente israelense. (O incidente foi um desserviço a Trump nos círculos da inteligência, já que, na espionagem, as fontes humanas devem ser protegidas acima de qualquer outro segredo.)

"É o Trump", disse Bannon. "Ele acha que pode demitir o FBI."

Trump acreditava que demitir Comey o transformaria em herói. Nas 48 horas seguintes, ele contou sua versão a diversos amigos. Era simples: havia encarado o FBI. Provara que estava disposto a assumir o poder estatal. O de fora contra os de dentro. Afinal, era por isso que fora eleito.

Em certa medida, tinha razão. Um dos motivos para os presidentes não demitirem o diretor do FBI era o medo das consequências. É a síndrome Hoover: qualquer presidente pode ser refém do que o FBI sabe, e um presidente que trata o FBI com algo menos que deferência o faz por sua conta e risco. Mas o presidente enfrentou os agentes federais. Um homem contra o poder inexplicável contra o qual a esquerda sempre se mobilizava — e que nos últimos tempos a direita também encarava como uma questão crucial. "Todo mundo devia estar torcendo por mim", o presidente disse a amigos, em tom de lamento.

Essa era outra característica peculiar de Trump: a incapacidade de ver seus atos como a maioria os via. Ou entender plenamente qual comportamento os outros esperavam dele. A noção da presidência como conceito institucional e político, com ênfase no ritual, no decoro e na mensagem semiótica — a habilidade política —, lhe escapava.

No governo, o afastamento de Comey foi visto como uma espécie de repulsa à burocracia. Bannon tentara explicar a Trump a natureza essencial dos servidores públicos de carreira, pessoas cuja zona de conforto estava na associação a organizações hegemônicas e na sensação de ter uma causa nobre — eram diferentes, bem diferentes, de quem buscava a distinção pessoal. Comey podia ser qualquer outra coisa, mas era acima de tudo um burocrata. Mostrá-lo de maneira desonrosa era mais um insulto de Trump à burocracia.

Rod Rosenstein, o autor da carta que fornecia de modo aparente a justificativa para a demissão de Comey, agora estava na linha de fogo. Rosenstein, com 52 anos, que com seus óculos sem armação parecia seguir o estilo de burocrata ao quadrado, era o procurador americano com maior tempo de serviço do país. Vivia dentro do sistema, sempre de acordo com as regras e aparentando ter como meta principal que os outros dissessem que ele sempre agia de acordo com as regras. Era uma pessoa honesta — e queria que todo mundo soubesse disso.

Tudo isso foi solapado por Trump — vandalizado, até. O presidente de olhar intimidador e rosnador havia amedrontado os dois maiores agentes da lei do país, levando-os a uma acusação imponderada e inoportuna do diretor do FBI. Rosenstein já se sentia usado e abusado. E então percebeu que também tinha sido manipulado. Era um trouxa.

O presidente havia forçado Rosenstein e Sessions a reunirem uma justificativa legal, mas depois não foi sequer capaz de manter o fingimento burocrático de segui-la. Após aliciar Rosenstein e Sessions nessa trama, Trump agora expunha o empenho de ambos em apresentar um caso razoável e sincero como uma fraude — e, possivelmente, um plano para obstruir a Justiça. O presidente deixou perfeitamente claro que não tinha demitido o diretor do FBI por ter sido injusto com Hillary: ele demitira Comey porque o FBI estava muito agressivo na investigação dele e de seu governo.

O grande seguidor de regras Rod Rosenstein — outrora a quintessência do jogador apolítico — se tornou de imediato, aos olhos de Washington, um incorrigível objeto de Trump. Mas a vingança de Rosenstein foi habilidosa, ligeira, esmagadora e (é claro) de acordo com as regras.

Dada a decisão do procurador-geral de se declarar impedido de lidar com a investigação sobre a Rússia, o procurador-geral adjunto ficou responsável por determinar se existia conflito — isto é, se o procurador-geral adjunto, por interesse pessoal, não conseguisse ser objetivo — e se, segundo os próprios critérios, julgasse haver conflito, que ele designasse um procurador especial externo com amplos poderes e responsabilidades para conduzir a investigação e, talvez, o processo.

Em 17 de maio, doze dias após a demissão de Comey, Rosenstein, sem consultar a Casa Branca ou o procurador-geral, nomeou o ex-diretor do FBI Robert Mueller para supervisionar a investigação das ligações de Trump, de sua campanha e de sua equipe com a Rússia. Se Michael Flynn havia recentemente se tornado o homem mais poderoso de Washington pelo que poderia revelar sobre o presidente, agora Mueller possivelmente tomava esse lugar porque tinha o poder de fazer Flynn, e todos os vários amigos e lacaios de Trump, gritar.

Rosenstein, é claro, talvez com certa satisfação, entendia que ele havia desferido um golpe possivelmente fatal à presidência de Trump.

Bannon, balançando a cabeça em um gesto admirado para Trump, comentou secamente: "Ele não necessariamente sabe o que está por vir".

17. No exterior e em casa

Roger Ailes tinha se programado para voltar de Palm Beach para Nova York no dia 12 de maio. O objetivo da viagem era encontrar Peter Thiel, apoiador solitário e de primeira hora de Donald Trump no Vale do Silício, que estava cada vez mais pasmo com a imprevisibilidade do presidente. Ailes e Thiel, preocupados com a possibilidade de que Trump derrubasse o trumpismo, discutiriam o financiamento e o lançamento de uma nova rede de notícias na TV a cabo. Thiel entraria com o dinheiro, e Ailes traria O'Reilly, Hannity, ele mesmo e talvez Bannon para o empreendimento.

Porém, dois dias antes do encontro, Ailes levou um tombo no banheiro e bateu a cabeça. Antes de entrar em coma, pediu à esposa que não reagendasse a reunião com Thiel. Uma semana mais tarde, Ailes, aquela figura peculiar desde a marcha da maioria silenciosa de Nixon, passando pelos democratas de Reagan até a base fervorosa de Trump, faleceu.

Seu funeral em Palm Beach, no dia 20 de maio, foi um estudo sobre o curso dos dilemas e até mesmo das aflições da direita. Profissionais de direita continuavam aparentemente entusiasmados com a defesa de Trump, mas estavam nervosos, se não envergonhados, quando reunidos. No funeral, Rush Limbaugh e Laura Ingraham se esforçaram para analisar o apoio ao trumpismo embora se distanciassem do próprio Trump.

Sem dúvida, o presidente havia se tornado o grande símbolo da direita. Era o suprassumo antiliberal: um autoritário que representava a personificação da resistência a autoridades; o oposto exuberante a tudo o que a direita considerava paternalista, ingênuo e hipócrita na esquerda. E, no entanto, obviamente, Trump era Trump — desleixado, volúvel, desleal, fora de qualquer tipo de controle. Ninguém sabia disso tanto quanto as pessoas que melhor o conheciam.

Beth, a esposa de Ailes, convidou para o funeral apenas os partidários do marido. Excluiu qualquer um que tivesse hesitado em defendê-lo de sua demissão ou resolvido que um futuro melhor estaria nas mãos da família Murdoch. Ainda arrebatado pelo prestígio que agora tinha com Murdoch, Trump se manteve do outro lado da linha divisória. Horas e então dias — contados com cuidado por Beth Ailes — se passaram sem que o presidente desse um telefonema de condolências.

Na manhã do funeral, o avião particular de Sean Hannity decolou do Republic Airport de Farmingdale, em Long Island, rumo a Palm Beach. Hannity estava acompanhado de um pequeno grupo de funcionários e ex-funcionários da Fox, todos aliados de Ailes e de Trump. No entanto, todos sentiam um mal-estar confesso, ou mesmo uma incredulidade, quanto a Trump ser Trump: primeiro havia a dificuldade de captar o raciocínio a respeito de Comey, e agora a incapacidade de o presidente fazer sequer um aceno ao falecido amigo Ailes.

"Ele é um idiota, é óbvio", declarou Liz Trotta, ex-correspondente da Fox.

Kimberly Guilfoyle, a âncora do canal, passou boa parte do voo debatendo as súplicas que Trump fizera para ela substituir Sean Spicer na Casa Branca. "São muitas questões envolvidas, inclusive de sobrevivência pessoal."

Quanto ao próprio Hannity, sua visão do mundo da direita estava se transformando de foxcêntrica a trumpcêntrica. Ele acreditava que não levaria nem um ano para também ser demitido da rede, ou para que a achasse inóspita demais para continuar lá. E no entanto se angustiava com a atenção obsequiosa que Trump dedicava a Murdoch, o qual não apenas despejara Ailes como era de um conservadorismo utilitário, na melhor das hipóteses. "Ele era a favor de Hillary!", comentou Hannity.

Ruminando em voz alta, Hannity afirmou que deixaria a rede e trabalharia para Trump em tempo integral, pois nada era mais importante do que o êxito de Trump — "apesar dele mesmo", acrescentou Hannity, aos risos.

Mas estava chateado porque Trump não havia telefonado para Beth. "Mueller", concluiu ele, tragando com força um cigarro eletrônico, "o distraíra."

Trump pode ser uma criatura como a de Frankenstein, mas era a criatura da direita — o primeiro, o genuíno, o original da direita. Hannity poderia ignorar o desastre de Comey. E Jared. E a bagunça da Casa Branca.

Entretanto, ele não tinha telefonado para Beth.

"Que porra é essa que está acontecendo com ele?", indagou Hannity.

Trump acreditava que estava a uma vitória de virar tudo do avesso. Ou, talvez mais objetivamente, a uma vitória da mídia que viraria tudo do avesso. O fato de ter praticamente desperdiçado seus primeiros cem dias — cujas vitórias deveriam ter sido a moeda de troca dos cem dias seguintes — era irrelevante. Na mídia, era possível ir mal em um dia e no outro ser um sucesso.

"Coisas grandes, a gente precisa de coisas grandes", ele dizia, frequentemente irritado. "Não é grandioso. Preciso de grandiosidade. Você sabe o que significa grandioso?"

Revogação e substituição de medidas de políticas públicas, infraestrutura, uma reforma tributária de verdade: os projetos que Trump prometera — mas que dependiam de Paul Ryan para serem executados — estavam ruindo. Todos os membros antigos da equipe agora afirmavam que, para começo de conversa, não deveriam ter tocado no sistema de saúde, o precursor dos projetos legislativos. De qualquer maneira, quem foi que tivera aquela ideia?

O padrão natural talvez fosse o de realizar primeiro coisas pequenas, seguir gradativamente o programa. Mas Trump demonstrou pouco interesse nas coisas pequenas, tornando-se apático e irritadiço.

Então, tudo bem, teria de ser a paz no Oriente Médio.

Para Trump, assim como para muitos showmen ou empresários de press release, o inimigo de tudo se resume a complexidade e burocracia, e a solução para tudo é cortar caminhos. Passe longe das dificuldades ou as ignore: apenas siga em frente em direção à visão que, se for audaz o bastante, ou grandiosa o bastante, se venderá sozinha. Nessa fórmula, há sempre uma série de intermediários que vão prometer ajudá-lo a cortar caminho, bem como parceiros que ficarão contentes em pegar carona na sua grandiosidade.

Então entra o príncipe herdeiro da dinastia dos Saud, Mohammed bin Salman bin Abdulaziz Al Saud, de 31 anos, também conhecido como MBS.

A fortuita circunstância era o fato de que o rei da Arábia Saudita, o pai de MBS, estava perdendo o controle. Na família real saudita, crescia (um pouco) o consenso sobre a necessidade de modernização. Mohammed bin Salman — jogador inveterado de video games — era um novo tipo de personalidade na liderança saudita: volúvel, franco e expansivo; um encantador e um negociador internacional, um vendedor astuto em vez de um nobre distante e taciturno. Tinha se apoderado do portfólio econômico e buscava uma visão — uma visão bem trumpiana — para Dubai superar a si mesma e para diversificar a economia. Seu reinado seria novo, moderno — bom, um pouco mais moderno (sim, em breve as mulheres poderiam dirigir — graças a Deus os carros autônomos estavam chegando!). A liderança saudita era marcada pela idade, pelo tradicionalismo, pelo relativo anonimato e pela cautelosa unanimidade de pensamento. A família real saudita, por outro lado, de onde vem a classe dominante, era muitas vezes marcada pelo excesso, pela ostentação e por compartilhar as alegrias da modernidade em portos estrangeiros. MBS, um homem com pressa, tentava unir os egos da realeza saudita.

A liderança do liberalismo global havia sido quase paralisada pela eleição de Donald Trump — aliás, pela mera *existência* de Donald Trump. Porém, no Oriente Médio, o universo estava do avesso. A truculência, a racionalização extremada e a microgestão de Obama, precedidos pelo militarismo moral de Bush e pelas rupturas acarretadas por ele, por sua vez precedidos pela criação de acordos, pelo *quid pro quo* e pelas punhaladas pelas costas de Clinton, abriram caminho para a versão de Trump para a realpolitik. Ele não tinha paciência para o tédio de estar-de-mãos-atadas do método pós-Guerra Fria, para a sensação de que as peças do tabuleiro de xadrez estão paradas, para a mudança gradativa como melhor hipótese — a única alternativa era a guerra. A visão dele era bem mais simples: quem detém o poder? Me dê o número da pessoa.

E igualmente básico: o inimigo do meu inimigo é meu amigo. Se Trump tinha um ponto de referência fixo no Oriente Médio era o de que — em grande medida graças às aulas de Michael Flynn — o Irã era o vilão. Logo, todo mundo que se opunha ao Irã era ótimo.

Na confusão da transição de Trump, ninguém com envergadura em política externa e rede de contatos internacional foi convocado — até o novo secretário de Estado designado, Rex Tillerson, não tinha experiência real com política externa. Aos olhos de secretários de política externa confusos, parecia lógico ver o genro do presidente eleito como uma figura estável. O que quer que acontecesse, ele estaria ali. E para certos regimes, sobretudo os sauditas centrados na família, Kushner, o genro, era uma figura muito mais confiável do que um político qualquer. Ele não estava na função por causa de suas ideias. Por isso, após a eleição de Trump, MBS entrou em contato com Kushner.

Das inúmeras lacunas no modo como Trump conduzia uma superpotência, era possível sem dúvida passar com um cavalo de Troia por seu vão de especificidades e relações na política externa. Isso representava uma chance de o mundo reformular sua relação com os Estados Unidos — ou representaria, caso estivessem dispostos a falar a nova língua de Trump, fosse qual fosse. Não havia um mapa indicando o caminho, só oportunismo puro, uma nova abertura transacional. Ou, mais ainda, uma chance de usar o poder do charme e da sedução que suscitou em Trump uma reação entusiástica, assim como acontecia quando lhe faziam ofertas de novos acordos vantajosos.

Era realpolitik ao estilo de Kissinger. O próprio Kissinger, havia muito tempo conhecido de Trump por meio da sociedade de Nova York e agora com Kushner debaixo de suas asas, se reinseria com sucesso, ajudando-o a organizar encontros com os chineses e os russos.

Muitos parceiros habituais dos Estados Unidos e até mesmo muitos opositores estavam inquietos, se não horrorizados. Ainda assim, alguns viam uma oportunidade. Os russos viam um passe livre para a Ucrânia e a Geórgia, bem como a suspensão de sanções em troca de abrir mão do Irã e da Síria. No início da transição, um oficial de alta patente do governo turco, em um genuíno equívoco, se aproximou de um grande empresário norte-americano para indagar se a Turquia teria mais influência ao fazer pressão pela presença militar dos Estados Unidos no país ou ao oferecer ao novo presidente uma área invejável para construir um hotel de frente para o Bósforo.

Havia um aspecto curioso em que a família Trump e MBS estavam alinhados. Assim como toda liderança saudita, faltava a MBS, no sentido prático, a educação. No passado, isso limitava as opções sauditas — ninguém tinha preparo para explorar com confiança novas possibilidades intelectuais. Por consequência, todo mundo tinha medo de tentar fazê-los imaginar mudanças. Mas MBS e Trump estavam em pé de igualdade: ter pouco conhecimento os deixava estranhamente à vontade um com o outro. Quando MBS se ofereceu a Kushner como seu camarada no reino saudita, foi "como conhecer uma pessoa legal no primeiro dia de colégio interno", disse o amigo de Kushner.

Abandonando bem depressa antigas suposições — na verdade, não tinha exatamente consciência delas —, o novo pensamento de Trump sobre o Oriente Médio tornou-se o seguinte: existem basicamente quatro jogadores (ou pelo menos é possível esquecer todos os outros) — Israel, Egito, Arábia Saudita e Irã. Os três primeiros podem se unir contra o quarto. E o Egito e a Arábia Saudita, conseguindo o que querem em relação ao Irã — e em qualquer outro aspecto que não interfira nos interesses dos Estados Unidos —, pressionarão os palestinos a fecharem um acordo. Voilà.

Isso representava uma mixórdia de ideias constrangedoras. O isolacionismo de Bannon (danem-se suas casas — e nos mantenha fora delas); a postura de Flynn, contrária ao Irã (dentre todas as deslealdades e toxicidades do mundo, nenhuma é maior do que a dos mulás); e o kissingerismo de Kushner (não exatamente um kissingerismo, já que Kushner não tinha ponto de vista próprio, mas uma tentativa obediente de seguir os conselhos do político de 94 anos).

Mas o ponto fundamental era de que os três últimos governos haviam entendido o Oriente Médio da maneira errada. Era inegável o desprezo que o pessoal de Trump sentia pela mentalidade de não-inventar-a-roda que dera tão errado. Portanto, o novo princípio de atuação era simples: fazer o oposto do que eles (referindo-se a Obama e também aos neoconservadores de Bush) fariam. O comportamento deles, a prepotência, as ideias — e, em certo sentido, até mesmo o passado, a educação e a classe deles — eram suspeitos. Além do mais, era desnecessário saber muito: era só fazer de um jeito diferente do que se costumava fazer.

A velha política externa se baseava na ideia de nuance: ao encararmos uma álgebra multilateral infinitamente complexa de ameaças, interesses, incentivos, acordos e relações sempre em evolução, nos esforçamos para atingir um futuro equilibrado. Na prática, a nova política externa, que era uma efetiva doutrina Trump, reduziria o quadro a três elementos: governos com os quais podemos trabalhar, governos com os quais não podemos trabalhar e aqueles sem poder significativo, que podemos funcionalmente desconsiderar ou sacrificar. Era coisa de Guerra Fria. E, de fato, na visão mais geral de Trump, foi na época da Guerra Fria que as circunstâncias proporcionaram aos Estados Unidos sua maior superioridade global. Foi aí que a nação se tornou magnífica.

* * *

Kushner era o condutor da doutrina Trump. Seus testes foram a China, o México, o Canadá e a Arábia Saudita. Ele ofereceu a todos esses países a oportunidade de deixarem seu sogro feliz.

Nos primeiros dias do governo, o México desperdiçou a chance. Nas transcrições das conversas entre Trump e o presidente mexicano Enrique Peña Nieto, que mais tarde se tornariam públicas, fica bem claro que o México não compreendia ou não estava disposto a participar do novo jogo. Peña Nieto se negou a inventar um pretexto de que pagaria pelo muro, uma dissimulação que poderia resultar em uma grande vantagem para ele (sem que tivesse de fato que pagar o muro).

Pouco tempo depois, o novo primeiro-ministro do Canadá, Justin Trudeau, de 45 anos e globalista ao estilo de Clinton e Blair, foi a Washington e sorriu e se segurou para não dizer nada inadequado. E funcionou: o Canadá logo se tornou o novo melhor amigo de Trump.

Os chineses, que Trump volta e meia caluniava durante a campanha, foram a Mar-a-Lago para uma reunião de cúpula promovida por Kushner e Kissinger. (Trump, que se referia ao líder chinês como "Sr. X-i", precisou de umas aulas; a orientação dada foi que pensasse nele como uma mulher e o chamasse de "she".) Estavam de boa vontade, evidentemente dispostos a agradar Trump. E logo perceberam que, se o bajulassem, ele retribuiria da mesma forma.

Mas foi com os sauditas, também muito difamados durante a campanha, que, com a compreensão intuitiva da família, da cerimônia, dos rituais e da civilidade, realmente se deram bem.

O establishment da política externa tinha uma relação longa e bem azeitada com o rival de MBS, o príncipe herdeiro Mohammed bin Nayef (MBN). Figuras-chave da Agência de Segurança Nacional e do Departamento de Estado ficaram em alerta com a possibilidade de as discussões e a relação de Kushner com MBS, que progredia rapidamente, configurarem uma mensagem perigosa a MBN. E é claro que configuraram. Os profissionais da política externa acreditavam que Kushner estava sendo enganado por um oportunista cujas opiniões verdadeiras não haviam sido comprovadas. A visão de Kushner era de que, ingenuamente, não estava sendo enganado, ou então, com a autoconfiança de um homem de 36 anos assumindo as novas prerrogativas de estar no comando, de que não se importava: vamos acolher qualquer um que nos acolha.

A estratégia Kushner/MBS que emergiu tinha uma objetividade incomum no campo da política externa: se você nos der o que queremos, daremos o que você quer. Ao garantir que traria ótimas notícias, MBS foi convidado a visitar a Casa Branca em março. (Os sauditas chegaram com uma delegação numerosa, mas foram recebidos na Casa Branca apenas pelo círculo mais íntimo do presidente — e os sauditas notaram que Trump mandava Priebus se levantar e buscar coisas durante o encontro.) Os dois homens robustos, Trump, o mais velho, e MBS, bem mais jovem — ambos encantadores, bajuladores e piadistas, cada um à sua maneira —, se entenderam muitíssimo bem.

Foi um gesto diplomático agressivo. MBS usava o acolhimento de Trump como parte de seu próprio jogo de poder no reino. E a Casa Branca, sempre negando que fosse esse o caso, permitia que o fizesse. Em troca, MBS oferecia uma cesta de acordos e anúncios que coincidiriam com uma visita presidencial já agendada à Arábia Saudita — a primeira viagem de Trump ao exterior. Trump conseguiria uma "vitória".

Planejada antes da demissão de Comey e a contratação de Mueller, a viagem deixou o Departamento de Estado alarmado. O itinerário — a ser seguido de 19 a 27 de maio — era longo demais para um presidente, sobretudo um que nunca havia sido testado nem instruído. (O próprio Trump, cheio de fobias relativas a viagens e locais desconhecidos, andava resmungando sobre o ônus da jornada.) Mas acontecendo imediatamente após Comey e Mueller, era uma bênção mudar de ares. Não poderia haver momento melhor para ganhar as manchetes longe de Washington. Uma longa viagem poderia mudar tudo.

A Ala Oeste quase inteira, bem como o Departamento de Estado e a equipe de Segurança Nacional, embarcou na viagem: Melania Trump, Ivanka Trump, Jared Kushner, Reince Priebus, Stephen Bannon, Gary Cohn, Dina Powell, Hope Hicks, Sean Spicer, Stephen Miller, Joe Hagin, Rex Tillerson e Michael Anton. Também iriam Sarah Huckabee Sanders, secretária adjunta de imprensa; Dan Scavino, diretor de mídia social do governo; Keith Schiller, assessor de segurança pessoal do presidente; e Wilbur Ross, secretário de Comércio. (Ross foi muito ridicularizado por nunca deixar escapar uma chance de voar de Força Aérea Um — nas palavras de Bannon, "Wilbur é Zelig, você se vira e dá de cara com ele".) Essa viagem e a robusta delegação norte-americana eram o antídoto e o universo alternativo à nomeação de Mueller.

O presidente e o genro mal conseguiam conter a autoconfiança e o entusiasmo. Tinham certeza de que estavam a caminho da paz no Oriente Médio — e nisso eram bem parecidos com vários outros governos que os antecederam.

Trump foi efusivo nos elogios a Kushner. "Jared fez os árabes ficarem totalmente do nosso lado. Acordo fechado", ele garantiu a um dos interlocutores com quem falava depois do jantar, por telefone, antes de viajar. "Vai ser bonito."

"Ele acreditava", disse a pessoa que telefonou, "que a viagem poderia resolver tudo, como uma reviravolta em um filme ruim."

Nas pistas vazias de Riad, o comboio presidencial passou por outdoors com retratos de Trump e do rei saudita (o pai de MBS, de 81 anos) e a legenda JUNTOS SEREMOS MELHORES.

Em parte, o entusiasmo do presidente parecia ter como origem — ou talvez tivesse causado — um exagero considerável do que havia sido de fato acordado durante as negociações anteriores à viagem. Nos dias que antecederam a partida, ele dizia às pessoas que os sauditas financiariam uma presença militar inteiramente nova no reinado, suplantando e até substituindo o centro de comando dos Estados Unidos no Qatar. E haveria "o maior avanço que já aconteceu nas negociações entre Israel e Palestina". Seria "o ponto de virada, enorme como nunca se viu".

Na verdade, sua ideia do que seria realizado estava um salto quântico além do que foi acordado, mas isso não pareceu mudar seu fervor e deleite.

Os sauditas comprariam, de imediato, 110 bilhões de dólares em armamentos norte-americanos e um total de 350 bilhões ao longo de dez anos. "Centenas de bilhões de dólares investidos nos Estados Unidos e empregos e mais empregos", declarou o presidente. Além disso, os norte-americanos e os sauditas juntos "deteriam a mensagem extremista violenta, perturbariam o financiamento do terrorismo e promoveriam a cooperação defensiva". E estabeleceriam um centro em Riad para combater o extremismo. E se isso não era exatamente um acordo de paz no Oriente Médio, o presidente, segundo o secretário de Estado, "acredita se tratar de um momento único. O presidente vai conversar com Netanyahu sobre o processo daqui em diante. Ele vai conversar com o presidente Abbas sobre o que acha necessário para que os palestinos tenham sucesso".

Era tudo um grande negócio trumpiano. Enquanto isso, a Primeira Família — o presidente, a primeira-dama, Jared e Ivanka — era levada de um lado para outro em carrinhos de golfe dourados, e os sauditas fizeram uma festa de 75 milhões de dólares em homenagem a Trump, onde ele se sentou em uma poltrona que lembrava um trono. (Tem-se a impressão, por uma foto, de que o presidente, ao receber uma homenagem do rei saudita, fez uma reverência, suscitando a fúria da direita.)

Cinquenta nações árabes e muçulmanas foram convocadas pelos sauditas para cortejar o presidente. Trump ligou para amigos norte-americanos para contar que o encontro fora tranquilo e espontâneo e que, de modo inexplicável e suspeito, Obama havia atrapalhado tudo. "Tinha uma certa tensão, mas não vai haver tensão com este governo", o presidente assegurou a Hamad bin Isa Al Khalifa, rei do Bahrein.

Abdel Fattah el-Sisi, o déspota egípcio, foi habilidoso quando afagou o presidente e disse: "Você tem uma personalidade única, capaz de fazer o impossível". (A Sisi, Trump replicou: "Adorei seu sapato. Cara, que sapato. Rapaz...".)

Era uma mudança drástica na postura e na estratégia da política externa, e seus efeitos foram quase imediatos. Ignorando — se não desafiando — conselhos acerca da política externa, o presidente aprovou o plano dos sauditas de intimidar o Qatar. A visão de Trump era de que o Qatar fornecia apoio financeiro a grupos terroristas — sem dar atenção a uma história saudita similar. (Apenas *alguns* membros da família real saudita tinham oferecido tal apoio, era a nova linha de raciocínio.) Semanas depois da viagem, MBS, detendo MBN na calada da noite, o forçaria a abrir mão do título de príncipe herdeiro para desse título se apossar. Trump diria a amigos que ele e Jared haviam arquitetado um golpe saudita: "Botamos nosso cara no topo!".

De Riad, a comitiva presidencial seguiu para Jerusalém, onde o presidente se encontrou com Netanyahu e, em Belém, com Abbas, exprimindo sua certeza cada vez maior de que, sob o manto da terceira pessoa, "Trump trará a paz". Depois foi a Roma para conhecer o papa. Em seguida, a Bruxelas, onde, conforme mandava o figurino, ele traçou de modo significativo a fronteira entre a política externa baseada na aliança ocidental, firme desde a Segunda Guerra Mundial, e o novo espírito de América em primeiro lugar.

Na opinião de Trump, esses fatos deveriam ser os que dão forma a uma presidência. Não conseguia acreditar que suas realizações sensacionais não eram tão comentadas. Bannon, Priebus e outros perceberam que ele estava em negação quanto às constantes e concorrentes manchetes sobre Comey e Mueller.

Uma das deficiências de Trump – uma constante na campanha e, até então, na presidência – era seu duvidoso entendimento sobre causa e efeito. Até ali, os problemas que ele podia ter causado no passado eram sempre suplantados por novos acontecimentos, o que lhe dava a segurança de que uma história ruim sempre poderia ser substituída por outra melhor, mais expressiva. Sempre poderia mudar o rumo da conversa. A viagem à Arábia Saudita e sua campanha audaciosa para subverter a ordem mundial da velha política externa deveriam ter conseguido exatamente isso. Mas o presidente continuou se vendo preso, com incredulidade de sua parte, por Comey e Mueller. Nada parecia deixar para trás esses dois acontecimentos.

Após o trecho saudita da viagem, Bannon e Priebus, exaustos por conta da intensa proximidade com Trump e sua família, se desgarraram e voltaram a Washington. Agora era função deles lidar com o que havia se tornado, na ausência da equipe da Casa Branca, a crise verdadeira, até mesmo decisiva, que dava forma à presidência.

O que as pessoas que rodeavam Trump realmente achavam de Trump? Não era apenas uma simples pergunta: era o questionamento que as pessoas que rodeavam Trump mais faziam a si mesmas. Viviam uma constante batalha para entender o que pensavam de fato e o que achavam que todos estavam pensando de fato.

De modo geral, elas guardavam para si as respostas, mas, no caso de Comey e Mueller, além de todas as racionalizações evasivas e entrelaçadas, não havia ninguém – exceto a família do presidente – que não responsabilizasse enfaticamente o próprio Trump.

Era nesse ponto que se estabelecia o limite das roupas-novas-do-rei. Era possível questionar, em voz alta e de maneira bastante franca, seu juízo, sua sagacidade e, acima de tudo, os conselhos que ele andava recebendo.

"Ele não é só louco", Tom Barrack declarou a um amigo, "ele é burro."

Mas Bannon, junto com Priebus, fincara o pé contra a demissão de Comey, enquanto Ivanka e Jared não só a apoiaram como insistiram nela. O evento sísmico gerou um novo lema para Bannon, que ele repetiu insistentemente: o de que todos os conselhos que partiam do casal eram conselhos ruins.

Agora, ninguém acreditava que demitir Comey tinha sido uma boa ideia; até o presidente estava acanhado. Por isso, Bannon viu sua nova função como a de salvar Trump – e Trump sempre precisaria ser salvo. Poderia ser um ator brilhante, mas não conseguiria gerenciar a própria carreira.

E para Bannon, esse novo desafio acarretava um benefício óbvio: quando a sorte de Trump naufragava, a dele emergia.

Na viagem ao Oriente Médio, Bannon foi trabalhar. Passou a focar na figura de Lanny Davis, um dos advogados que defendera Clinton no processo de impeachment e que, durante quase dois anos, atuou praticamente como um defensor público e porta-voz em tempo integral da Casa Branca de Clinton. Bannon considerava Comey-Mueller uma ameaça tão grande para a Casa Branca de Trump quanto Monica Lewinsky e Ken Starr foram para o governo Clinton, e viu na reação desse ex-presidente o exemplo de como escapar de um destino fatal.

"Os Clinton foram para o combate com grande disciplina", ele explicou. "Eles montaram banca do lado de fora, e Bill e Hillary nunca mais tocaram no assunto. Mantiveram-se firmes. Starr os pegou no ato e eles conseguiram escapar."

Bannon sabia muito bem o que precisava fazer: fechar a Ala Oeste e criar outra equipe de comunicação separada da jurídica para defender o presidente. Dessa forma, Trump ocuparia uma realidade paralela, distanciada e desligada do que se tornaria um esporte sangrento nitidamente partidário – assim como no caso de Clinton. A política seria relegada a um canto asqueroso, e Trump se comportaria como presidente e comandante em chefe.

"Então, vamos agir como eles agiram", insistiu Bannon, com truculência e energia desenfreada. Sala de guerra separada, advogados separados, porta-vozes separados. O negócio é manter aquela luta lá para a gente poder enfrentar esta luta aqui. Todo mundo entende. Bom, Trump talvez nem tanto. Não está claro. Talvez um pouco. Não é o que ele imaginou."

Bannon, muito animado, e Priebus, contente por ter uma desculpa para sair do lado do presidente, voltaram correndo para a Ala Oeste com o objetivo de começar a isolá-la.

Não passou despercebido a Priebus que Bannon tinha em mente criar uma retaguarda de defensores – David Bossie, Corey Lewandowski e Jason Miller, todos eles porta-vozes externos — que lhe seriam bastante leais. Acima de tudo, não passou despercebido a Priebus que Bannon estava pedindo para o presidente interpretar um papel totalmente atípico: o do presidente tranquilo, estável, resignado.

E, sem dúvida, não contribuiu muito o fato de terem sido incapazes de contratar um escritório de advocacia com experiência administrativa de primeira classe no governo. Quando Bannon e Priebus chegaram em Washington, três grandes firmas já tinham se recusado a trabalhar para eles. Todas temiam enfrentar uma rebelião dos funcionários mais jovens caso representassem Trump, temiam que Trump os humilhasse publicamente se a situação se complicasse e temiam que Trump não pagasse a conta.

No final das contas, foram rejeitados por nove grandes firmas.

18. Bannon revisitado

Bannon estava de volta, segundo a facção de Bannon. De acordo com o próprio: "Estou bem. Estou *bem*. Estou de volta. Falei para ele não fazer isso. Não dá para demitir o diretor do FBI. Os gênios aqui acham que sim".

Bannon está de volta?, indagaram os do outro lado da casa, preocupados – Jared e Ivanka, Dina Powell, Gary Cohn, Hope Hicks, H. R. McMaster.

Se estava de volta, significava que tinha obtido sucesso ao desafiar a premissa organizacional da Casa Branca de Trump: a família sempre prevaleceria. Nem em seu exílio interno Steve Bannon tinha parado de fazer seus ataques verbais públicos contra Jared e Ivanka. Para ele, o extraoficial se tornara o oficial eficaz. Eram denúncias amargas, às vezes hilárias, sobre a sagacidade, a inteligência e as motivações do casal: "Eles acham que estão defendendo Trump, mas estão sempre fazendo a defesa deles mesmos".

Agora ele os declarava liquidados como centro de poder – destruídos. Caso contrário, destruiriam o presidente com seus conselhos terríveis e em proveito próprio. Ivanka era ainda pior do que Jared. "Ela foi uma nulidade na campanha. Quando virou funcionária da Casa Branca as pessoas de repente se deram conta de que ela é burra que nem uma porta. Tem certo tino para o marketing e é bonita, mas no que diz respeito a entender como o mundo funciona de verdade, o que é política e o que ela significa... nada. Depois que você demonstra essa fraqueza, perde a credibilidade. Jared meio que entra e sai de cena e cuida das coisas árabes."

O time Jarvanka parecia ter cada vez mais medo do que poderia acontecer se aborrecessem o time Bannon. Pois os bannonistas, temiam eles genuinamente, eram assassinos.

No voo até Riad, Dina Powell abordou Bannon para falar a respeito de um vazamento em um site de notícias de direita que a envolvia. Ela lhe disse que sabia que a responsável pelo vazamento era Julia Hahn, ex-redatora do Breitbart e partidária de Bannon.

"Você devia falar com ela", respondeu Bannon, entretido. "Mas ela é uma fera. E vai partir para cima de você. Depois me conta como foi."

Dentre os muitos alvos regulares de Bannon, Powell havia se tornado a predileta. Volta e meia era mencionada como a conselheira adjunta de Segurança Nacional; às vezes esse era seu cargo até mesmo no *New York Times*. Na verdade, ela era a conselheira adjunta de *Estratégia* de Segurança Nacional — a diferença, destacou Bannon, entre o diretor de operações de uma rede hoteleira e o concierge.

Regressando de uma viagem ao exterior, Powell passou a conversar seriamente com amigos sobre seus planos de sair da Casa Branca e voltar a um emprego no setor privado. E declarou que Sheryl Sandberg era seu modelo.

"Puta que pariu", exclamou Bannon.

Em 26 de maio, um dia antes de a comitiva presidencial retornar da viagem internacional, o *Washington Post* noticiou que, durante a transição, Kushner instigara o embaixador russo, Sergey Kislyak, a discutir a possibilidade de que os russos instalassem um canal de comunicação particular entre a equipe de transição e o Kremlin. O *Washington Post* citou "oficiais dos Estados Unidos inteirados de relatórios da inteligência". O lado Jarvanka acreditava que a fonte era Bannon.

Parte da agora profunda animosidade entre os aliados do casal da Primeira Família e a equipe de Bannon vinha da convicção de Jarvanka de que Bannon tinha participado de muitos relatos sobre a interação de Kushner com os russos. Em outras palavras, não era apenas uma guerra sobre a política interna: era um combate mortal. Para Bannon sobreviver, Kushner teria de ser totalmente desacreditado — humilhado, investigado, talvez até preso.

Todos garantiam a Bannon que não havia jeito de derrotar a família Trump, mas ele mal tentava disfarçar sua crença presunçosa de que iria vencer essa batalha. Na Sala Oval, na frente do pai dela, Bannon atacou Ivanka abertamente.

"Você", ele disse, apontando para ela sob o olhar do presidente, "mente pra cacete." As reclamações amarguradas que Ivanka fazia ao pai, e que no passado rebaixavam Bannon, agora eram replicadas por um Trump que não interferia: "Te avisei que essa cidade era barra-pesada, meu bem".

Mas, se Bannon estava de volta, não estava nada claro o que estar de volta significava. Trump sendo Trump, esse retorno seria uma segunda chance sincera ou o presidente sentia um rancor ainda maior por Bannon ter sobrevivido à sua intenção inicial de matá-lo? Ninguém acreditava que Trump tinha se esquecido — ao contrário, estaria ruminando e remoendo e pensando. "Uma das piores coisas é quando ele acredita que você teve sucesso às custas dele", explicou Sam Nunberg, que já fez parte do círculo íntimo de Trump e depois foi jogado para fora. "Se a sua vitória for percebida como uma derrota dele, não queira nem saber."

De sua parte, Bannon acreditava estar de volta porque, em um momento crucial, seu conselho se provara muito melhor do que o dos "gênios". Demitir Comey, a solução que segundo Jarvanka resolveria todos os problemas, na verdade tinha desencadeado uma série de consequências terríveis.

O lado Jarvanka acreditava que Bannon estava basicamente chantageando o presidente. Aonde quer que Bannon fosse, era acompanhado da virulência da mídia digital de direita. Apesar de sua aparente obsessão pelas "fake news" publicadas pelo *New York Times*, o *Washington Post* e a CNN, para o presidente a ameaça de fake news era ainda maior à direita. Embora jamais fosse chamar de falsos a Fox, o Breitbart e outros veículos como esses — que poderiam vomitar um leque diverso de conspirações em que o fraco Trump se teria vendido ao poderoso establishment —, eles tinham potencial para serem muito mais perigosos do que seus equivalentes à esquerda.

Bannon também parecia estar emendando um erro burocrático cometido antes. Se no começo se contentara em ser o cérebro da operação — seguro de que era muito mais inteligente do que todos ali (e, de fato, poucos tentavam lhe tirar esse título) — e em não contratar mais funcionários, agora tratava de fincar os pés de sua organização e de seus aliados. Sua equipe de comunicação que não constava da folha de pagamento — Bossie, Lewandowski, Jason Miller, Sam Nunberg (apesar de este já ter se desentendido com

Trump há tempos) e Alexandra Preate — formava uma bela tropa particular de vazadores e defensores. Além do mais, qualquer rompimento que tivesse ocorrido entre Bannon e Priebus era apaziguado pela aversão de ambos por Jared e Ivanka. A Casa Branca profissional estava unida contra a Casa Branca dos parentes amadores.

Além da nova vantagem burocrática de Bannon, ele tinha o máximo de influência sobre os funcionários da nova equipe "apagadora de incêndios": os advogados e a equipe de comunicação que seriam o Lanny Davis da defesa de Trump. Sem conseguir contratar talentos prestigiosos, Bannon apelou para um dos advogados de aluguel que havia muito tempo representava o presidente, Marc Kasowitz. Bannon e Kasowitz tinham estabelecido uma relação quando o advogado lidara com uma série de problemas quase fatais da campanha, inclusive um número enorme de alegações e ameaças jurídicas de uma lista crescente de mulheres que acusavam Trump de molestá-las e assediá-las.

Em 31 de maio, o plano de Bannon de apagar incêndios entrou em vigor. Daquele ponto em diante, todas as discussões relativas à Rússia, bem como as investigações de Mueller e do Congresso e outras questões jurídicas pessoais, seriam integralmente geridas pela equipe de Kasowitz. Conforme a descrição do plano feita por Bannon em esfera particular e com muita insistência de sua parte, o presidente não abordaria mais nenhuma dessas áreas. Entre as muitas, muitas tentativas de forçar Trump a entrar no modo presidencial, essa era a mais recente.

Em seguida, Bannon trouxe Mark Corallo, ex-funcionário de comunicação de Karl Rove, como o apagador de incêndios. Também planejava pôr Bossie e Lewandowski na equipe de gestão de crises. E, com o incentivo de Bannon, Kasowitz tentou isolar o presidente ainda mais ao dar a seu cliente um conselho essencial: mande as crianças para casa.

Bannon estava mesmo de volta. A equipe era dele. Também era dele o muro em torno do presidente — um muro que, ele esperava, deixaria Jarvanka de fora.

O momento formal que marcou a volta de Bannon foi um grande acontecimento. No dia 1º de junho, após um debate interno longo e feroz, o presidente anunciou sua decisão de sair do Acordo de Paris. Para Bannon, foi um tapa incrivelmente satisfatório na cara da retidão liberal — na mesma hora, Elon Musk e Bob Iger renunciaram ao conselho empresarial de Trump — e uma confirmação do instinto bannonista de Trump.

Foi também a atitude contra a qual Ivanka Trump mais fez campanha na Casa Branca.

"Ponto!", comemorou Bannon. "Já deu para essa vadia."

Existem poucas variáveis políticas modernas mais danosas do que um promotor público dedicado. É o supremo curinga.

Um promotor público é um indício de que a questão investigada – ou, invariavelmente, uma cascata de questões – será um foco constante da mídia. Preparando o próprio terreno público, promotores são vazadores infalíveis.

Isso quer dizer que todos no círculo mais extenso têm que contratar um advogado. Até mesmo a parte mais distante do círculo pode alcançar os seis dígitos; o envolvimento central chega logo aos milhões.

No começo do verão, já havia em Washington um intenso mercado de grandes talentos da criminalística. À medida que a investigação de Mueller avançava, os funcionários da Casa Branca entravam em pânico, tentando contratar a melhor empresa antes que alguém chegasse primeiro e criasse um conflito de interesses.

"Não posso falar da Rússia, nada, não posso tocar no assunto", afirmou Katie Walsh, afastada da Casa Branca três meses antes, seguindo a recomendação de seu novo advogado.

Quaisquer entrevistas ou depoimentos dados a investigadores eram um risco. Além disso, cada dia de Casa Branca trazia novos perigos: qualquer encontro ao acaso que a pessoa tivesse significava mais exposição.

Bannon não parava de insistir sobre a importância absoluta deste ponto – para ele, a importância estratégica: se não quiser ser imprensado diante do Congresso e ter a carreira e o patrimônio líquido em risco, tome cuidado com quem fala. Sendo mais objetivo: não se devia ter contato, sob hipótese nenhuma, com Jared e Ivanka, que agora eram veneno russo. Estas eram a virtude e vantagem amplamente divulgadas de Bannon: "Nunca fui à Rússia. Não conheço ninguém da Rússia. Nunca falei com um russo. E nunca falei com ninguém que já tenha falado com um russo".

Bannon observou um Pence azarado em várias "reuniões erradas" e ajudou a trazer o assessor republicano Nick Ayers como chefe de gabinete de Pence, e a tirar "nosso quebra-galho" da Casa Branca e botá-lo para "correr o mundo e parecer o vice-presidente".

Além da perturbação e dos temores imediatos, havia a quase certeza de que o promotor especial incumbido de encontrar um crime o encontraria – era provável que fossem vários. Todo mundo se tornava um possível agente que implicaria os outros. Peças de dominó cairiam. Alvos mudariam.

Paul Manafort, que ganhava bem a vida nas zonas obscuras das finanças internacionais – seu risco era calculado com base na probabilidade remota de que um pirata na surdina fosse minuciosamente examinado –, agora seria submetido a uma análise microscópica. Diziam que seu arqui-inimigo, Oleg Deripaska – que prosseguia com o pedido de 17 milhões de dólares de indenização contra Manafort e buscava obter um tratamento favorável por parte das autoridades federais que haviam restringido suas viagens aos Estados Unidos –, estava oferecendo aos procuradores norte-americanos os resultados de sua extensa investigação sobre as relações comerciais de Manafort com russos e ucranianos.

Tom Barrack, inteirado do fluxo de consciência do presidente, bem como de seu histórico financeiro, de repente fazia um balanço da própria exposição. Aliás, todos os amigos bilionários com quem Trump falava ao telefone e fofocava e divagava eram possíveis testemunhas.

No passado, governos obrigados a lidar com um promotor especial incumbido de investigar e processar questões com possível envolvimento do presidente costumavam ser consumidos pelo esforço da luta. Seus mandatos estavam divididos em "antes" e "depois" – com o período do "depois" irremediavelmente envolvido em uma perseguição sem fim. Agora parecia que o "depois" seria quase a totalidade do governo Trump.

A ideia de conluio formal e conspiração engenhosa – conforme a mídia e os democratas mais ou menos acreditavam ou esperavam, sem fôlego, ter acontecido entre Trump e os russos – parecia improvável para todos na Casa Branca. (O comentário de Bannon, de que a campanha de Trump não era organizada o bastante para conspirar com os órgãos públicos, se transformou no assunto predileto de todo mundo – sobretudo porque era verdade.) Mas ninguém se responsabilizava pelos negócios feitos por baixo dos panos, pelas atividades autônomas e pelos pastéis de vento que são o pão diário de um promotor e o provável detrito dos parasitas de Trump. E todos acreditavam que, se a investigação entrasse na longa série das transações financeiras de Trump, sem quase nenhuma dúvida chegaria à família Trump e à Casa Branca de Trump.

E havia a persistente afirmação do presidente de que poderia fazer alguma coisa. *Posso demiti-lo*, ele dizia. Aliás, esse era outro de seus raciocínios repetitivos: posso demiti-lo. *Posso* demiti-lo. Mueller. A ideia de um confronto em que o homem mais forte, mais determinado, mais intransigente e mais que-se-danem-as-consequências prevaleceria era central à mitologia pessoal de Trump. Ele vivia no mundo do mano a mano, em que a respeitabilidade e o senso de dignidade pessoal não eram uma questão vital — se você não fosse fraco, no sentido de precisar parecer uma pessoa sensata e respeitável, já tinha uma enorme vantagem. E se levasse isso para o lado pessoal, se acreditasse que quando a briga realmente importava era matar ou morrer, dificilmente encontraria alguém tão disposto a levar a questão para o lado pessoal quanto você.

Essa foi a constatação fundamental de Bannon sobre Trump: ele levava *tudo* para o lado pessoal, e era incapaz de não fazer isso.

Convencido por todos a concentrar sua raiva em Mueller (pelo menos por enquanto), o presidente se concentrou em Sessions.

Sessions — "Beauregard" — era um aliado próximo de Bannon, e em maio e junho as alfinetadas quase diárias do presidente contra o procurador-geral — além de sua lealdade e determinação, Trump divulgou críticas mordazes sobre sua estatura, sua voz e seu jeito de se vestir — propiciaram um inesperado bocadinho de notícias boas para o lado anti-Bannon da casa. Bannon, eles pensavam, não poderia se manter no topo se seu principal substituto era culpado por tudo de ruim que acontecia na vida de Trump. Como sempre, o afeto ou o desprezo de Trump eram contagiosos. Se você estivesse a favor, qualquer coisa com que alguém se associasse também estava a favor. Se não estava, tudo que fosse associado a você seria venenoso.

A brutalidade da insatisfação de Trump só aumentava. Sessions, um homenzinho com a estatura de um Mr. Magoo e um sotaque sulista antiquado, sofria humilhações do presidente, que fez um retrato corrosivo de sua fragilidade física e mental. Ofensas traumáticas irradiavam da Sala Oval. Dava para ouvir ao passar ali perto.

As tentativas de Bannon de acalmar o presidente — lembrando a Trump as dificuldades que enfrentariam durante a confirmação de outro procurador-

-geral, a importância de Sessions para a base conservadora, a lealdade que Sessions demonstrara durante a campanha de Trump — saíram pela culatra. Para a satisfação do time anti-Bannon, houve outra rodada de xingamentos de Trump contra Bannon.

O ataque a Sessions se tornou, pelo menos na cabeça do presidente, a grande referência no projeto efetivo de substituir Sessions por outro procurador-geral. Mas havia apenas dois candidatos a administrar o Departamento de Justiça e dos quais Trump acreditava poder extrair a lealdade absoluta: Chris Christie e Rudy Giuliani. Ele achava que ambos seriam capazes de cometer atos camicases por ele — assim como todo mundo tinha quase certeza de que eles jamais seriam confirmados.

Conforme se aproximava o depoimento de James Comey perante a Comissão de Inteligência do Senado — seria em 8 de junho, doze dias após a comitiva do presidente voltar para casa da longa viagem pelo Oriente Médio e pela Europa —, os funcionários mais antigos iniciaram uma investigação quase pública sobre as motivações e o estado mental de Trump.

A atitude parecia ter sido incitada por uma questão óbvia: por que ele não demitira Comey em seus primeiros dias de presidência, período em que a demissão provavelmente seria vista como uma mudança de guarda natural e sem ligação clara com a investigação da Rússia? Há inúmeras respostas duvidosas: desorganização geral, a rapidez dos acontecimentos e um senso genuíno de ingenuidade sobre as acusações relativas à Rússia. Mas agora parecia haver um novo entendimento: Donald Trump acreditava possuir muito mais poder, autoridade e controle do que possuía de fato, e acreditava que seu talento para manipular e dominar as pessoas era bem maior do que a realidade. Indo um pouco mais além nessa linha de raciocínio: funcionários antigos acreditavam que o presidente tinha um problema com a realidade, e a realidade agora o esmagava.

Se verdadeira, essa noção contradizia diretamente a premissa básica do apoio a Trump entre sua equipe. Em certo sentido, sem serem questionados muito a fundo, acreditavam que o presidente tinha poderes quase mágicos. Já que não era possível explicar seu sucesso da forma lógica, eles achavam que Trump devia ter talentos além do que era possível ver. Seus instintos. Ou o dom de vendedor. Ou a energia. Ou apenas o fato de que era o contrário do que deveria ser. Era política fora do comum – política de choque no sistema –, mas poderia dar certo.

Mas e se não desse? E se eles todos estivessem redondamente enganados?

A demissão de Comey e a investigação de Mueller provocaram na equipe uma mudança de postura tardia, que fez com que caísse por terra aquela fé cega em relação a Trump. Essas dúvidas e considerações repentinas – no mais alto escalão do governo – ainda não testavam a capacidade de o presidente exercer sua função da maneira adequada. Mas, de fato, possivelmente pela primeira vez em discussões abertas, davam a opinião de que ele possuía uma propensão irremediável a sabotar sua capacidade de exercer o cargo. Essa percepção, por mais assustadora que fosse, pelo menos deixou em aberto a possibilidade de que, se todos os fatores da autossabotagem fossem controlados com cuidado – suas informações, seus contatos, seus comentários públicos e o senso de perigo e de ameaça a ele –, Trump talvez ainda fosse capaz de se recompor e ter um desempenho exitoso.

De repente, esta se tornou a tese vigente no governo Trump e a oportunidade que ainda lhes acenava: você pode ser salvo ou derrubado por quem o rodeia.

Bannon acreditava que a presidência fracassaria de um modo mais ou menos apocalíptico se Kushner e a esposa continuassem como os conselheiros mais influentes de Trump. A falta de experiência política ou com o mundo real dos dois já tinha estorvado a presidência, mas desde o desastre Comey vinha piorando: na opinião de Bannon, agora estavam agindo por pânico pessoal.

Os aliados de Kushner acreditavam que Bannon ou o bannonismo haviam empurrado o presidente para uma rispidez que minava seu talento natural de vendedor, de encantar e se comunicar. Bannon e sua laia tinham feito dele o monstro que cada vez mais parecia ser.

Enquanto isso, quase todos acreditavam que boa parte da culpa era de Reince Priebus, que não tinha conseguido criar uma Casa Branca que pudesse proteger o presidente de si mesmo – ou de Bannon ou dos próprios filhos. Ao mesmo tempo, acreditar que o problema fundamental estava em Priebus era como apelar para um bode expiatório fácil, isso para não dizer que era quase risível: com tão pouco poder, o chefe de gabinete não era capaz de conduzir nem Trump nem as pessoas que o rodeavam. O próprio Priebus poderia argumentar, sem que fosse de grande valia, que ninguém fazia ideia de como seria muito pior toda essa situação sem sua mediação agonizante entre os parentes do presidente e o tenebroso instinto tirânico de Trump. Talvez houvesse dois ou três descalabros por dia, mas, sem a determinação estoica de Priebus, e sem ele para absorver os golpes contra Trump, poderia haver dezenas.

No dia 8 de junho, pouco depois das dez horas até quase uma da tarde, James Comey testemunhou em público perante a Comissão de Inteligência do Senado. O depoimento do ex-diretor do FBI, um belo tour de force de objetividade, moralidade, honradez pessoal, mandou ao país uma mensagem simples: era provável que o presidente fosse um tolo e sem dúvida era mentiroso. Em uma época de cortesia moral por parte da mídia moderna, poucos presidentes foram tão desafiados e contestados perante o Congresso.

Ali estava, gritante no relato de Comey: o presidente via o diretor do FBI como um funcionário direto dele, que lhe devia o emprego, e agora queria algo em troca. "Algo me diz que", declarou Comey, "de novo, posso estar enganado, mas algo me diz que ele está querendo alguma coisa em troca por ter atendido meu pedido para permanecer no cargo."

Segundo o relato de Comey, o presidente queria que o FBI despedisse Michael Flynn. E queria impedir que o FBI seguisse em frente com a investigação sobre a Rússia. O argumento não poderia ter sido mais claro: se o presidente estava pressionando o diretor porque temia que uma investigação de Michael Flynn o prejudicasse, tratava-se de obstrução de Justiça.

O contraste entre Comey e Trump era basicamente o contraste entre o bom governo e o próprio Trump. Comey dava a impressão de ser exato, compartimentalizado e escrupuloso na apresentação dos detalhes do ocorrido e da natureza de sua responsabilidade — ninguém agia tão de acordo com as regras quanto ele. Trump, no retrato propiciado por Comey, era questionável, falava sem pensar, agia de modo irresponsável ou nem conhecia as regras, era desonesto e estava ali por interesse pessoal.

Depois de encerrado o depoimento, o presidente disse a todo mundo que não o assistira, mas todos sabiam que era mentira. Na medida em que se tratava, na opinião de Trump, da competição entre os dois homens, aquilo era uma justaposição tão direta quanto se poderia imaginar. A questão principal do depoimento de Comey era reformular e contradizer o que o presidente havia dito em seus tuítes raivosos e defensivos e em suas declarações, além de lançar suspeitas sobre seus atos e motivações — e sugerir que a intenção do presidente era subornar o diretor do FBI.

Mesmo entre os aliados de Trump que, assim como o próprio, acreditavam que Comey era um impostor e que tudo aquilo era uma conspiração, a sensação quase universal era de que, em um jogo mortal, Trump estaria indefeso.

Cinco dias depois, em 13 de junho, foi a vez de Jeff Sessions testemunhar perante a Comissão de Inteligência do Senado. Sua missão era tentar explicar os contatos que tivera com o embaixador russo, contatos que mais tarde o levaram a ser declarado suspeito — e que fizeram dele o saco de pancadas do presidente. Ao contrário de Comey, convidado ao Senado para ostentar sua virtude — e ele aproveitou a oportunidade —, Sessions tinha sido convidado para justificar sua ambiguidade, sua dissimulação ou sua burrice.

Em um diálogo nervoso, o procurador-geral propiciou uma visão histérica do privilégio do Executivo. Embora o presidente não tivesse de fato evocado tal privilégio, Sessions considerava conveniente tentar protegê-lo mesmo assim.

Bannon, que assistia ao depoimento da Ala Oeste, ficou logo frustrado. "Vamos lá, Beauregard", exclamou.

No escritório do chefe de gabinete e com a barba por fazer, sentado à cabeceira de uma mesa de conferências comprida e feita de madeira, Bannon se concentrou totalmente na tela da televisão do outro lado da sala.

"Eles achavam que os cosmopolitas iriam gostar se demitíssemos Comey", ele disse, usando "eles" para se referir a Jared e Ivanka. "Os cosmopolitas iriam nos aplaudir se derrubássemos o homem que derrubou Hillary." Enquanto o presidente via Sessions como a causa do fiasco Comey, Bannon via Sessions como a vítima.

Um Kushner silfídico, de terno cinza ajustado e gravata preta fina, entrou na sala sorrateiramente. (Andava circulando nos últimos tempos uma piada sobre Kushner ser o homem mais bem-vestido de Washington, o que seria o oposto de um elogio.) Vez por outra, a luta por poder entre Bannon e Kushner parecia tomar forma física. A conduta de Bannon raramente mudava, mas Kushner conseguia ser petulante, condescendente e desdenhoso — ou, como naquele momento, vacilante, envergonhado e respeitoso.

Bannon ignorou Kushner até o mais novo pigarrear. "Como está indo?"

Bannon apontou para a televisão, como se respondesse: *Veja com seus próprios olhos*. Mas, por fim, falou: "Eles não se dão conta de que o problema está nas instituições, não nas pessoas".

"Eles" parecia ser o lado Jarvanka — ou até um conceito mais amplo, englobando todos os que descuidadamente defendiam Trump.

"Esta cidade gira em torno das instituições", Bannon continuou. "Quando a gente demite o diretor do FBI, demite o FBI inteiro. O Trump é um homem contra as instituições, e as instituições sabem disso. Como você acha que isso é visto?"

Era um resumo de uma das ironias prediletas de Bannon: no decorrer da campanha, Donald Trump havia ameaçado praticamente todas as instituições da vida política dos Estados Unidos. Ele era uma versão príncipe-palhaço de Jimmy Stewart em *A mulher faz o homem*. Trump acreditava, alimentando a ira e o rancor dos norte-americanos, que um homem poderia ser maior do que o sistema. Essa análise pressupunha que as instituições da vida política eram tão reativas quanto as da vida comercial de onde Trump vinha, e que ansiavam por atender ao mercado e encontrar o Zeitgeist. Mas e se essas instituições — a mídia, o Judiciário, a Comunidade de Inteligência, o Executivo no sentido mais amplo, e o "pântano" com suas empresas de advocacia, consultores, subornadores e vazadores — não tivessem nenhuma intenção de se adaptar? Se, por natureza, estivessem determinadas a perdurar, o presidente acidental então as combateria.

Kushner pareceu não se convencer. "Eu não colocaria nesses termos", disse.

"Acho que essa é a lição dos primeiros cem dias que algumas pessoas aqui aprenderam", observou Bannon, ignorando Kushner. "A situação não vai melhorar. É assim que vai ser."

"Sei lá", respondeu Kushner.

"Pode ter certeza", retrucou Bannon.

"Eu acho que Sessions está se saindo bem", comentou Kushner. "Não acha?"

19. Mika quem?

A mídia tinha descoberto o valor de Donald Trump, mas poucas pessoas da mídia conseguiram isso de forma mais direta e pessoal do que Joe Scarborough e Mika Brzezinski. O programa matinal dos dois na MSNBC era um constante drama novelesco, ou talvez até um episódio ao estilo Oprah, a respeito do relacionamento deles com Trump — como ele os havia decepcionado, quanto ele havia caído em seu conceito, como eram frequentes e ridículas as vezes em que ele passava vergonha. O vínculo que Trump tivera com os dois, forjado pelo fato de se verem como celebridades e por uma noção partilhada de política (Scarborough, ex-congressista, parecia acreditar que tinha tanto direito de ser presidente quanto Donald Trump achava que tinha), havia marcado o programa deles durante a campanha; agora, as críticas abertas faziam parte do ciclo diário de notícias. Scarborough e Brzezinski davam broncas e censuravam Trump, canalizavam as inquietações de seus amigos e familiares, e mostravam abertamente suas preocupações a respeito dele — de que Trump vinha recebendo conselhos errados (Bannon) e, inclusive, de que sua capacidade mental estava falhando. Eles também se declararam os representantes como uma opção da centro-direita ao presidente, e de fato foram um excelente termômetro tanto para os esforços da centro-direita de lidar com Trump quanto para as dificuldades de lidar diariamente com ele.

Trump, achando que tinha sido usado e abusado por Scarborough e Brzezinski, alegou ter parado de assistir ao programa. Mas Hope Hicks, todo dia de manhã, morrendo de medo, era obrigada a contar para ele o que acontecera no programa.

Morning Joe era um exemplo perfeito da maneira como a mídia havia investido demais em Trump. O presidente era como uma baleia se debatendo, em uma obsessão quase doentia, contra emoções midiáticas, amor-próprio, ego, beligerância, evolução profissional e desejo de ser o centro das atenções. Ao mesmo tempo, a mídia era a mesma baleia, cumprindo a mesma função para Trump.

A isso, Trump acrescentou algo a mais: uma antiga sensação de que as pessoas viviam se aproveitando injustamente dele. Isso talvez tenha raízes na mesquinharia e na falta de generosidade de seu pai, ou na própria percepção exagerada de ele ser uma criança rica (e, sem dúvida, as suas inseguranças a esse respeito), ou em uma compreensão profunda sobre a lógica da negociação, de que nada nunca é bom para todo mundo e que onde há lucro sempre há perda. Para Trump, era simplesmente insuportável a ideia de que alguém estivesse se dando bem às suas custas. Ele vivia em um ecossistema de soma zero. No seu universo, qualquer coisa que ele considerasse de valor tinha que vir para ele ou era algo que lhe haviam roubado.

Scarborough e Brzezinski haviam capitalizado amplamente em cima de seu relacionamento com Trump, sem que este embolsasse nenhum centavo — e, nesse caso, ele acreditava que sua comissão deveria vir na forma de um tratamento favorável e servil. Dizer que Trump ficou furioso por isso não ter ocorrido é pouco; ele ficou obcecado pela suposta injustiça. *Não fale de Joe ou Mika com ele* era uma ordem.

A mágoa e a incompreensão que Trump sentia diante do fato de não ter sido acolhido por quem ele esperava eram "profundas, estranhamente profundas", afirmou seu ex-assessor Sam Nunberg, que havia criticado aquela necessidade de aprovação absoluta e a desconfiança tóxica de estar dando lucro para alguém.

Foi dessa ira acumulada que saiu o tuíte de 29 de junho sobre Mika Brzezinski.

Era um clássico de Trump: não existia nenhum meio-termo entre linguagem informal e o pronunciamento ao público. Referindo-se à "Mika Louca de Q.I. baixo" em um tuíte, ele continuou em outro escrevendo que ela estava "sangrando muito por causa de uma plástica facial" quando Brzezinski e Scarborough o visitaram em Mar-a-Lago na véspera do Ano-Novo. Ao contrário do que poderia parecer, muitos dos tuítes dele não eram espontâneos, e sim resultados de constantes reflexões. Os ataques de Trump muitas vezes começavam com piadas insultantes e se solidificavam como acusações cruéis para então, em um momento irrefreável, se tornarem uma proclamação oficial.

No seu paradigma tuiteiro, o passo seguinte era uma grande humilhação universal desenfreada. Após o tuíte sobre Brzezinski, houve quase uma semana de fúria nas mídias sociais, intimidação na televisão e condenações em primeira página de jornais. Junto disso veio a outra parte da dinâmica de tuítes de Trump: ao unificar a opinião liberal contra ele, Trump unificava o oposto a seu favor.

Na verdade, muitas vezes ele não sabia exatamente qual era a natureza do que havia dito, nem compreendia plenamente por que isso incitava reações tão intensas. Com grande frequência, ele mesmo se surpreendia. "O que foi que eu disse?", perguntava após repercussões sérias.

Ele não estava proferindo esses insultos para criar barulho – bom, não apenas para isso. E seu comportamento não era friamente calculado; era uma retaliação, e provavelmente ele teria dito o mesmo ainda que não houvesse mais ninguém o apoiando. (Essa mesma falta de calculismo, essa incapacidade de ser político, faziam também parte do charme político dele.) Era pura sorte o fato de os 35% trumpianos – o percentual de pessoas que, segundo a maioria das pesquisas, pareciam apoiá-lo em qualquer circunstância (e que, na imaginação de Trump, o perdoariam mesmo que ele atirasse em alguém no meio da rua) – praticamente não se incomodarem ou até mesmo se inspirarem a cada nova expressão de trumpismo.

Agora, depois de se expressar e conseguir dar a última palavra, Trump estava contente de novo.

"Mika e Joe adoram isso. É ótimo para ter audiência", disse o presidente, com satisfação e completamente seguro do que falava.

Dez dias depois, uma mesa cheia de bannonistas estava jantando no Bombay Club, um restaurante indiano caro a duas quadras da Casa Branca. Um membro do grupo – Arthur Schwartz, consultor de relações-públicas – fez uma pergunta sobre a questão Mika e Joe.

Talvez estivesse muito barulho, mas também foi uma reação demonstrativa da rapidez dos acontecimentos na era Trump. Alexandra Preate, braço direito de Bannon, respondeu, com um ar de distração genuína: "Quem?".

Já fazia tempo que a novela dos tuítes sobre Mika — a grosseria e as ofensas verbais pronunciadas pelo presidente, sua grave falta de controle e bom senso, e as censuras que isso suscitara pelo mundo todo — havia se abrandado, totalmente abafada por outros rompantes e novas polêmicas de Trump.

Mas, antes de partir para o episódio seguinte de meudeusdocéu, vale a pena considerar a possibilidade de que esse acúmulo constante e diário — e mais de uma vez por dia — de ocorrências, cada uma anulando a anterior, fosse a verdadeira aberração e novidade no cerne da presidência Trump.

Talvez nunca antes na história — uma história de guerras mundiais, derrocadas de impérios, períodos de extraordinária transformação social ou de escândalos que abalaram governos — as situações da vida real tenham se desdobrado com tamanho impacto emocional e peso de reviravolta. O drama político, visto como uma maratona de uma série de TV, colocou a realidade em segundo plano. Nesse contexto, não era absurdo dizer: "Opa, espere aí, a vida pública não acontece assim, estão faltando coerência e drama". (Contudo, a história mostra que coerência e drama só podem ser encontrados em retrospecto.)

O processo de cumprir uma quantidade mínima de tarefas no amplo e resistente poder executivo é um trabalho de tartaruga. O grande problema da Casa Branca é o tédio da burocracia. Todos os governos penam para superar isso, e só às vezes conseguem. Na era da hipermídia, isso não ficou mais fácil para a Casa Branca: muito pelo contrário.

É uma nação distraída, dividida e apreensiva. Pode-se dizer que, para Barack Obama, foi uma tragédia peculiar o fato de que, mesmo sendo uma figura transformadora — e um comunicador inspirador —, ele não tenha conseguido despertar muito interesse de fato. Da mesma maneira, talvez seja uma tragédia central da mídia jornalística o fato de que a mentalidade cívica antiquada e até simplória da mídia, segundo a qual a política é o tema de maior importância, tenha ajudado a fazer com que a política deixasse de ser para as massas para se tornar algo de alcance limitado. Infelizmente, a própria política se tornou uma atividade cada vez mais discreta. Seu apelo é B-B, *business to business*, estritamente corporativo. As verdadeiras metas são os interesses isolados, internos, incestuosos. Não se trata exatamente de corrupção, mas de superespecialização. É uma vida monástica. A política foi por um caminho; a cultura, por outro. Os fanáticos de esquerdas e direitas podem fingir que não, mas o grande meio não está tão preocupado assim com questões políticas.

No entanto, contrariando toda a lógica da cultura e da mídia, Donald Trump produziu diariamente uma narrativa espantosa e impossível de não se acompanhar. E isso não foi nem porque ele estava mudando ou sacudindo as bases da vida norte-americana. Em seis meses de presidência, incapaz de dominar praticamente qualquer aspecto do processo burocrático, exceto emplacar seu indicado na Suprema Corte, ele não havia realizado, em termos práticos, nada. E, no entanto, *MINHA NOSSA!!* Praticamente era só o que se falava nos Estados Unidos — e em grande parte do mundo. Esta foi a natureza radical e transformadora da presidência de Trump: ela prendia a atenção de todo mundo.

Dentro da Casa Branca, a balbúrdia diária e a fascinação mundial não eram motivo de alegria. Na opinião amargurada da equipe da Casa Branca, era a mídia que tornava tudo um evento apocalíptico e abominável. E, em certo sentido, era verdade: não tem como tudo ser apocalíptico. O fato de que o clímax de ontem logo seria comparado ao seguinte, por mais trivial que fosse, expunha a desproporção. A mídia não conseguia avaliar a importância relativa das ocorrências trumpianas: a maioria delas (talvez todas) não dava em nada, mas sempre eram recebidas com a mesma dose de choque e horror. A equipe da Casa Branca acreditava que a cobertura da mídia sobre Trump não tinha "contexto" — isto é, as pessoas precisavam entender que Trump só estava fazendo cena.

Ao mesmo tempo, eram poucos na Casa Branca que também não culpavam Trump por isso. Ele nem sequer parecia compreender que as palavras e ações de um presidente seriam sempre elevadas à enésima potência. Convenientemente, não entendia isso pois queria essa atenção, por mais que muitas vezes ficasse decepcionado com ela. Mas ele também a queria porque a reação o surpreendia repetidamente — e, como se todas as vezes fossem sempre a primeira, ele era incapaz de mudar esse comportamento.

Sean Spicer recebia o impacto maior do drama diário, impacto que transformava esse profissional razoável, calmo e meticuloso em uma figura cômica representando a Casa Branca. Em sua experiência fora do corpo diária, testemunhando sua própria humilhação e despreparo, Spicer levou algum tempo para entender que havia "entrado na toca do coelho" — embora tenha começado a compreender já no primeiro dia no cargo, ao lidar com o conflito sobre o tamanho do público durante a cerimônia de posse. Nesse lugar confuso, todos os artifícios, todas as poses e proporções, todos os traquejos e domínio de público haviam sido descartados, ou — talvez como mais um resultado do fato de que Trump nunca quis ser presidente — nunca chegaram a fazer parte da condição de ser presidente.

Por outro lado, a histeria constante tinha uma virtude política acidental. Se cada novo acontecimento cancelava o anterior, como se fosse um insano esquema de pirâmide no ciclo de notícias, então sempre era possível sobreviver no fim do dia.

Os filhos de Donald Trump — Don Jr., de 39 anos, e Eric, de 33 — tinham um relacionamento infantil forçado com o pai, uma situação que os constrangia, mas da qual eles também fizeram uso profissionalmente. O papel que deviam representar era o de herdeiros e assistentes de Trump. O pai deles se divertia comentando que, no dia em que Deus distribuiu os cérebros, seus filhos estavam no final da fila — se bem que Trump tendia a debochar de qualquer um que pudesse ser mais esperto que ele. A irmã deles, Ivanka, certamente nenhum gênio inato, ocupava o posto de pessoa inteligente da família, e Jared era o sedutor dissimulado. Assim, para Don e Eric sobravam serviços gerais e administração. Na verdade, os irmãos haviam adquirido uma competência razoável como executivos de empresa familiar (o que não significa lá muita coisa), porque o pai deles não tinha muita ou nenhuma paciência para administrar o próprio negócio. Mas é claro que grande parte do tempo de trabalho deles era voltada para satisfazer os caprichos, os projetos, as promoções e o estilo de vida em geral de Trump.

Um ponto positivo da candidatura do pai deles à presidência foi que isso o manteve longe do escritório. Ainda assim, a administração da campanha era responsabilidade principalmente dos dois, e, assim, quando a campanha deixou de ser um capricho e se tornou um empreendimento sério para a empresa e a família Trump, a dinâmica familiar foi abalada. De repente outras pessoas ficaram ansiosas para servir como braço direito de Donald Trump. Havia os que não faziam parte do círculo familiar, como o coordenador de campanha Corey Lewandowski, mas havia também o cunhado Jared. Trump fez todo mundo competir por seus favores, o que não é algo incomum em negócios familiares. A empresa vivia para ele; existia graças a seu nome, sua personalidade e seu carisma, então as posições mais elevadas na hierarquia eram reservadas para as pessoas que melhor pudessem lhe servir. Não existia muita concorrência para essa função antes de sua candidatura à presidência, mas, no começo de 2016, enquanto o Partido Republicado ruía e Trump crescia, os filhos se viram diante de uma nova situação profissional e familiar.

O cunhado deles tinha sido inserido lentamente na campanha, em parte por insistência da esposa, pois a falta de limites do pai poderia chegar a afetar a empresa se ninguém ficasse de olho nele. E mais tarde, junto com Don e Eric, Jared foi fisgado pela empolgação da campanha. No final da primavera de 2016, quando a candidatura estava praticamente garantida, a campanha Trump era um jogo de pessoas colocando as mangas de fora e procurando se tornar influentes.

Lewandowski nutria o mais absoluto desdém tanto pelos filhos de Trump quanto por Jared: não só Don Jr. e Eric eram idiotas, e Jared de alguma forma ao mesmo tempo esnobe e obsequioso (o serviçal), como nenhum deles entendia lhufas de política — de fato, os três juntos não tinham uma hora sequer de experiência na política.

Com o tempo, Lewandowski foi se tornando particularmente próximo do candidato. Para a família, sobretudo para Kushner, Lewandowski era uma péssima influência. Os piores instintos de Trump passavam por Lewandowski. No começo de junho, faltando pouco mais de um mês para a Convenção Republicana Nacional, Jared e Ivanka decidiram que era necessário — pelo bem da campanha e pelo bem dos negócios de Trump — fazer uma intervenção.

Jared e Ivanka, aliados a Don Jr. e Eric, formaram uma frente unida para convencer Trump a expulsar Lewandowski. Don Jr., sentindo-se pressionado não apenas por Lewandowski, mas também por Jared, aproveitou a oportunidade. Ele afastaria Lewandowski e assumiria seu lugar — e, de fato, onze dias depois Lewandowski sairia da campanha.

Isso tudo fez parte do contexto de uma das reuniões mais absurdas da política moderna. Em 9 de junho de 2016, após a promessa de informações comprometedoras sobre Hillary Clinton, Don Jr., Jared e Paul Manafort se encontraram na Trump Tower com um elenco de personagens de caráter duvidoso digno de cinema. Don Jr., com o apoio de Jared e Ivanka, estava tentando impressionar o pai e mostrar que tinha capacidade para subir na campanha.

Quando essa reunião veio a público treze meses depois, o fato representaria, para o governo de Trump, um indício tanto a favor quanto contra do conluio com a Rússia. Era um caso, ou falta de, não de genialidade e subterfúgio, mas de pessoas sem noção e simplórias, tão ingênuas e despreocupadas que conspiravam abertamente com grande entusiasmo.

Naquele dia de junho, entraram na Trump Tower: um advogado bem relacionado de Moscou, provavelmente um agente russo; representantes de Aras Agalarov, oligarca russo-azerbaidjano; um promotor musical norte-americano que agenciava o filho de Agalarov, um pop star russo; e um lobista do governo russo em Washington. O objetivo da visita deles à sede da campanha de um possível candidato presidencial de um partido norte-americano era se encontrar com três das pessoas mais importantes da campanha. Essa reunião foi precedida por uma sequência de e-mails destinados a diversos integrantes da campanha Trump com um tom quase alegre: os russos estavam oferecendo um bocado de informações negativas e até mesmo incriminadoras sobre a oposição.

Entre as teorias de porquês e comos dessa reunião imbecil estão os fatos de que:

- Os russos, seja de maneira organizada ou informal, estavam tentando criar uma armadilha para a campanha Trump, deixando-a em um relacionamento comprometedor.
- A reunião fazia parte de uma colaboração já ativa entre a campanha de Trump e os russos, com o objetivo de obter e distribuir informações prejudiciais sobre Hillary Clinton – e, de fato, dias após a reunião com Don Jr., o WikiLeaks anunciou que havia obtido e-mails de Clinton. Menos de um mês depois, eles começaram a divulgá-los.
- A deslumbrada campanha Trump, ainda praticamente brincando de concorrer à presidência – e sem sequer considerar a hipótese de vencer a eleição –, estava disposta a toda e qualquer proposta e oferta, pois sentia não haver nada a perder. O palerma Don Jr. (Fredo, como Steve

Bannon viria a chamá-lo, em uma de suas frequentes referências a *O poderoso chefão*) estava apenas tentando mostrar que era alguém que sabia manipular e resolver.

- A reunião incluía Paul Manafort, o chefe da campanha, e Jared Kushner, a voz mais influente da campanha, porque: a) estavam coordenando uma conspiração de alto nível; b) Manafort e Kushner, sem levar a eleição muito a sério e sem pensar nem por um segundo nas consequências, estavam apenas entretidos com a possibilidade de jogar sujo; c) os três homens estavam unidos no plano de se livrar de Lewandowski – com Don Jr. na posição de carrasco –, e como parte dessa união Manafort e Kushner precisavam comparecer à reunião tola de Don Jr.

Qualquer que tenha sido o motivo da reunião e independentemente de qual das hipóteses acima melhor descreve a história por trás da associação desse grupo cômico e alarmante, um ano mais tarde quase ninguém duvidava de que a intenção de Don Jr. era que o pai soubesse que ele havia tomado a iniciativa.

"Zero chance de Don Jr. não ter levado esses caipiras até a sala do pai no 26º andar", disse um Bannon chocado e mordaz, pouco depois de a reunião vir à tona.

"Os três caras mais importantes da campanha", prosseguiu o incrédulo Bannon, "acharam que seria uma boa ideia receber um governo estrangeiro dentro da Trump Tower na sala de reuniões do 25º andar – sem nenhum advogado. *Eles não tinham nenhum advogado*. Mesmo se você achasse que não tinha nada de traição, nem de antipatriótico ou de esdrúxulo – e por acaso eu acho que foi tudo isso –, você deveria ter chamado o FBI imediatamente. Mesmo se você não tivesse cogitado fazer isso, se você fosse totalmente amoral e quisesse essas informações, tinha que fazer tudo em um Holiday Inn em Manchester, em New Hampshire, com a presença de seus advogados. Eles tinham que estar com essas pessoas e examinar tudo, e depois tinham que chegar para outro advogado e contar à parte; se aquilo é relevante, aí você dá um jeito de mandar para o Breitbart News ou algo do tipo, ou talvez para alguma outra publicação mais séria. Você nunca vê, nunca tem contato, porque não precisa... Mas esse era o tipo de gênio que eles eram."

Todos os participantes acabariam alegando que a reunião fora totalmente irrelevante e decepcionante, fossem lá quais fossem suas expectativas. Mas, mesmo se isso fosse verdade, um ano depois a revelação sobre o encontro produziu três efeitos profundos e provavelmente transformadores:

Primeiro, as negações constantes e repetidas à exaustão de que não teria havido nenhuma conversa sobre a campanha entre representantes da campanha e os russos ligados ao Kremlin, ou nem sequer algum contato significativo entre representantes da campanha e o governo russo, caíram por terra.

Segundo, a certeza em meio à equipe da Casa Branca de que o próprio Trump não apenas teria sido informado sobre os detalhes da reunião como também teria recebido as pessoas mais importantes significava que o presidente tinha sido flagrado como um mentiroso por aqueles de cuja confiança mais precisava. Era outra mudança de direção desde encurralado-no-bunker e preparado-para-tudo para socorro-me-acudam.

Terceiro, agora estava evidente que todo mundo tinha seus próprios interesses. Para Don Jr., Paul Manafort e Jared Kushner, o destino de cada um deles estava por um triz. Na verdade, o que muitos na Ala Oeste acreditavam era que os detalhes da reunião tinham sido vazados por alguém do lado de Kushner, sacrificando assim Don Jr. em uma tentativa de se esquivar da responsabilidade.

Antes mesmo de a reunião de junho de 2016 vir à tona, a equipe jurídica de Kushner — reunida quase às pressas desde a nomeação de Mueller, o promotor especial — vinha compondo um retrato forense das movimentações financeiras tanto dos contatos russos da campanha quanto das Kushner Companies. Em janeiro, ignorando as advertências de praticamente todo mundo, Jared Kushner entrou na Casa Branca com um cargo alto no governo; agora, seis meses depois, enfrentava sérios problemas judiciais. Ele havia tentado permanecer discreto, considerando-se um conselheiro agindo por trás dos panos, mas agora sua posição pública era um problema não apenas para ele próprio, mas também para a empresa de sua família. Enquanto ele estivesse exposto, sua família permaneceria praticamente sem acesso à maioria de suas fontes de renda. E, sem contato com esse mercado, os ativos deles corriam o risco de se tornar dívidas em situação de cobrança.

A vida de conto de fadas que Jared e Ivanka haviam criado para si — dois jovens ambiciosos, bem-educados e simpáticos que viviam no topo do mundo social e financeiro de Nova York depois de, em sua versão de humildade, aceitar o poder global –, mesmo sem que nenhum dos dois tivesse passado tempo suficiente no cargo para realizar qualquer ato, havia chegado à beira da ruína.

A cadeia era uma possibilidade. Falência também. Trump podia ter enchido o peito para falar de oferecer indultos, ou se gabado do poder de concedê-los, mas isso não resolvia os problemas corporativos de Kushner, nem proporcionava um meio de apaziguar Charlie Kushner, o colérico e muitas vezes irracional pai de Jared. Além do mais, para conseguir encontrar brechas nos processos jurídicos seria preciso grande cuidado e um raciocínio estratégico sutil por parte do presidente – uma hipótese altamente improvável.

Enquanto isso, o casal botava a culpa em todas as outras pessoas na Casa Branca. A culpa era de Priebus pela desordem que tinha produzido um clima de guerra que levava a vazamentos constantes e problemáticos, a culpa era de Bannon pelos vazamentos, e a culpa era de Spicer por não conseguir defender a virtude e os interesses deles.

Eles *precisavam* se defender. Uma estratégia era sair da cidade (Bannon tinha uma lista de todos os momentos difíceis em que o casal havia tirado uma folga conveniente). E, por acaso, Trump compareceria à cúpula do G20 em Hamburgo, na Alemanha, nos dias 7 e 8 de julho. Jared e Ivanka acompanharam o presidente na viagem e, durante a cúpula, descobriram que a reunião de Don Jr. com os russos – e o casal fazia questão de destacar que fora Don Jr. quem convocara a reunião – tinha vazado. Pior ainda, eles descobriram que a notícia estava prestes a sair no *New York Times*.

A princípio, a equipe de Trump esperava que os detalhes da reunião de Don Jr. saíssem no site Circa. Os advogados, bem como o porta-voz Mark Corallo, haviam trabalhado para conduzir a notícia. Mas, em Hamburgo, os assessores do presidente ficaram sabendo que o *New York Times* estava preparando uma reportagem com detalhes mais específicos sobre a reunião – muito possivelmente fornecidos pelo lado de Kushner –, e que seria publicada no sábado, 8 de julho. A equipe jurídica do presidente não recebeu aviso prévio dessa matéria porque, em teoria, ela não tinha a ver com o presidente.

Em Hamburgo, ciente de que a notícia em breve viria a público, Ivanka fez uma tentativa que era a sua cara: um fundo do Banco Mundial para ajudar mulheres empreendedoras de países em desenvolvimento. Os funcionários da Casa Branca viam como mais um exemplo da extraordinária incoerência do casal. Em nenhum momento durante a campanha, em nenhuma das lousas de Bannon, em nenhum canto do coração do presidente havia qualquer interesse por mulheres empreendedoras de países em desenvolvimento. As ideias da filha entravam particularmente em conflito com as do pai — ou pelo menos com as que o fizeram ser eleito. Ivanka, na opinião de quase todos os funcionários do governo, estava profundamente equivocada quanto à natureza de seu trabalho e estava transformando os tradicionais esforços assistenciais de primeiras-damas em trabalho para a equipe da Casa Branca.

Pouco antes de embarcar no Força Aérea Um para voltar para casa, Ivanka — com uma atitude que a essa altura estava começando a parecer uma falta de tato quase anárquica — se sentou no lugar do pai, entre o presidente chinês Xi Jinping e a primeira-ministra britânica Theresa May, na principal mesa de reuniões do G20. No entanto, tratava-se apenas de uma distração: enquanto o presidente e sua equipe confabulavam no avião, o assunto principal não era a conferência, e sim como reagir à matéria que o *New York Times* publicaria em questão de horas sobre a reunião de Don Jr. e Jared na Trump Tower.

A caminho de Washington, Sean Spicer e todo o Gabinete de Comunicação foram relegados ao fundo do avião e excluídos das conversas tensas. Hope Hicks se tornou a estrategista-chefe de comunicações, e o presidente, como sempre, era seu único cliente. Nos dias que se seguiram, aquele importantíssimo status político de estar "por dentro" virou de cabeça para baixo. *Não* estar por dentro — nesse caso, na cabine dianteira do Força Aérea Um — passou a ser uma condição privilegiada e uma garantia de segurança. "Antigamente, eu ficava chateado de vê-los indo para lá e para cá fazendo coisas que eram trabalho meu", afirmou Spicer. "Agora fico feliz de me deixarem de fora."

Além do presidente, a conversa no avião incluía Hicks, Jared, Ivanka e Josh Raffel, o porta-voz do casal. Mais tarde, a equipe de Ivanka lembraria que ela sairia da reunião pouco depois, tomaria um comprimido e iria dormir. Jared, segundo seu pessoal, até podia estar lá, mas "não anotou nada". Ali perto, em uma sala de reuniões pequena onde passava o filme *Fargo: Uma comédia de erros*, estavam Dina Powell, Gary Cohn, Stephen Miller e H. R. McMaster, e todos mais tarde insistiriam que, por mais fisicamente próximos que se encontrassem da crise em formação, não estavam envolvidos. E, de fato, não levou muito tempo para que qualquer um dos que estavam "por dentro" tenha se visto passando pelo exame minucioso do promotor especial, onde a pergunta relevante era: um ou mais funcionários do governo federal haviam induzido outros funcionários do governo federal a mentir?

Um presidente contrariado, intransigente e ameaçador dominou a discussão, impondo-se a Hicks, a Raffel, à filha e ao genro. Kasowitz — o advogado encarregado especificamente de manter Trump afastado de qualquer questão relacionada à Rússia — ficou em espera ao telefone durante uma hora e acabou não sendo atendido. O presidente insistiu que a reunião na Trump Tower se tratara pura e simplesmente de políticas de adoção de crianças russas. Esse foi o assunto da conversa e ponto final. Ponto final. Embora fosse provável, se não certo, que o *New York Times* tivesse os e-mails comprometedores — na verdade, era bastante possível que Jared e Ivanka e os advogados *soubessem* que o jornal tinha esses e-mails —, a ordem do presidente era que ninguém devia revelar nada sobre a discussão mais problemática sobre Hillary Clinton.

Foi um exemplo em tempo real de negação e acobertamento. O presidente acreditava, agressivamente, naquilo que acreditava. A realidade era o que ele se convencia de que era — ou do que devia ser. Daí a história oficial: houve uma rápida reunião de cortesia na Trump Tower a respeito de política de adoções, infrutífera, à qual compareceram assessores do alto escalão e indivíduos russos independentes. Essa fábula fabricada foi uma tentativa desesperada executada por amadores — dois ingrediente para desastre em um acobertamento.

Em Washington, Kasowitz e Mark Corallo, o porta-voz da equipe jurídica, só foram informados da matéria do *New York Times* ou do plano de resposta depois que a declaração inicial de Don Jr. foi divulgada, pouco antes da publicação da reportagem naquele sábado.

Ao longo das 72 horas seguintes, mais ou menos, o alto escalão se viu completamente isolado — e, de novo, atônito — das ações do círculo mais íntimo de assessores do presidente. Com isso, o relacionamento entre o presidente e Hope Hicks, há muito tolerado como um vínculo inusitado entre um homem mais velho e uma jovem confiável, começou a ser encarado como algo estranho e preocupante. Completamente dedicada a atendê-lo, Hicks, sua intermediária com a mídia, era a intermediária suprema dos comportamentos sem filtro. Os impulsos e pensamentos de Trump — sem edição, sem análise, sem questionamento — passavam não só por ele, mas, através de Hicks, saíam ao mundo sem qualquer outra intervenção da Casa Branca.

"O problema não é o Twitter, é Hope", comentou uma pessoa da equipe de comunicação.

Em 9 de julho, um dia depois que a primeira matéria foi publicada, o *New York Times* observou que a reunião na Trump Tower tinha sido organizada especificamente para discutir a oferta, feita pelos russos, de materiais comprometedores sobre Hillary Clinton. No dia seguinte, enquanto o jornal se preparava para publicar a sequência completa de e-mails, Don Jr. correu para divulgá-la por conta própria. A partir daí, a cada dia uma nova lista de personagens — todos, cada um a seu modo, peculiares e perturbadores — que estiveram presentes na reunião emergia.

Mas a revelação da reunião na Trump Tower teve outra dimensão, talvez ainda maior. Ela marcou o colapso da estratégia jurídica do presidente: o fim do bloqueio clintoniano de Bannon em torno de Trump.

Para os advogados, chocados e revoltados, cada indivíduo estava se tornando testemunha das infrações em potencial de outro indivíduo — e todos conspiravam entre si para combinar as histórias. O cliente e sua família estavam entrando em pânico e criando sozinhos a própria defesa. Manchetes arrasavam qualquer tipo de estratégia. "A pior coisa que se pode fazer é mentir para um promotor", afirmou um integrante da equipe jurídica. Para os advogados, a ideia persistente de Trump, de que não era crime mentir para a mídia, era vista na melhor das hipóteses como algo temerário e potencialmente passível de ação judicial: uma tentativa explícita de atrapalhar o andamento da investigação.

Mark Corallo foi orientado a não falar com a imprensa, nem sequer atender ao telefone. Ainda naquela semana, Corallo, vendo que as consequências não seriam boas — e confidenciando, em particular, sua opinião de que a reunião no Força Aérea Um representava uma provável obstrução de Justiça —, pediu demissão. (Os aliados de Jarvanka anunciariam que Corallo fora demitido.)

"Esses caras não querem ser questionados pelas crianças", disse Bannon, frustrado, sobre a equipe do bloqueio.

Da mesma maneira, a família Trump, por maior que fosse sua exposição jurídica, não queria ser gerida pelos advogados. Jared e Ivanka ajudaram a planejar uma série de fofocas escandalosas — bebedeiras, mau comportamento, vida pessoal caótica — sobre Marc Kasowitz, que havia aconselhado o presidente a mandar o casal embora. Pouco depois de a comitiva presidencial chegar a Washington, Kasowitz caiu.

* * *

A culpa continuou sendo jogada. O odor de uma nova e amarga realidade – se não de um desastre – que acompanhava a confusão Comey-Mueller foi agravado pelos esforços de todo mundo de não se associar à situação.

A maior distinção entre os lados da Casa Branca – de um lado, Jared, Ivanka, Hope Hicks e a crescente ambivalência de Dina Powell e Gary Cohn; do outro, quase todo o resto, incluindo Priebus, Spicer, Conway e, de forma mais explícita, Bannon – era o grau de culpa ou distanciamento em relação à calamidade Comey-Mueller. Como o lado anti-Jarvanka destacaria incessantemente, era uma calamidade *que o próprio casal havia causado*. Portanto, os Jarvankas se esforçaram para não apenas se distanciar das causas da confusão – qualquer envolvimento deles passou a ser apresentado como uma participação estritamente passiva ou apenas obediência a ordens –, mas para sugerir que seus adversários estavam pelo menos tão errados quanto eles.

Pouco depois de a questão de Don Jr. vir à tona, o presidente conseguiu desviar o assunto ao concentrar a culpa da bagunça Comey-Mueller em Sessions, humilhando e ameaçando-o ainda mais e sugerindo que os dias dele estavam contados.

Bannon, que continuava defendendo Sessions, e que acreditava ter se protegido com valentia – na verdade, com ataques brutais à estupidez dos Jarvankas – do caos de Comey, de repente começou a receber telefonemas de repórteres com revelações que o faziam parecer um participante ativo da decisão a respeito de Comey.

Em uma ligação furiosa para Hicks, Bannon disse que a culpa dos vazamentos era dela. Com o tempo, ele passara a considerar a jovem de 28 anos nada além de uma desafortunada auxiliadora presidencial e um capacho de Jarvanka – também acreditava que ela havia se envolvido profundamente no desastre todo ao participar da reunião do Força Aérea Um. No dia seguinte, em meio a mais questionamentos de repórteres, ele confrontou Hicks dentro da sala de reuniões ministeriais e a acusou de fazer o trabalho sujo de Jared e Ivanka. O embate logo evoluiu para um confronto existencial entre os dois lados da Casa Branca – dois lados em pé de guerra total.

"*Você não sabe o que está fazendo*", berrou Bannon para Hicks, lívido, exigindo saber para quem ela trabalhava, se era para a Casa Branca ou para Jared e Ivanka. "*Você não sabe o quanto está encrencada*", gritou, dizendo que, se ela não arrumasse um advogado, ele ligaria para o pai dela e falaria que era melhor ele arrumar. "*Você é burra feito uma porta!*" Saindo da sala e indo para o espaço aberto onde o presidente podia escutá-lo, Bannon, "estridente, assustador, nitidamente ameaçador", nas palavras de Jarvanka, berrou que "*vou foder com você e o seu grupinho!*". Enquanto isso, o presidente, perplexo, indagava em tom queixoso: "O que está acontecendo?".

Segundo o time Jarvanka, Hicks fugiu correndo de Bannon, soluçando de maneira histérica e "visivelmente apavorada". Para outros na Ala Oeste, esse momento marcou o ápice de uma crescente inimizade entre os dois lados. Para os Jarvankas, o chilique de Bannon fora também uma exibição que acreditavam que poderia ser usada contra ele. Assim, insistiram que Priebus levasse a questão à advocacia da Casa Branca e a classificasse como a maior agressão verbal da história da Ala Oeste, ou pelo menos um dos episódios mais agressivos de todos os tempos.

Para Bannon, isso era apenas mais desespero por parte de Jarvanka – eram eles, não Bannon, que estavam comprometidos no caso Comey-Mueller. Eram eles que estavam em pânico e descontrolados.

Bannon nunca mais falaria com Hicks no restante de seu tempo na Casa Branca.

20. McMaster e Scaramucci

Trump era impulsivo, mas não gostava de tomar decisões, pelo menos as que pareciam obrigá-lo a analisar algum problema. E desde seu primeiro minuto na presidência, nenhuma decisão o atormentava tanto quanto a sobre o que fazer em relação ao Afeganistão. Era um pepino que se tornou uma batalha. Tinha a ver não apenas com a resistência pessoal dele a raciocínios analíticos, mas também com a cisma entre os hemisférios esquerdo e direito do cérebro de seu governo, a divisão entre os que defendiam uma ruptura e os que queriam preservar o status quo.

Nessa questão, Bannon se tornou a voz dissonante e inusitada na Casa Branca em defesa da paz — ou pelo menos de alguma forma de paz. Na sua opinião, ele e o caráter não muito sólido de Donald Trump eram as únicas forças capazes de impedir que mais 50 mil soldados norte-americanos fossem condenados ao desespero no Afeganistão.

Em defesa do status quo — e, se possível, algo além ao status quo —, havia H. R. McMaster, que, depois de Jarvanka, havia se tornado o principal alvo de ataques de Bannon. Nesse front, Bannon formou um vínculo fácil com o presidente, que não fazia questão de esconder seu desdém pelo general de escritório. Bannon e Trump gostavam de se juntar para falar mal de McMaster.

McMaster era um protegido de David Petraeus, ex-comandante das operações no Afeganistão no Comando Central dos Estados Unidos que fora promovido a diretor da CIA por Obama e depois pedira demissão em meio a um escândalo envolvendo um caso amoroso e o mau uso de informações confidenciais. Petraeus e agora McMaster representavam uma abordagem convencional para o Afeganistão e o Oriente Médio. O teimoso McMaster insistia em propor ao presidente versões diversas do incremento, mas a cada tentativa Trump acenava para que ele saísse da Sala Oval e revirava os olhos com angústia e incredulidade.

O desgosto e o rancor do presidente em relação a McMaster cresciam no mesmo ritmo da necessidade urgente de enfim tomar alguma decisão sobre o Afeganistão, uma decisão que ele continuava adiando. Sua postura em relação ao Afeganistão – um atoleiro militar sobre o qual ele tinha poucas informações além da de que se tratava de um atoleiro – sempre havia sido uma desconsideração mordaz e cáustica pela guerra de dezesseis anos. O fato de ela ser uma herança não amenizava seus sentimentos nem o incentivava a se aprofundar na questão. Ele sabia que a guerra estava condenada e, ciente disso, não achava necessário saber mais. Para ele, a responsabilidade era de duas das pessoas em quem mais colocava a culpa: Bush e Obama.

Para Bannon, o Afeganistão representava mais um fracasso do pensamento convencional. Mais precisamente, representava a incapacidade do establishment de confrontar o fracasso.

McMaster havia, curiosamente, escrito um livro exatamente sobre isso, fazendo uma severa crítica aos líderes militares que não questionavam as ordens na Guerra do Vietnã. O livro foi acolhido pelos liberais e pelo establishment, com quem, na opinião de Bannon, McMaster se alinhara de forma irreversível. E agora – sempre com medo do desconhecido, determinado a manter as portas abertas, dedicado à estabilidade e ansioso para proteger sua reputação junto ao establishment –, McMaster recomendava um enorme aumento de tropas no Afeganistão.

No começo de julho, a pressão em torno da decisão já estava chegando perto do ponto de ebulição. Trump havia autorizado o Pentágono a enviar os recursos militares que o departamento julgava necessários, mas James Mattis, o secretário de Defesa, se recusava a agir sem uma autorização específica do presidente. Trump finalmente teria que decidir – a não ser que conseguisse dar um jeito de protelar de novo.

Bannon acreditava que, se ele conseguisse se livrar de McMaster, a decisão militar não precisaria partir do presidente — um método de tomar decisões que o presidente apreciava. Isso eliminaria de uma só vez a voz mais forte a favor do aumento de tropas e vingaria a saída de Bannon do Conselho de Segurança Nacional por influência de McMaster.

Com o presidente prometendo tomar a decisão até agosto, e com McMaster, Mattis e Tillerson pressionando para que ela fosse anunciada o mais rápido possível, uma mídia incentivada por Bannon começou uma campanha para taxar McMaster de globalista, intervencionista e "nem um pouco nosso tipo de trumpista" — e, ainda por cima, brando em relação a Israel.

Foi um ataque infame, ainda que em parte verdadeiro. McMaster realmente conversava com frequência com Petraeus. O toque especial foi a sugestão de que McMaster estava passando detalhes dos bastidores para Petraeus, um pária por ter admitido sua culpa no caso da revelação de informações confidenciais. Era fato também que McMaster não contava com a simpatia do presidente e estava prestes a ser dispensado.

Isso era Bannon no topo outra vez, desfrutando de um momento de absoluta autoconfiança.

Com efeito, em parte para demonstrar que havia outras opções além de enviar mais tropas ou sofrer uma derrota humilhante — e, logicamente, não devia haver muitas alternativas —, Bannon se tornou um defensor da ideia obviamente interesseira de Erik Prince, fundador da Blackwater. Este sugerira substituir as forças militares norte-americanas por mercenários e agentes da CIA e de Operações Especiais. A hipótese foi acolhida pelo presidente por um breve instante, e depois ridicularizada pelas Forças Armadas.

A essa altura, Bannon acreditava que até agosto McMaster sairia. Ele tinha certeza de que podia contar com a palavra do presidente para isso. Resolvido. "McMaster quer mandar mais soldados para o Afeganistão, então quem vai ser mandado *é ele*", comentou Bannon, triunfante. Na situação imaginada por ele, Trump concederia uma quarta estrela a McMaster e o "promoveria" ao cargo de comandante em chefe no Afeganistão.

Assim como no caso do ataque químico na Síria, foi Dina Powell — mesmo cada vez mais determinada em seus esforços para dar um jeito de sair da Casa Branca, fosse em uma trajetória no estilo Sheryl Sandberg, fosse com uma escala no cargo de embaixadora da ONU — quem lutou para ajudar a manter uma abordagem menos agressiva, mais voltada para o "não descartemos nenhuma alternativa". Para isso, tanto porque essa abordagem parecia a mais segura quanto porque era o oposto da proposta de Bannon, ela recrutou prontamente Jared e Ivanka.

Concebida para adiar o problema e suas consequências por mais um, dois ou três anos, a solução defendida por Powell provavelmente deixaria a posição dos Estados Unidos no Afeganistão ainda mais complicada. Em vez de enviar 50 mil ou 60 mil soldados — o que, a um custo insustentável e sob o risco de enfurecer a população, até poderia vencer a guerra —, o Pentágono enviaria uma quantidade muito menor, que passasse quase despercebida e apenas evitasse uma derrota. Na visão de Powell e Jarvanka, essa era a opção moderada, a mais otimista e apresentável, o equilíbrio perfeito entre as duas hipóteses inaceitáveis dos militares: retirada e desonra ou muitos soldados a mais.

Não demorou até que o projeto de enviar 4, 5, 6 ou (no máximo) 7 mil soldados se tornasse a estratégia intermediária defendida pelo establishment da Segurança Nacional e por quase todos, exceto Bannon e Trump. Powell até ajudou a montar uma apresentação de PowerPoint que McMaster começou a mostrar ao presidente: fotos de Cabul nos anos 1970, quando ainda parecia uma cidade moderna. Poderia ser daquele jeito de novo, disseram a Trump, se agirmos com determinação!

Mas, mesmo com quase todos contra ele, Bannon tinha certeza de que estava ganhando. A imprensa direitista estava do seu lado, e ele acreditava que também tinha o apoio da base da classe popular de Trump — cansada de ter que mandar os filhos para o Afeganistão. Acima de tudo, ele tinha o presidente. Irritado por receber o mesmo problema e as mesmas opções dadas a Obama, Trump continuava despejando insultos e deboches em McMaster.

Kushner e Powell organizaram uma campanha de vazamentos em defesa de McMaster. A narrativa deles não era uma defesa do envio de tropas; o objetivo era abordar os vazamentos de Bannon e o uso que ele fazia da mídia direitista para denegrir McMaster, "um dos generais mais condecorados e respeitados de sua geração". Nessa narrativa, era McMaster, o modelo de estabilidade, contra Bannon, o modelo de perturbação; era o *New York Times* e o *Washington Post*, que saíram em defesa de McMaster, contra o Breitbart News e afins.

Era o establishment e os "Trump jamais" contra os trumpistas "América primeiro". Em muitos sentidos, Bannon estava em franca desvantagem, mas ainda assim achava que estava vencendo. E, quando ele ganhasse, não só o país teria evitado outro capítulo lamentavelmente estúpido da guerra no Afeganistão como Jarvanka e Powell — o faz-tudo deles — seriam relegados ainda mais à irrelevância e à impotência.

À medida que o debate avançava rumo à conclusão, o Conselho de Segurança Nacional, em sua função de apresentar opções em vez de defendê-las (embora é claro que também defendesse), apresentou três: retirada; o exército de mercenários de Erik Prince; e um incremento de tropas convencional, embora limitado.

A retirada, por mais valor que tivesse — e por mais que fosse possível adiar ou minimizar a conquista do Afeganistão pelo Talibã —, ainda deixava para Donald Trump a derrota em uma guerra, uma circunstância insuportável para o presidente.

A segunda opção, uma força de mercenários e a CIA, era amplamente rejeitada pela CIA. Durante dezesseis anos a agência havia conseguido evitar o Afeganistão, e todo mundo sabia que nenhuma carreira progredia naquele país; só se ia lá para morrer. Então, por favor, deixem-nos fora disso.

Assim, restava a opinião de McMaster, defendida por Tillerson, secretário de Estado: mais soldados no Afeganistão, em um reforço modesto, que, de alguma maneira, iriam para lá com um propósito ligeiramente diferente, com uma missão sutilmente diferente, mais ou menos, do que a dos soldados que já haviam sido enviados.

Os militares tinham certeza de que o presidente aprovaria a terceira opção. Mas, no dia 19 de julho, em uma reunião com a equipe de Segurança Nacional na Sala de Crise da Casa Branca, Trump surtou.

Durante duas horas, ele esbravejou contra a confusão que lhe haviam apresentado. Ameaçou demitir quase todos os generais da hierarquia. Disse que não conseguia entender como, depois de tantos meses de estudo, eles só haviam chegado àquele plano medíocre. Desprezou os conselhos que vinham dos generais e elogiou os do baixo escalão. Se temos que estar no Afeganistão, perguntou, por que não podemos faturar com isso? Reclamou que a China tem concessões para mineração, mas os Estados Unidos não. (Ele estava falando do acordo de dez anos antes, feito com apoio norte-americano.) Era que nem o 21

Club, disse, deixando todo mundo confuso com essa referência a um restaurante de Nova York, um dos favoritos de Trump. Nos anos 1980, o 21 Club fechou por um ano e contratou vários consultores para analisar como fazer o estabelecimento ser mais lucrativo. No fim das contas, o conselho foi: arrume uma cozinha maior. *Exatamente o que qualquer garçom teria sugerido*, berrou Trump.

Para Bannon, a reunião foi um ponto alto da presidência de Trump até aquele momento. Os generais estavam batendo cabeça, gaguejando e tentando desesperadamente não passar vergonha — segundo Bannon, eles estavam falando um monte de "besteiras" na Sala de Crise. "Trump os enfrentou", afirmou Bannon, feliz. "Caiu em cima deles. Ele arriou as calças em cima dos planos deles para o Afeganistão e mandou ver. Várias vezes ele voltava à mesma ideia: estamos empacados e perdendo, e ninguém aqui pensou em algum plano para fazer melhor que isso."

Embora ainda não houvesse qualquer sinal de estratégia alternativa viável para o Afeganistão, Bannon, no auge de sua frustração com Jarvanka, tinha certeza de que havia vencido. McMaster estava frito.

Mais tarde, ainda no mesmo dia da reunião sobre o Afeganistão, Bannon ficou sabendo de mais um complô disparatado de Jarvanka. Eles pretendiam contratar Anthony Scaramucci, o "Mooch".

Quando Trump conquistara a candidatura pelo partido, mais de um ano antes, Scaramucci — um operador de fundos de hedge e o Trump genérico preferido de canais de notícias (principalmente o Fox Business Channel) — tinha se tornado figurinha constante na Trump Tower. Mas, no último mês da campanha, quando as pesquisas previam uma derrota humilhante para Trump, ele de repente sumira de vista. A pergunta "Cadê o Mooch?" parecia só mais um indicativo do fim certo e impiedoso da campanha.

Mas, um dia depois da eleição, Steve Bannon — que logo seria designado estrategista-chefe do futuro 45º presidente — chegou à Trump Tower no meio da manhã e foi recebido por Anthony Scaramucci, que apareceu lhe oferecendo um café da Starbucks.

Pelos três meses seguintes, Scaramucci, que já não servia mais como Trump genérico e não tinha nada especial para fazer, tornou-se uma presença constante — ou até à espreita — na Trump Tower. Sempre incansável, ele interrompeu uma reunião na sala de Kellyanne Conway no começo de janeiro só para contar que estava sendo representado pela empresa do marido dela: a Wachtell, Lipton. Depois de dar o recado, citando o nome dos principais sócios da firma e tecendo elogios rasgados sobre todos, ele se acomodou em uma cadeira e fez a Conway e a outra pessoa presente um depoimento comovente sobre como Trump era especial e sagaz, como era também a classe trabalhadora que o elegera — e, ao falar isso, aproveitou a chance para mencionar suas próprias credenciais com a classe trabalhadora de Long Island.

Scaramucci não era o único puxa-saco à procura de trabalho no prédio, mas seu método era um dos mais persistentes. Ele passava os dias tentando se convidar para reuniões ou batendo papo com visitantes — isso era fácil, pois todo mundo atrás de trabalho lá procurava alguém com quem conversar, então em pouco tempo ele se tornou uma espécie de relações-públicas informal. Sempre que possível, grudava por alguns minutos em qualquer funcionário importante que não o dispensasse. Enquanto esperava a oferta para um cargo significativo na Casa Branca, ele parecia ter certeza de que estava reafirmando sua lealdade, seu espírito de trabalho em equipe e sua energia extraordinária. Ele tinha tanta confiança no próprio futuro que fechou um acordo para vender seu fundo de hedge, o Skybridge Capital, para o HNA Group, o megaconglomerado chinês.

Campanhas políticas, baseadas consideravelmente em contribuições voluntárias, atraem uma variedade de figuras estúpidas, carentes e oportunistas. A campanha de Trump talvez tenha aproveitado mais a raspa do tacho do que a média. Mooch, por exemplo, talvez não fosse o voluntário mais peculiar da candidatura presidencial de Trump, mas muitos o encaravam como um dos mais descarados.

Não era pelo fato de que, antes de se tornar um ferrenho defensor de Donald Trump, ele havia sido um ferrenho do contra, nem porque no passado apoiara Obama e Hillary Clinton. O problema, na verdade, era que ninguém gostava dele. Até para um político, ele era presunçoso, incorrigível, e gostava de fazer uma série de comentários egocêntricos e muitas vezes contraditórios a alguém sobre outro alguém, que invariavelmente acabavam chegando aos ouvidos do próprio sujeito que estava sendo escrachado.

Ele não fazia promoção pessoal apenas de forma descarada; fazia promoção pessoal com *orgulho*. Scaramucci dizia ter um talento fantástico para o networking. (Essa presunção certamente era merecida, pois o Skybridge Capital era um fundo de fundos, o que não depende tanto de tino para investimentos, mas sim de conhecer gestores importantes e poder investir junto com eles.) Ele havia desembolsado quase meio milhão de dólares para que o logo de sua firma aparecesse em *Wall Street: O dinheiro nunca dorme* e para fazer uma ponta no filme. Produzia uma conferência anual para operadores de fundos de hedge em que ele próprio era o centro das atenções. Tinha um programa de TV no Fox Business Channel. Era figurinha em toda festa anual em Davos, tendo aparecido certa vez dançando de forma exuberante ao lado do filho de Muamar Kadafi.

Quanto à campanha presidencial, ao se aliar a Donald Trump — depois de ter apostado em peso contra o candidato —, ele se vendia como uma versão de Trump, e via ambos como uma nova dupla de showman e comunicador que transformaria a política.

Ainda que a persistência e o constante esforço presencial de autopromoção não agradassem ninguém, eles suscitaram a pergunta: "O que fazer com Scaramucci?" — questionamento que precisava de alguma resposta. Priebus, em uma tentativa de lidar com o problema Mooch e ao mesmo tempo se livrar dele, sugeriu que Scaramucci assumisse o cargo de diretor financeiro do CNR para levantar fundos — uma proposta que Scaramucci recusou, fazendo um escândalo na Trump Tower, criticando Priebus com uma linguagem grosseira e em alto e bom som, apenas uma prévia do que estava por vir.

Embora Mooch quisesse um emprego no governo Trump, ele queria especificamente um dos empregos que lhe garantissem um desconto nos impostos sobre a venda de sua empresa. Um programa federal permite o pagamento diferido de ganhos de capital caso a venda de uma propriedade cumpra requisitos éticos. O invejoso Scaramucci sabia que Gary Cohn havia recebido um "certificado de alienação" quando vendera suas ações no Goldman, e agora queria um emprego que lhe concedesse o mesmo.

Uma semana antes da posse, finalmente lhe ofereceram o seguinte emprego: diretor do Gabinete para Envolvimento do Público e Relações Intergovernamentais da Casa Branca. Ele seria o representante e líder de torcida do presidente junto a grupos de interesse favoráveis a Trump.

Mas o Gabinete de Ética da Casa Branca protestou — a venda da empresa de Scaramucci levaria meses para ser concluída, e ele estaria negociando com uma entidade que era no mínimo parcialmente controlada pelo governo chinês. E como não contava com o apoio de mais ninguém, Scaramucci terminou ficando bloqueado. Na sua visão ressentida, esse foi um dos poucos casos no governo Trump em que os conflitos profissionais de alguém interferiram em uma nomeação na Casa Branca.

Ainda assim, com a tenacidade de um vendedor, Mooch insistiu. Ele nomeou a si mesmo embaixador extraoficial de Trump. Declarou-se o homem de Trump em Wall Street — mesmo que, em termos práticos, ele não fosse um homem de Trump e estivesse saindo de sua firma em Wall Street. E também mantinha contato constante com qualquer pessoa do círculo de Trump que estivesse disposta a manter contato com ele.

A pergunta "O que fazer com Mooch?" persistiu. Kushner, com quem Scaramucci exercera um raro autocontrole durante a campanha, e que havia ouvido repetidamente de outros contatos em Nova York sobre a lealdade contínua de Scaramucci, ajudou a levar a pergunta adiante.

Priebus e outros mantiveram Scaramucci afastado até junho, e então, quase que como uma piada, ofereceram-lhe a proposta — e Scaramucci teve que se rebaixar e aceitar — de ser vice-presidente sênior e estrategista-chefe do Banco de Exportações e Importações dos Estados Unidos, um órgão do executivo que Trump durante muito tempo prometera eliminar. Mas Mooch ainda não estava pronto para jogar a toalha: depois de realizar ainda mais lobby, e mediante incentivo de Bannon, propuseram-lhe o cargo de embaixador junto à Organização para a Cooperação e o Desenvolvimento Econômico. A função incluía um apartamento de vinte cômodos em Paris, uma equipe completa de subordinados e — Bannon achou essa parte especialmente divertida — absolutamente nenhuma influência ou responsabilidade.

Enquanto isso, outra pergunta persistente — "O que fazer com Spicer?" — parecia ter sido de alguma forma agregada ao desastre em torno da reação atrapalhada à notícia que vazara sobre a reunião entre Don Jr., Jared e os russos, ocorrida em junho de 2016. Como Trump, em viagem no Força Aérea Um, havia efetivamente ditado a resposta de Don Jr. à primeira reportagem do *New York Times* sobre a reunião, a culpa devia ter recaído em cima de Trump e Hope Hicks: Trump ditou, Hicks transcreveu. Mas, como nenhum desastre podia cair no colo do presidente, a própria Hicks também foi poupada. E embora tenham feito questão de excluir Spicer da crise na Trump Tower, a culpa do episódio agora era jogada em cima dele, justamente porque, visto que sua lealdade estava em dúvida, ele e sua equipe de comunicação *tinham* que ser excluídos.

Nesse aspecto, avaliaram que a equipe de comunicação era adversária, se não hostil, em relação aos interesses de Jared e Ivanka; Spicer e seu pessoal não haviam conseguido preparar uma defesa que os incluísse, e a equipe de comunicação não tinha defendido adequadamente a Casa Branca. Isso, claro, evidenciava o detalhe essencial e óbvio: embora o jovem casal fosse apenas uma dupla de assessores e não integrasse o quadro institucional da Casa Branca, os dois agiam e pensavam como se fizessem parte da entidade presidencial. A ira e o ressentimento cada vez maior derivavam da relutância — na verdade, uma resistência profunda e cada vez mais intensa — de alguns funcionários em tratá-los como integrantes fundamentais da presidência. (Uma vez Priebus precisou chamar Ivanka de lado e deixar claro que, oficialmente, ela era apenas uma assessora, pois ela vinha insistindo em fazer a distinção de que era assessora-barra-Primeira-Filha.)

Para o casal, Bannon era o inimigo público; não esperavam nada dele. Mas encaravam Priebus e Spicer como funcionários, e assim o trabalho deles era dar apoio aos objetivos da Casa Branca, que incluíam os objetivos e interesses deles.

Quanto a Spicer, constantemente ridicularizado na mídia por sua defesa atrapalhada da Casa Branca e pela aparente lealdade cega, o presidente havia decidido, praticamente desde a posse, que ele não era leal o bastante e nem um pouco tão agressivo quanto devia ser ao defender o governo. Ou, na opinião de Jared e Ivanka, ao defender a família. "O que a equipe de quarenta pessoas de Spicer *faz* de fato?" era uma pergunta constante na Primeira Família.

Quase desde o início, o presidente havia entrevistado potenciais substitutos para a Secretaria de Imprensa. Aparentemente, ele havia oferecido o cargo para várias pessoas, incluindo Kimberly Guilfoyle, a personalidade da Fox News e coapresentadora do programa *The Five*. Corriam boatos de que Guilfoyle, ex-esposa do democrata californiano Gavin Newsom, também era namorada de Anthony Scaramucci. Sem que a Casa Branca soubesse, a vida pessoal de Scaramucci estava em franca queda livre. Em 9 de julho, grávida de nove meses do segundo filho do casal, a esposa de Scaramucci entrou com um processo de divórcio.

Guilfoyle, ciente de que Spicer estava de saída, mas decidida a não tomar seu lugar — ou, segundo outras fontes na Casa Branca, jamais tendo recebido o convite —, sugeriu Scaramucci. Este, por sua vez, começou a trabalhar para convencer Jared e Ivanka de que o que eles tinham era em grande parte um problema de relações-públicas e que a equipe de comunicação atual não estava ajudando.

Scaramucci telefonou para um repórter que ele conhecia para insistir que derrubassem uma reportagem que seria publicada sobre os contatos russos de Kushner. Em seguida, pediu para um outro contato telefonar para o mesmo repórter e dizer que, se a reportagem fosse derrubada, ajudaria Mooch a entrar na Casa Branca, onde o repórter então teria acesso especial. Mooch garantiu assim a Jared e Ivanka que tinha dado um jeito inteligente de enterrar a história.

Agora Scaramucci conseguira chamar a atenção deles. *Precisamos de ideias novas*, pensou o casal; *precisamos de alguém que esteja mais do nosso lado*. O fato de que Scaramucci era de Nova York, de Wall Street, e rico, foi o suficiente para convencê-los de que ele compreendia o que estava rolando. E também de que entenderia o que estava em jogo e saberia que seria preciso fazer um jogo agressivo.

Por outro lado, o casal não queria passar a impressão de estar forçando a barra. Assim, depois de fazerem acusações ressentidas sobre Spicer ser incapaz de defendê-los direito, de repente eles recuaram e sugeriram que só queriam trazer uma perspectiva nova na mistura. O cargo de diretor de comunicação da Casa Branca, que não tinha escopo definido, estava vago desde maio, quando Mike Dubke, cuja presença na Casa Branca mal fora sentida, pedira demissão. O casal imaginou que Scaramucci poderia ficar com o cargo e, nessa função, ser um aliado.

"Ele é bom na televisão", disse Ivanka a Spicer ao explicar o raciocínio para contratar um antigo operador de fundos de hedge para o cargo de diretor de comunicação da Casa Branca. "Talvez ele possa nos ajudar."

Foi o presidente que, após conhecer Scaramucci, acabou sendo conquistado pela adulação insistente e constrangedora ao estilo de Wall Street. ("Minha única esperança é reproduzir uma pequena parte da sua genialidade como comunicador, você é o exemplo e o modelo que eu sigo", foi como descreveram o teor da súplica de Scaramucci.) E foi Trump quem depois incentivou Scaramucci a se tornar o verdadeiro chefe de comunicações, se reportando diretamente ao presidente.

No dia 19 de julho, através de intermediários, Jared e Ivanka sondaram a reação de Bannon: o que ele achava da entrada de Scaramucci para a equipe de comunicação?

A ideia pareceu tão absurda a Bannon — foi uma demonstração de fraqueza, a prova de que o casal estava realmente desesperado — que ele se recusou a considerar ou até responder à pergunta. Agora ele tinha certeza: Jarvanka estava surtando.

21. Bannon e Scaramucci

O apartamento de Bannon em Arlington, na Virgínia, ficava a quinze minutos de carro do centro de Washington e era chamado de "abrigo". Isso parecia simbolizar de alguma maneira a transitoriedade dele e, com alguma ironia, fazia referência à natureza clandestina e até romântica de sua política — a rebelde e belicosa direita alternativa. Bannon havia se instalado ali depois da Embaixada Breitbart na A Street, perto do Capitólio. Era um apartamento universitário de quarto e sala, em um edifício misto em cima de um McDonald's enorme — um grande contraste à suposta fortuna de Bannon —, onde quinhentos ou seiscentos livros (ênfase em história popular) ficavam empilhados junto à parede sem o luxo de uma estante. Alexandra Preate, seu braço direito, também morava nesse prédio, assim como o advogado norte-americano de Nigel Farage, o líder da direita britânica e do movimento pelo Brexit que fazia parte da rede de contatos do Breitbart News.

Na quinta-feira, 20 de julho, um dia depois da acalorada reunião sobre o Afeganistão, Bannon ofereceu um pequeno jantar organizado por Preate — com comida chinesa de um restaurante que entregava em domicílio. Bannon estava com um ar descontraído, quase comemorativo. Ainda assim, ele sabia que, no governo Trump, quem estivesse se sentindo por cima da carne-seca provavelmente levaria uma rasteira. Esses eram o padrão e o custo de uma liderança individual — uma liderança insegura. O segundo mais forte da sala sempre tinha que ser posto no seu lugar.

Muitos à sua volta acreditavam que Bannon estava prestes a entrar em mais um ciclo ruim. No primeiro, ele havia sido castigado pelo presidente por causa da capa na revista *Time* e por causa do esquete no *Saturday Night Live* com o personagem "Presidente Bannon" — a mais cruel das alfinetadas a Trump. Agora, tinha aparecido um livro novo, *Devil's Bargain*, que alegava, muitas vezes com as próprias palavras de Bannon, que Trump não teria conseguido chegar lá sem ele. O presidente havia voltado a ficar muito irritado.

Ainda assim, Bannon parecia achar que tinha superado o último episódio. O que quer que acontecesse, ele se sentia seguro. A bagunça dentro da Casa Branca era tão grande que, no mínimo, a sua visão o manteria por cima. Seus interesses estavam em alta, e seus inimigos, ignorados. Jared e Ivanka eram sacos de pancada todos os dias, mas agora estavam totalmente focados em se proteger. Dina Powell estava procurando emprego. McMaster tinha se ferrado no Afeganistão. Gary Cohn, antes um inimigo letal, agora estava desesperado para conseguir a presidência no FED e queria cair nas graças de Bannon — "puxando meu saco", disse Bannon com uma sonora gargalhada. Ao apoiar a campanha de Cohn para o cargo no FED, Bannon estava obtendo, em troca, a lealdade dele para os interesses comerciais da direita.

Os gênios estavam fodidos. Até o presidente podia estar fodido. Mas Bannon tinha visão e disciplina — com certeza. "Estou metendo pau todo dia. A agenda nacionalista, a gente está dominando a porra toda. Vou ficar aqui até o fim."

Antes do jantar, Bannon havia compartilhado um texto do *Guardian* — embora fosse um dos principais jornais em língua inglesa com tendências à esquerda, era o preferido dele — sobre a rejeição da globalização. O texto, do jornalista liberal Nikil Saval, aceitava a premissa política populista central de Bannon — "a concorrência entre trabalhadores de países em desenvolvimento e de países desenvolvidos [...] ajudou a diminuir os salários e a estabilidade dos trabalhadores em países desenvolvidos" — e a elevava à condição de conflito fundamental da atualidade. Davos estava morta, e Bannon, bastante vivo. "Economistas que antes eram proponentes ardorosos da globalização se tornaram alguns de seus críticos mais proeminentes", dizia Saval. "Antigos defensores agora reconhecem, pelo menos em parte, que ela produziu desigualdade, desemprego e forçou a redução de salários. As nuances e críticas que os economistas antes só comentavam em palestras fechadas estão enfim vindo à tona."

"Estou começando a ficar cansado de ganhar", foi a única frase que Bannon escreveu em seu e-mail com o link para o texto.

Agora, inquieto e andando de um lado para outro, Bannon relatava como Trump estava cagando para McMaster e como também se deleitava com o absurdo histérico da artimanha dos gênios com Scaramucci. Mas, sobretudo, Bannon estava incrédulo com a outra coisa que havia acontecido no dia anterior.

Sem o conhecimento dos principais assessores nem do Gabinete de Comunicação — exceto por um aviso estritamente formal para incluir na agenda —, o presidente havia concedido uma importante entrevista ao *New York Times*, organizada por Jared e Ivanka, junto com Hope Hicks. Maggie Haberman, que era jornalista do periódico, motivo de desgosto de Trump ("muito sacana e burra") e ao mesmo tempo a profissional de referência dele para uma forma mais sofisticada de aprovação, fora ver o presidente junto com os colegas Peter Baker e Michael Schmidt. O resultado foi uma das entrevistas mais peculiares e infelizes da história da presidência, com um presidente que já havia alcançado esse marco algumas vezes.

Na entrevista, Trump fizera a vontade cada vez mais surtada da filha e do genro. Mesmo sem nenhum objetivo claro nem estratégia definida, ele continuou ameaçando o procurador-geral por ter se declarado impedido e por ter aberto a porta para um promotor especial. Insistiu abertamente para que Sessions renunciasse — lançando deboches e insultos a ele e desafiando-o a tentar ficar. Por mais que isso parecesse não ajudar ninguém, exceto talvez o promotor especial, a incredulidade de Bannon — "Jefferson Beauregard Sessions não vai para lugar nenhum" — estava mais concentrada em outro trecho impressionante da entrevista: o presidente havia alertado o promotor especial a não se meter nas finanças da família.

Bannon soltou um grito agudo, como o barulho de uma sirene. "Não olhe isto aqui! Vamos falar para um promotor o que ele *não* pode olhar!"

Bannon então descreveu a conversa que havia tido com o presidente mais cedo naquele dia. "Eu fui até ele e perguntei: 'Por que você disse aquilo?'. E aí ele: 'O negócio do Sessions?'. E eu falei: 'Não, isso é ruim, mas é normal. Por que você disse que ele não podia investigar as finanças da sua família?'. E ele respondeu: 'Bom, não pode...'. Aí eu: 'Ei, eles vão determinar a carta de ordem... Você pode não gostar, mas você acabou de garantir que, se quiser botar mais alguém no posto [de promotor especial], todos os senadores vão obrigar a pessoa a jurar que a primeira coisa que ela vai fazer é intimar a entrega da porra da sua declaração de renda."

Bannon, ainda mais incrédulo, relatou os detalhes de uma reportagem recente do *Financial Times* sobre Felix Sater, um dos personagens mais suspeitos do rol de personagens suspeitos ligados a Trump. Sater tinha uma relação próxima com Michael Cohen, antigo advogado pessoal de Trump (e supostamente alvo de investigação de Mueller), e um contato financeiro crucial na Rússia. Além disso, "prepare-se — eu sei que pode parecer um choque para você, mas espere só", já havia enfrentado problemas sérios com a lei antes, "flagrado com uns outros caras em Boca, lavando dinheiro russo em um esquema fraudulento". E, por acaso, o "irmão Sater" fora processado por — "espere" — *Andrew Weissmann*. (Mueller havia acabado de contratar Weissmann, um poderoso advogado de Washington que chefiava a divisão de fraudes do Departamento de Justiça.) "O LeBron James das investigações de lavagens de dinheiro está chegando, Jarvanka. Meu cu está que não passa nem agulha!"

Bannon literalmente bateu nas ancas e depois voltou à narração sobre a conversa com o presidente: "E ele fala: 'A carta de ordem deles não é essa'. Sério, cara?".

Preate, colocando a comida chinesa na mesa, disse: "A carta de ordem deles não dizia para acabar com a Arthur Andersen durante a Enron, mas isso não impediu Andrew Weissmann" — um dos promotores no caso da Enron.

"Você já entendeu o que está rolando", continuou Bannon. "Isso tudo tem a ver com *lavagem de dinheiro*. O primeiro que Mueller escolheu foi Weissmann, e ele é o cara das lavagens de dinheiro. A trajetória deles para foder com Trump inclui Paul Manafort, Don Jr. e Jared Kushner... É tão gritante quanto um fio de cabelo na cara... Inclui o Deutsche Bank e toda aquela merda do Kushner. A merda do Kushner é gorda. Eles vão pegar tudo isso. Vão juntar aqueles caras e falar: 'Ou dá ou desce'. Mas... '*privilégio do executivo!*'", arremedou Bannon. "'A gente tem privilégio do executivo!' Não existe privilégio do executivo! Já provamos isso com Watergate."

Bannon, sempre expressivo, de repente pareceu ter se esgotado. Após uma pausa, acrescentou, cansado: "Eles estão sentados na praia e tentando impedir um furacão de Categoria Cinco".

Com as mãos na frente do corpo, ele imitou uma espécie de campo de força que o isolaria do perigo. "Não é comigo. Ele está cercado por cinco gênios: Jarvanka, Hope Hicks, Dina Powell e Josh Raffel." Bannon levantou as mãos de novo, agora como se quisesse dizer *Lavo minhas mãos*. "Não conheço nenhum russo. Não sei nada de nada. Não sou testemunha. Não vou contratar nenhum advogado. Não vou estar com o meu na reta na frente dos microfones na TV em cadeia nacional para responder perguntas. Hope Hicks está tão fodida que nem imagina. Vão acabar com ela. Vão arrebentar Don Jr. na TV em cadeia nacional. Michael Cohen, arrebentado. Ele [o presidente] me falou que todo mundo ia perdoar aquela reunião de Don Jr. com os russos. Eu falei: '*Ninguém* vai perdoar aquela reunião. Eu sou um oficial da Marinha. Não vou perdoar uma reunião com cidadãos russos, e feita na sede, você ficou maluco?'. E ele respondeu: 'Mas ele é um bom garoto'. Não aconteceu mais nenhuma reunião como aquela depois que assumi a campanha."

O tom de Bannon passou de completo desespero para resignação.

"Se ele demitir Mueller, o impeachment só vai acontecer mais rápido. Por que não? Vamos lá. Vamos mandar ver. Por que não? O que é que eu vou fazer? Vou lá e o resgato? Ele é Donald Trump. Ele sempre vai fazer coisas. Ele quer um procurador-geral sem impedimento. Eu falei que, se Jeff Sessions rodar, se Rod Rosenstein rodar, e depois se Rachel Brand" — a procuradora adjunta, a próxima da fila depois de Rosenstein — "rodar, vamos começar a entrar no pessoal de carreira do Obama. Um cara do Obama vai ser o procurador-geral interino. Falei que ele não ia conseguir Rudy" — Trump havia revivido o desejo de dar o trabalho para os asseclas Rudy Giuliani ou Chris Christie —, "porque ele estava na campanha e teria que se declarar impedido, e Chris Christie também, então essas fantasias são pura punhetação, tira isso da cabeça. E se mais alguém for confirmado agora, a pessoa vai ter que jurar que vai levar as coisas adiante e não vai demitir ninguém, porque ontem você disse — imitou novamente uma sirene — 'não se meta nas finanças da minha família', e vão exigir que ele, não importa quem seja, prometa e se dedique a incluir as finanças da família na investigação. Falei que isso era garantido, então era melhor ele torcer para Sessions ficar."

"Ontem à noite ele estava ligando para gente em Nova York e perguntando o que devia fazer", acrescentou Preate. (Quase todo mundo na Casa Branca, para acompanhar o raciocínio de Trump, conferia para quem ele tinha telefonado na noite anterior.)

Bannon se recostou e, com uma frustração bufante — quase caricata —, delineou seu plano jurídico à la Clinton. "Eles partiram para cima com uma disciplina incrível. Foram com toda a paciência." Mas isso *era* disciplina, Bannon enfatizou, acrescentando e destacando o óbvio: que Trump era o homem menos disciplinado da política.

Era nítido para onde Mueller e a equipe dele estavam indo, afirmou Bannon: eles iam seguir o dinheiro, passando por Paul Manafort, Michael Flynn, Michael Cohen e Jared Kushner, e fazer um ou todos entregarem o presidente.

É shakespeariano, observou ele, listando os conselhos ruins do círculo familiar de Trump: "São os mesmos gênios, o mesmo pessoal que o convenceu a demitir Comey, o mesmo pessoal do Força Aérea Um que deixou a equipe jurídica externa dele de fora, sabendo que o e-mail estava circulando, sabendo que esse e-mail existia, o mesmo que fez aquela declaração sobre Don Jr., de que a reunião só era sobre adoções... os mesmos gênios tentando fazer Sessions ser demitido.

"Olha, Kasowitz conhece você há 25 anos. Kasowitz livrou você de vários pepinos. Na campanha — o que a gente tinha, cem mulheres? Kasowitz cuidou de todas. E agora ele vai durar o quê, quatro semanas? Ele está na sarjeta. É o advogado mais forte de Nova York, e está quebrado. Mark Corallo, o puto mais forte que eu já vi na vida, não aguenta."

Segundo Bannon, Jared e Ivanka acreditavam que, se promovessem a reforma do sistema penitenciário e salvassem o DACA — o programa que protege os filhos de imigrantes ilegais —, os liberais iam sair em sua defesa. Bannon fez uma rápida digressão para caracterizar a habilidade legislativa de Ivanka Trump e a dificuldade dela — que havia se tornado uma baita preocupação na Casa Branca — de achar quem bancasse seu projeto de licença familiar. "O motivo é o seguinte, eu vivo dizendo para ela: isso não tem nenhum apelo político. Você sabe que é muito fácil arranjar alguém para assinar projetos de lei, qualquer mané consegue. Sabe por que ninguém quer assinar o seu projeto? Porque as pessoas sabem que ele é *idiota*." Na verdade, disse Bannon, revirando os olhos, havia sido de Jarvanka a ideia de tentar oferecer anistia como moeda de troca pelo muro da fronteira. "Se não é a ideia mais idiota da civilização ocidental, está lá no top três. Será que esses gênios sabem quem nós somos?"

Nessa hora, Bannon atendeu ao telefone, e a pessoa do outro lado da linha disse que Scaramucci parecia mesmo estar confirmado no cargo de diretor de comunicação. "Você está de sacanagem, cara", disse ele, rindo. "Só pode estar de sacanagem!"

Ele desligou o telefone e expressou ainda mais espanto pelo mundo de fantasia dos gênios. E acrescentou, só para garantir, uma dose extra de puro desdém: "Eu literalmente não falo com eles. Sabe por quê? Estou lá fazendo minhas coisas, e eles não têm nada a ver com isso, e não quero saber o que eles estão fazendo... Não quero saber... Não vou ficar sozinho com eles, não vou ficar na mesma sala que eles. Ivanka entrou na Sala Oval hoje... [e] assim que entrou, olhei para ela e saí na hora... Não vou ficar na mesma sala... não quero... Hope Hicks entrou, eu saí".

"O FBI prendeu o pai de Jared", informou Preate. "Eles não entendem que não dá para brincar..."

"Charlie Kushner...", disse Bannon, dando mais um tapa na cabeça, ainda incrédulo. "Ele está enlouquecendo, porque vão revirar o jeito como ele financiou tudo... Os rabinos com os diamantes e a porra toda saindo de Israel... e aquele pessoal todo saindo do Leste Europeu... aqueles russos todos... e os caras do Cazaquistão... E ele está paralisado no 666 (prédio da Quinta Avenida), quando falir no ano que vem, o negócio todo perdido em garantias cruzadas... ele está ferrado, já foi, perdeu, acabou... Já era."

Ele apoiou o rosto nas mãos por um instante e então olhou para a frente de novo.

"Sou muito bom para bolar soluções, levei um dia para arranjar a solução para a campanha brocha dele, mas não estou vendo jeito para isto. Não consigo ver nenhum plano para avançar. Agora, eu apresentei um plano, falei para ele fechar a Sala Oval, mandar aquelas duas crianças para casa, se livrar de Hope, daqueles inúteis todos, e dar ouvidos para a equipe jurídica — Kasowitz, Mark Dowd, Jay Sekulow e Mark Corallo, são todos profissionais que já fizeram isso muitas vezes. Falei pra ele, 'preste atenção nesses caras e nunca mais fale disso de novo, apenas se comporte como comandante em chefe, e aí você vai poder ser presidente por oito anos. Se não, não vai ser, simples assim'. Mas ele é o presidente, a escolha é dele, e claro que ele escolheu seguir por outro caminho... e não tem como impedir. O cara vai bolar as próprias jogadas. É Trump..."

E então outro telefonema, agora de Sam Nunberg. Ele também estava ligando para falar de Scaramucci, e suas palavras causaram certa consternação em Bannon, que exclamou: "Porra, não acredito!".

Bannon desligou e falou: "Jesus Cristo. Scaramucci. Não sei nem como reagir. É kafkiano. Jared e Ivanka precisavam de alguém para representar as merdas deles. Que loucura. Ele vai ficar dois dias naquele palanque e será tão retalhado que vai ter sangue saindo por todos os buracos. Ele literalmente vai explodir em uma semana. É por isso que não levo essas coisas a sério. Contratar Scaramucci? Ele não é capacitado para fazer nada. O cara opera um fundo de fundos. Sabe o que é um fundo de fundos? Não é um fundo. Cara, que merda. A gente parece um bando de palhaços".

Em 21 de julho, o primeiro dos dez dias de Anthony Scaramucci foi marcado pela saída de Sean Spicer. Curiosamente, isso parece ter pegado todo mundo de surpresa. Em uma reunião com Scaramucci, Spicer e Priebus, o presidente — que, ao anunciar Scaramucci como diretor de comunicação, passou por cima não só de Spicer, mas, na prática, também de Priebus, seu chefe de gabinete — sugeriu que os homens deviam ser capazes de se entender entre si.

Spicer voltou para sua sala, imprimiu a carta de demissão e a levou para o confuso presidente, que mais uma vez disse que queria muito que ele ficasse. Mas Spicer, sem dúvida o homem mais escarnecido dos Estados Unidos, entendeu que havia recebido um presente. Seus dias na Casa Branca tinham chegado ao fim.

Para Scaramucci, agora era a hora do troco. Para ele, a culpa de seus seis meses de humilhação na geladeira era sobretudo de Reince Priebus — depois de anunciar seu futuro na Casa Branca e de, em preparação para esse momento, vender sua firma, não havia sobrado nada, ou pelo menos nada de valor. Mas agora, em uma reviravolta digna de um verdadeiro mestre do universo — na verdade, digna do próprio Trump —, Scaramucci estava na Casa Branca, maior, melhor e mais importante do que até ele mesmo se atrevera a imaginar. E Priebus já era.

Este foi o sinal que o presidente tinha enviado a Scaramucci: arrume a bagunça. Para Trump, os problemas do mandato dele até então eram problemas só da equipe. Se a equipe fosse embora, os problemas iriam embora. Então Scaramucci tinha suas ordens. O fato de que o presidente vinha dizendo a mesma coisa sobre a porcaria da equipe desde o primeiro dia, de que essa ladainha era uma constante desde a campanha, de que muitas vezes ele dizia que queria que todo mundo fosse embora e depois mudava de ideia e dizia que *não* queria que todo mundo fosse embora — isso tudo meio que passou batido por Scaramucci.

Scaramucci começou a lançar provocações públicas contra Priebus, e, na Ala Oeste, adotou uma postura de marrento com Bannon: "Não quero saber das palhaçadas dele". Trump parecia estar adorando o comportamento, o que fez Scaramucci se sentir incentivado pelo presidente. Jared e Ivanka também estavam satisfeitos; eles acreditavam que haviam acertado em cheio com Scaramucci e tinham certeza de que ele os defenderia contra Bannon e o resto.

Bannon e Priebus não só continuaram incrédulos como quase não conseguiam conter a gargalhada. Para os dois homens, Scaramucci era ou um surto de alucinação — eles se perguntavam se deviam fechar os olhos e esperar que a alucinação passasse — ou uma incursão pela insanidade.

Mesmo em comparação com outras semanas problemáticas na Casa Branca de Trump, a semana do dia 24 de julho foi pesada. Primeiro, começou o novo episódio do que havia se tornado um esforço de ópera cômica para revogar o Obamacare no Senado. Assim como na Câmara dos Representantes, a questão já não era mais tanto sobre saúde, e sim uma disputa entre os republicanos no Congresso e entre a liderança do Partido Republicano e a Casa Branca. A posição característica do partido havia se tornado o símbolo da guerra civil deles.

Na segunda-feira dessa mesma semana, o genro do presidente apareceu diante dos microfones na frente da Ala Oeste e fez uma prévia do depoimento que daria aos investigadores do Senado a respeito das ligações entre a campanha de Trump e a Rússia. Praticamente sem nunca ter falado em público antes, ele negou culpa na confusão com a Rússia, alegando ingenuidade e falta de cuidado; com um tom de voz frágil e lamuriento, ele se pintou como uma espécie de Cândido que tinha se decepcionado com um mundo cruel.

E, à noite, o presidente viajou para a Virgínia Ocidental a fim de fazer um discurso na Boy Scouts of America. Mais uma vez, o tom do discurso não era adequado para o momento, para o local, nem para o bom senso. Suscitou um pedido imediato de desculpas da organização a seus membros, aos pais deles e ao país como um todo. A viagem rápida pareceu não ter ajudado a melhorar o humor de Trump: na manhã seguinte, furioso, ele voltou a atacar publicamente o procurador-geral e — só para reforçar e sem qualquer motivo claro — tuitou seu veto a transgêneros nas Forças Armadas. (O presidente havia recebido quatro opções distintas a respeito da política para transgêneros nas Forças Armadas. A lista pretendia orientar um debate em andamento, mas, dez minutos depois de receber os tópicos de discussão, e sem consultar mais ninguém, Trump tuitou o veto.)

No dia seguinte, quarta-feira, Scaramucci descobriu que um dos seus formulários de declaração de renda parecia ter sido vazado; partindo do princípio de que estava sofrendo sabotagem de seus inimigos, apontou o dedo diretamente para Priebus, insinuando que ele havia cometido um crime. Na realidade, o documento era de domínio público, e qualquer um tinha acesso a ele.

À tarde, Priebus disse ao presidente que entendia ser o momento de entregar o cargo, e que eles precisavam começar a conversar sobre um substituto.

E então, à noite, houve um pequeno jantar na Casa Branca, com a presença de diversos funcionários e ex-funcionários da Fox News, incluindo Kimberly Guilfoyle — e esse fato veio a público. Bebendo mais do que o normal, tentando com desespero limitar a divulgação de detalhes sobre o colapso de sua vida pessoal (a associação a Guilfoyle não ajudaria na negociação com a esposa), e tenso com circunstâncias que iam muito além da capacidade de seus circuitos, Scaramucci ligou para um repórter da revista *New Yorker* e descarregou.

A matéria que resultou disso foi surreal: a dor e a fúria eram tão transparentes que, durante quase 24 horas, ninguém parecia capaz de admitir que ele havia cometido um suicídio político. A matéria reproduzia duras declarações de Scaramucci sobre o chefe de gabinete Reince Priebus: "Se você quiser vazar alguma coisa, vai ser obrigado a pedir demissão logo, logo". Dizendo que havia aceitado o cargo novo "para servir ao país" e que ele não estava tentando se promover, Scaramucci também atacou Steve Bannon: "Eu não sou Steve Bannon. Não estou tentando chupar meu próprio pau". (Na verdade, Bannon ficou sabendo da matéria quando checadores da revista ligaram para ele e lhe pediram para comentar sobre a declaração que Scaramucci tinha dado, de que ele chupava o próprio pau.)

Scaramucci, que na prática havia demitido Priebus publicamente, estava se comportando de maneira tão estapafúrdia que era impossível dizer quem ficaria de pé no final. Priebus, há tanto tempo na iminência de ser demitido, percebeu que talvez tivesse sido cedo demais para aceitar sair. Ele talvez tivesse tido a chance de demitir Scaramucci.

Na sexta-feira, enquanto a revogação da política de saúde implodia no Senado, Priebus decolou no Força Aérea Um junto com o presidente, que iria fazer um discurso em Nova York. Por acaso, Scaramucci também foi. Em um esforço para evitar as consequências da *New Yorker*, ele alegara que tinha ido visitar a mãe em Nova York, mas na verdade estava escondido no Trump Hotel em Washington. E agora lá estava ele, e suas malas (ele realmente visitaria a mãe em Nova York), agindo como se nada tivesse acontecido.

Na volta, Priebus e o presidente conversaram no avião e trataram da saída dele. O presidente pediu que ele fizesse as coisas direito e não se apressasse. "Você me avisa o que é melhor", disse Trump. "Vamos acertar."

Minutos depois, assim que pisaram na pista do aeroporto, Priebus recebeu um alerta em seu celular, informando que o presidente havia acabado de tuitar que John Kelly, o chefe do Departamento de Segurança Interna, era o novo chefe de gabinete, e que Priebus estava fora.

A presidência de Trump tinha seis meses, mas a dúvida quanto a quem substituiria Priebus estava em debate quase desde o primeiro dia. A lista de candidatos incluía Powell e Cohn, os favoritos de Jarvanka; Mick Mulvaney, diretor do Gabinete de Gestão e Orçamento, um dos escolhidos de Bannon; e Kelly.

Na verdade, Kelly — que pouco depois faria um pedido de desculpas constrangido pela completa falta de consideração com que a demissão de Priebus foi feita — não havia sido consultado sobre a nomeação. O tuíte do presidente foi a primeira notícia que ele teve.

Mas, de fato, não havia tempo a perder. Agora a questão crucial que o governo Trump enfrentava era que alguém precisava demitir Scaramucci. Como na prática Scaramucci havia se livrado de Priebus — a pessoa que, pela lógica, seria responsável por cuidar da demissão *dele* —, o novo chefe de gabinete precisava, de forma mais ou menos imediata, se livrar de Mooch.

E então, seis dias depois, algumas horas após tomar posse do cargo, Kelly demitiu Scaramucci.

Também repreendidos, o casal jovem, os gênios da contratação de Scaramucci, ficaram com medo de levar a culpa, merecida, por uma das contratações mais ridículas, se não catastróficas, da história moderna da Casa Branca. E agora se apressavam para declarar todo o apoio à decisão de se livrar de Scaramucci.

"Então eu dou um soco na sua cara", comentou Sean Spicer, do lado de fora, "e depois falo: 'Meu Deus, temos que levar você para o hospital!'."

22. General Kelly

No dia 4 de agosto, o presidente foi para o seu campo de golfe em Bedminster, acompanhado de figuras importantes da Ala Oeste. O general Kelly, o novo chefe de gabinete, foi a reboque, mas Steve Bannon ficou para trás. A viagem, planejada para durar dezessete dias, estava deixando Trump rabugento e incomodado com a diligência da mídia registrando seus passeios de golfe. Então aquilo passou a ser chamado de viagem "de trabalho" – mais uma vaidade de Trump que provocava constrangimento nos funcionários encarregados de planejar eventos que pareciam profissionais, mas que também tinham que incluir longos intervalos para o golfe.

Durante a ausência do presidente, a Ala Oeste seria reformada – o decorador e dono de hotéis Trump estava "enojado" com o estado dela. Ele não queria se mudar para o edifício próximo do Gabinete Executivo, onde as funções da Ala Oeste seriam realizadas temporariamente – e onde Steve Bannon esperava sentado o convite para Bedminster.

Bannon dizia para todo mundo que estava prestes a ir para Bedminster, mas o convite não havia chegado ainda. Ele, que dizia ter sido o responsável pela entrada de Kelly no governo, não sabia exatamente qual era a opinião do novo chefe de gabinete a seu respeito. Nem o próprio presidente sabia a opinião de Kelly, e ficava perguntando para todo mundo se Kelly gostava dele. De modo geral, Bannon não sabia muito bem *o que* Kelly estava fazendo, além das funções do cargo. Como exatamente o novo chefe de gabinete se encaixava no universo de Trump?

Embora Kelly se encontrasse em algum ponto à direita do centro do espectro político e tivesse sido rigoroso nas questões de imigração no Departamento de Segurança Interna, ele não era nem um pouco tão de direita quanto Bannon ou Trump. "Ele não é radical", lamentou Bannon. Ao mesmo tempo, Kelly também não tinha nenhuma proximidade com os liberais de Nova York na Casa Branca. Mas seu domínio não era a política. Como diretor da Segurança Interna, ele havia acompanhado o caos da Casa Branca com repulsa e cogitara pedir demissão. Agora havia aceitado tentar organizar a bagunça. Tinha 67 anos e era determinado, sério e soturno. "Será que ele sorri?", perguntou Trump, que já havia começado a achar que, de alguma forma, tinha cometido um erro ao contratá-lo.

Alguns trumpistas, sobretudo os que tinham acesso irrestrito ao presidente, acreditavam que ele havia sido enganado para acatar uma espécie de submissão não muito típica de Trump. Roger Stone, uma das pessoas cujos telefonemas Kelly passara a impedir que chegassem ao presidente, espalhou a hipótese sombria de que Mattis, McMaster e Kelly haviam decidido que qualquer ação militar só seria realizada se os três estivessem de acordo – e que pelo menos um deles sempre ficaria em Washington se os outros dois estivessem viajando.

Depois que Kelly despachou Scaramucci, as duas pendências imediatas dele, agora em discussão em Bedminster, eram os parentes do presidente e Steve Bannon. Era óbvio que um dos dois lados tinha que ir embora. Ou talvez os dois.

Ninguém fazia ideia se um chefe de gabinete, que se considerava responsável por estabelecer um processo de comando e impor uma hierarquia organizacional no governo – dirigindo um funil decisório para o comandante em chefe –, conseguiria atuar de forma eficaz ou sequer existir em uma Casa Branca onde os filhos do comandante em chefe tinham acesso especial e poder de decisão. Por mais que a filha e o genro do presidente agora estivessem cheios de subserviência diante das novas vozes no comando, era certo que, tanto por força do hábito quanto pelo temperamento, o casal acabaria atrapalhando o controle de Kelly sobre a Ala Oeste. Eles não só exerciam uma óbvia influência especial sobre o presidente como membros importantes da Casa Branca sabiam que eles tinham esse poder e, portanto, acreditavam que eram os verdadeiros promotores de poder e sucesso na Ala Oeste.

Curiosamente, apesar de toda a inexperiência, Jared e Ivanka se tornaram uma presença bastante temida, e os outros temiam o casal tanto quanto o casal temia Bannon. Além do mais, eles haviam adquirido uma grande habilidade com disputas internas e vazamentos — os dois tinham poder para agir tanto abertamente *como também* por baixo do pano —, embora insistissem, muito magoados, que por incrível que pareça nunca tinham vazado nada. "Eles são muito preocupados com a própria imagem e inventaram toda uma reputação, então se ouvem alguém falando deles, se alguém tenta sujar essa imagem ou dizer qualquer coisa contra, é um baita problema", disse uma fonte no quadro de assessores. "Eles ficam muito irritados e partem para cima da pessoa."

Por outro lado, embora "as crianças" pudessem quase inviabilizar o trabalho de Kelly, também não fazia muito sentido manter Bannon no circuito. Qualquer que fosse o talento dele, Bannon era um conspirador e um insatisfeito irremediável, fadado a contornar a hierarquia de qualquer organização. Além do mais, quando o hiato de Bedminster — fosse uma viagem de trabalho ou não — começou, Bannon estava de volta à lista negra do presidente.

Trump continuava remoendo *Devil's Bargain*, o livro de Joshua Green que atribuía a Bannon o crédito pela eleição. Na ocasião, embora o presidente tendesse a ficar do lado de Bannon contra McMaster, a campanha em defesa de McMaster, bancada por Jared e Ivanka, também estava surtindo efeito. Murdoch, recrutado por Jared para ajudar a defender McMaster, estava pedindo pessoalmente a Trump a cabeça de Bannon. Os aliados de Bannon acreditavam que era necessário defendê-lo contra algum ato impulsivo do presidente: então agora eles não apenas tachavam McMaster de fraco em relação a Israel como também convenceram Sheldon Adelson a fazer lobby junto a Trump — Adelson disse ao presidente que Bannon era a única pessoa em quem ele confiava na Casa Branca para lidar com Israel. Os bilhões de Adelson, e seu jeito implacável, sempre impressionavam Trump, e Bannon acreditava que o apoio dele era um reforço considerável.

Mas ignorando a administração da preocupante disfunção na Ala Oeste, o sucesso de Kelly — ou até mesmo sua relevância, como quase todo mundo em condições de opinar lhe dizia — dependia de sua capacidade de lidar com o principal desafio do cargo, que era administrar Trump. Ou melhor, de viver com a impossibilidade de administrá-lo. Suas aspirações, demandas e vontades tinham que existir — *necessariamente* — fora da estrutura organizacional. Trump era a única variável que, em termos de gestão, era simplesmente impossível de ser controlada. Ele parecia uma criança pirracenta de dois anos. Se alguém tentasse controlá-lo, o efeito seria o exato oposto. Portanto, nesse caso, o gestor precisava gerir com muita firmeza suas próprias expectativas.

Em uma das primeiras reuniões com o presidente, o general Kelly tinha incluído Jared e Ivanka na pauta: qual função o presidente achava que eles exerciam; o que achava que estava funcionando ou não; quais caminhos via como possíveis para seguir. A intenção toda era que isso fosse um jeito político de começar uma conversa sobre a saída deles. Mas Kelly logo descobriu que o presidente adorava todos os aspectos da atuação do casal na Ala Oeste. Talvez em algum momento Jared se tornasse secretário de Estado — aparentemente, essa era a única mudança que o presidente conseguia prever. O máximo que Kelly podia fazer era explicar ao presidente que o casal precisava fazer parte de uma disciplina organizacional maior na Ala Oeste e não devia poder furar a hierarquia com tanta facilidade.

Pelo menos isso era algo que o general podia tentar impor. Durante um jantar em Bedminster — o presidente com a filha e o genro —, a Primeira Família ficou confusa quando Kelly apareceu e se sentou à mesa. Eles logo entenderam que isso não era uma tentativa de socialização simpática, nem um caso de familiaridade excessiva e inconveniente. Era imposição: Jared e Ivanka precisavam passar por ele para falar com o presidente.

Mas Trump havia deixado clara sua opinião de que as funções exercidas pelas crianças em seu governo só precisavam de pequenos ajustes. Isso agora constituía um problema significativo para Bannon, pois ele realmente acreditava que Kelly conseguiria dar um jeito de mandar Jarvanka embora. Como não mandaria? De fato, Bannon tinha se convencido de que eles representavam o maior perigo para Trump. Eles derrubariam o presidente. Da mesma maneira, Bannon acreditava que *ele próprio* não teria como permanecer na Casa Branca se os dois ficassem.

Para além desse período de irritação de Trump em relação a Bannon, que muitos acreditavam ser só o estado constante de ressentimento e reclamação de Trump, os bannonistas achavam que seu líder estava em vantagem, pelo menos em termos de política. Jarvanka estava afastado; a liderança do Partido Republicano, depois da política para a saúde, estava desacreditada; o plano tributário de Cohn e Mnuchin era uma bagunça. Por uma janela, o horizonte parecia quase ensolarado para Bannon. Sam Nunberg, o antigo seguidor de Trump que agora era definitivamente seguidor de Bannon, achava que este permaneceria dois anos na Casa Branca e depois sairia para cuidar da campanha de reeleição de Trump. "Se você conseguir eleger aquele idiota pela segunda vez", disse Nunberg, admirado, "será o mesmo que conquistar a imortalidade na política."

Mas, por outra janela, não tinha como Bannon continuar. Ele parecia estar em uma posição que lhe permitia ver com perfeição como a Casa Branca havia se tornado ridícula. Ele mal conseguia conter a língua – para falar a verdade, ele não conseguia. Ao ser indagado, não conseguia ver futuro para o governo Trump. E embora muitos bannonistas insistissem na inutilidade e na irrelevância de Jarvanka – diziam que era só ignorá-los –, a tolerância de Bannon ao casal ia diminuindo a cada dia, com uma ferocidade cada vez maior e muito venenosa.

Bannon, ainda esperando o convite para ir encontrar o presidente em Bedminster, decidiu que ia forçar a situação e pediu demissão para Kelly. Mas na verdade tratava-se de uma queda de braço: ele queria ficar. Por outro lado, queria dar um fim em Jarvanka. E, na prática, o pedido se tornou um ultimato.

Em 8 de agosto, no almoço no Clubhouse de Bedminster – em meio a uma coleção trumpiana de candelabros, troféus de golfe e placas de torneios –, o presidente estava cercado pela esposa, Melania, e por Tom Price, o secretário de Saúde e Serviços Humanos. Kellyanne Conway também estava, assim como Kushner e outros. Esse era um dos eventos "para trabalhar": durante o almoço, houve uma conversa sobre a crise dos opiáceos, à qual se seguiram então um pronunciamento do presidente e uma breve rodada de perguntas de repórteres. Trump leu o pronunciamento em um tom monótono, com a cabeça baixa, sustentada pelos cotovelos.

Depois de responder a algumas perguntas tediosas sobre opiáceos, de repente alguém lhe perguntou sobre a Coreia do Norte, e como se fosse um desenho animado, Trump pareceu ganhar vida.

A Coreia do Norte havia sido um problema cheio de detalhes e vazio de respostas, que ele acreditava ser resultado de mentes inferiores e hesitantes – e problema no qual ele tinha dificuldade de prestar atenção. Além do mais, ele vinha transformando seu antagonismo com Kim Jong-un, o líder coreano, em uma questão cada vez mais pessoal, muitas vezes se referindo a ele com apelidos pejorativos.

Seus assessores não o haviam preparado para isso, mas, com nítido alívio por poder sair da discussão sobre opiáceos, e também com uma súbita satisfação pela oportunidade de falar sobre esse problema irritante, ele se lançou, com uma linguagem que já havia repetido com frequência em situações privadas — tal como repetia tudo com frequência —, até a beira de uma crise internacional.

"É melhor a Coreia do Norte não fazer mais nenhuma ameaça aos Estados Unidos, ou a resposta vai ser fogo e fúria, de uma maneira que o mundo nunca viu. Ele tem feito muitas ameaças além do normal, e, como eu disse, a resposta vai ser fogo e fúria e poder, francamente, em um nível que este mundo nunca viu. Obrigado."

A questão com a Coreia do Norte, que o presidente havia sido constantemente aconselhado a minimizar, tornou-se o principal assunto do resto da semana. E maioria dos assessores teve que se ocupar não tanto com o assunto em si, mas em como lidar com Trump, que estava ameaçando "estourar" de novo.

Nesse cenário, quase ninguém prestou atenção quando Richard Spencer, apoiador de Trump e neonazista norte-americano, anunciou que estava organizando um protesto na Universidade da Virgínia, em Charlottesville, contra a remoção de uma estátua de Robert E. Lee. "União à Direita", o tema do comício marcado para sábado, 12 de agosto, havia sido concebido explicitamente para associar a política de Trump ao nacionalismo branco.

Em 11 de agosto, enquanto o presidente estava em Bedminster e continuava ameaçando a Coreia do Norte — e também, de maneira inexplicável para quase todo mundo da equipe, ameaçando fazer uma intervenção militar na Venezuela —, Spencer convocou um protesto para a noite.

Às 20h45, quando o presidente já havia encerrado o dia em Bedminster, cerca de 250 homens jovens de calça cáqui e camisa polo, um estilo bastante trumpiano, começaram um desfile organizado pelo campus da Universidade da Virgínia com tochas de querosene. A manifestação estava sendo dirigida por monitores com headsets. A um sinal, os manifestantes começaram a entoar bordões oficiais do movimento: "Sangue e solo!", "Não vão nos substituir!", "Judeus não vão nos substituir!". Pouco depois, no meio do campus, perto de uma estátua do fundador da universidade, Thomas Jefferson, o grupo de Spencer se viu diante de um contraprotesto. Sem praticamente qualquer presença da polícia, começou o primeiro dos conflitos e ferimentos que aconteceriam nesse fim de semana.

Mais uma vez, às oito da manhã do dia seguinte, o parque perto da estátua de Lee se tornou o campo de batalha de um movimento de supremacia branca que avançou de repente com porretes, escudos, sprays de pimenta, pistolas e fuzis automáticos (Virgínia é um estado onde o porte de armas ostensivo é liberado para a população em geral). Para horror dos liberais, o movimento parecia derivado da campanha e da eleição de Trump, e era essa a imagem que Richard Spencer pretendia passar. Os manifestantes foram confrontados por uma esquerda militante e reforçada, chamada para bloqueá-los. Seria difícil montar um cenário apocalíptico melhor que aquele, por mais limitada que tenha sido a quantidade de manifestantes. Em grande parte daquela manhã houve uma série de ataques e contra-ataques — um combate com pedras e garrafas, enquanto a polícia, em aparente indiferença, observava.

Em Bedminster, ainda não se tinha muita consciência do que estava acontecendo em Charlottesville. Mas então, por volta de uma da tarde, James Alex Fields Jr., um pretenso nazista de 21 anos, avançou com seu Dodge Charger contra um grupo de contramanifestantes, matando Heather Heyer, de 32 anos, e ferindo várias outras pessoas.

Em um tuíte escrito às pressas por seus assessores, o presidente declarou: "TODOS nós temos que nos unir & condenar o ódio em todas as formas. A América não tem espaço para esse tipo de violência. Vamos nos unir!".

Entretanto, fora isso, a rotina continuava a mesma para o presidente — Charlottesville era uma mera distração, e, na realidade, o objetivo de seus assessores era mantê-lo longe da Coreia do Norte. O principal acontecimento daquele dia em Bedminster foi a cerimônia em que ele sancionou uma lei para ampliar o financiamento de um programa que permitia a veteranos de guerra obter tratamento médico em hospitais que não fizessem parte da rede de saúde dos veteranos. O ato foi realizado em um grande salão no Clubhouse duas horas depois do ataque de Alex Fields.

Durante a cerimônia, Trump aproveitou para condenar o "ódio, a intolerância e a violência de vários lados" em Charlottesville. Quase de imediato, o presidente foi questionado pela distinção que aparentemente ele se recusara a fazer entre racistas declarados e o outro lado. Como Richard Spencer compreendera, com razão, as inclinações do presidente eram confusas. Por mais fácil e óbvio que fosse condenar a supremacia branca — e até os autodeclarados neonazistas —, ele resistia por instinto.

Foi só na manhã seguinte que a Casa Branca finalmente tentou esclarecer a posição de Trump com uma declaração oficial: "O Presidente deixou bastante claro em seu pronunciamento de ontem que ele condena todas as formas de violência, intolerância e ódio. É claro que isso inclui supremacistas brancos, neonazistas, a KKK e todos os grupos extremistas. Ele pediu união nacional e a aproximação de todos os norte-americanos".

Mas, na realidade, ele não havia condenado supremacistas brancos, neonazistas e a KKK — e continuou se recusando a condená-los.

Durante uma ligação para Bannon, Trump pediu ajuda para se explicar: "Onde é que isso tudo vai acabar? Eles vão derrubar o Monumento de Washington, o Monte Rushmore, o Monte Vernon?". Bannon — que ainda não tinha sido convidado para Bedminster — insistiu que a mensagem devia ser a seguinte: o presidente devia condenar a violência e os arruaceiros, e também defender a história (mesmo com seu parco domínio sobre ela). Destacar a questão literal dos monumentos atiçaria a esquerda e consolaria a direita.

Mas Jared e Ivanka, com o apoio de Kelly, recomendaram uma postura presidencial. O plano deles era que Trump voltasse para a Casa Branca e tratasse do assunto com uma censura firme a grupos de ódio e a políticas raciais — justo o tipo de posição explícita que Richard Spencer havia estrategicamente apostado que Trump não gostaria de adotar.

Bannon, ciente dessas mesmas inclinações em Trump, abordou Kelly e falou que a ideia de Jarvanka sairia pela culatra: *Vai ficar evidente que ele não está sendo sincero*, disse Bannon.

Pouco antes das onze da manhã na segunda-feira, o presidente chegou a uma Casa Branca em meio a obras e deu com uma muralha estridente de perguntas sobre Charlottesville: "Você condena as ações dos neonazistas? Você condena as ações dos supremacistas brancos?". Uns noventa minutos mais tarde, ele apareceu na Sala de Recepção Diplomática e, com os olhos fixos no teleprompter, fez um pronunciamento de seis minutos.

Antes de chegar ao ponto, falou: "Nossa economia agora está forte. O mercado de capitais continua alcançando altas inéditas, o desemprego é o menor em dezesseis anos, e os empresários estão mais otimistas do que nunca. As companhias estão voltando para os Estados Unidos e trazendo milhares de empregos para cá. Já criamos mais de 1 milhão de empregos desde que assumi a presidência".

E só então: "Temos que amar uns aos outros, demonstrar afeto uns pelos outros, e nos unir em nossa condenação ao ódio, à intolerância e à violência... Temos que redescobrir os laços de amor e lealdade que nos unem como norte-americanos... O racismo é maligno. E aqueles que praticam violência em nome dele são criminosos e bandidos, incluindo KKK, neonazistas, supremacistas brancos e outros grupos de ódio que se opõem a tudo aquilo a que nós, norte-americanos, damos valor".

Foi uma minissubmissão relutante. Lembrava uma nova encenação do discurso de "retiro o que disse" sobre a certidão de nascimento de Obama durante a campanha: muita distração, muita enrolação, e então uma admissão contrariada. Da mesma forma, enquanto tentava seguir pela linha aceita a respeito de Charlottesville, ele parecia uma criança de castigo. Cheio de petulância e ressentimento, era nítido que ele estava sendo forçado a ler um roteiro.

E de fato não foi levado muito a sério por esses comentários presidenciais, com os repórteres perguntando aos berros por que ele tinha demorado tanto para abordar a questão. Voltando de helicóptero presidencial para ir à base aérea de Andrews e dali para o JFK, para Manhattan e para a Trump Tower, ele estava de péssimo humor e com cara de "avisei". Em seu círculo particular, continuava tentando racionalizar o que levaria alguém a fazer parte da KKK — ou seja, a pessoa talvez nem acreditasse nos princípios da KKK, e a KKK provavelmente não seguisse mais os mesmos princípios. Aliás, quem sabe quais são os princípios da KKK hoje em dia? O próprio pai, disse Trump, tinha sido acusado de se associar à KKK, e não era verdade. (Na realidade, sim, era verdade.)

Para o dia seguinte, terça-feira, 15 de agosto, a Casa Branca tinha agendado uma coletiva de imprensa na Trump Tower. Bannon insistiu para que Kelly a cancelasse. Era uma coletiva inútil. A premissa seria infraestrutura — a anulação de regulamentações ambientais que poderia ajudar a fazer projetos saírem do papel mais rápido —, mas na verdade seria só mais um esforço para mostrar que Trump estava trabalhando e não só tirando férias. Então para que se incomodar? Além do mais, argumentou Bannon a Kelly, ele já via os sinais: Trump parecia uma panela de pressão prestes a explodir.

A coletiva de impressa aconteceu mesmo assim. Diante do pódio no saguão da Trump Tower, o presidente só aguentou seguir o roteiro por alguns minutos. Falando na defensiva, tentando se justificar, ele assumiu uma posição de que remorso é bobagem e a culpa é do resto do mundo. E foi fundo. Aparentemente incapaz de ajustar as próprias emoções às circunstâncias políticas ou sequer de tentar se salvar, ele continuou falando. Foi mais um exemplo, dentre os vários outros que já havia oferecido, do absurdo e cômico político de filme que fala tudo o que lhe passa pela cabeça. Sem filtro. Louco.

"E o pessoal da esquerda alternativa que partiu para cima do que vocês chamam de direita alternativa? Eles têm alguma culpa? E o fato de que eles foram para cima com porrete nas mãos? Na minha opinião, aquele dia foi horrível, horrível... Acho que os dois lados têm culpa. Não tenho a menor dúvida disso, vocês não têm nenhuma dúvida disso. Vocês veriam, se cobrissem direito."

Steve Bannon, ainda esperando em sua sala temporária no Edifício do Gabinete Executivo, pensou: *Meu Deus, lá vai ele. Eu avisei.*

Tirando a parcela do eleitorado que, segundo Trump afirmara certa vez, deixaria que ele atirasse em alguém na Quinta Avenida, no mundo civilizado o choque era praticamente universal. Todo mundo ficou moralmente espantado. Cada pessoa em qualquer posição de responsabilidade vagamente ligada a alguma noção de respeitabilidade oficial teve que censurá-lo. Os CEOs de todas as empresas de capital aberto que haviam se associado à Casa Branca de Trump tiveram que cortar os laços. O problema essencial talvez não fosse nem a incógnita sobre os sentimentos verdadeiros que Trump nutria no fundo do coração — Bannon garantia que Trump não era antissemita, mas quanto à outra questão ele não tinha certeza —, mas o fato de o presidente simplesmente ser incapaz de se controlar.

Depois da imolação da coletiva de imprensa, todos os olhos se voltaram de repente para Kelly: aquele era seu batismo com fogo trumpiano. Praticamente todos os assessores e ministros da presidência de Trump, antigos e atuais — Spicer, Priebus, Cohn, Powell, Bannon, Tillerson, Mattis, Mnuchin —, haviam percorrido os níveis de aventura, desafio, frustração, batalha, justificação pessoal e dúvida, até serem enfim obrigados a confrontar a probabilidade muito real de que o presidente para quem eles trabalhavam — a presidência pela qual tinham alguma responsabilidade oficial — não tinha condições de exercer sua função de maneira adequada. Agora, com menos de duas semanas no cargo, era a vez de Kelly contemplar esse precipício.

No ponto de vista de Bannon, o problema não era se a situação do presidente era ruim, mas se era ruim nível 25ª Emenda.

Para Bannon, se não para Trump, o cerne do trumpismo era a China. Ele acreditava que a história da geração seguinte já estava escrita, e seria sobre a guerra com a China. Guerra comercial, guerra econômica, guerra cultural, guerra diplomática — seria uma guerra absoluta que poucas pessoas nos Estados Unidos compreendiam que precisava ser travada, e que quase ninguém estava preparado para travar.

Bannon havia feito uma lista de "feras na China", com nomes que ultrapassavam linhas políticas, incluindo desde o pessoal do Breitbart News, passando por Peter Beinart, ex-editor da *New Republic* — que tinha desprezo por Bannon —, até Robert Kuttner, paladino da ortodoxia progressista-liberal e editor da pequena revista *American Prospect*, sobre políticas públicas. Na quarta-feira, 16 de agosto, um dia depois da coletiva de imprensa do presidente na Trump Tower, Bannon ligou do nada para Kuttner de sua sala no Gabinete Executivo para falar sobre a China.

A essa altura, Bannon estava quase convencido de que estava de saída da Casa Branca. Um sinal de deterioração era o fato de não ter sido convidado para se juntar ao presidente em Bedminster. Nesse dia, ele ficara sabendo que Hope Hicks assumiria como diretora interina de comunicação — uma vitória de Jarvanka. Enquanto isso, o burburinho constante do lado de Jarvanka continuava cantando sua derrocada iminente; isso tinha se tornado um ruído frequente.

Ele ainda não tinha certeza de que seria demitido, mas, no que seria sua segunda entrevista oficial desde a vitória de Trump, ligou para Kuttner e, na prática, selou seu destino. Mais tarde Bannon diria que a conversa não tinha sido oficial. Mas o método de Bannon era esse: ele apenas brincava com o perigo.

Se Trump não conseguiu deixar de ser Trump na última coletiva de imprensa, Bannon também não conseguiu deixar de ser Bannon no papo com Kuttner. Ele tentou reforçar o que ficou parecendo um Trump fraco em relação à China. Corrigiu, de um jeito debochado, a bravata do presidente contra a Coreia do Norte — "Dez milhões de pessoas em Seul vão morrer", declarou ele. E insultou seus inimigos dos bastidores: "Eles estão se borrando".

Se Trump era incapaz de se comportar como um presidente, Bannon tinha agido à altura: ele era incapaz de se comportar como um assessor do presidente.

Nessa noite, um grupo de bannonistas se reuniu perto da Casa Branca para jantar no bar do Hotel Hay-Adams. Mas Arthur Schwartz, um relações-públicas bannonista, arranjou confusão com o barman do Hay-Adams: ele queria trocar o canal da televisão, que estava sintonizado na CNN, para a Fox, onde seu cliente Stephen Schwarzman, da Blackstone e presidente de um dos conselhos empresariais de Trump, apareceria em breve. O conselho empresarial estava perdendo um CEO atrás do outro depois do pronunciamento de Trump sobre Charlottesville, e Trump tuitou que o dissolveria. (Schwarzman havia avisado a Trump que o conselho estava implodindo, e que o presidente devia pelo menos passar a impressão de que o desmonte tinha sido decisão sua.)

Schwartz, muito indignado, anunciou que sairia do Hay-Adams e iria para o Trump Hotel. Insistiu também que o jantar passasse para outro estabelecimento a duas quadras dali, no Joe's, uma filial do Joe's Stone Crab de Miami. Sobrou para Matthew Boyle, o editor de política de Washington no Breitbart News, a saída furiosa de Schwartz, que criticou o homem de 29 anos por ter acendido um cigarro. "Não conheço ninguém que fume", bufou ele. Embora Schwartz fosse um firme aliado de Bannon, isso pareceu uma alfinetada genérica à falta de classe do pessoal do Breitbart.

Os dois devotos discutiram o efeito da entrevista de Bannon, que havia surpreendido todo mundo do universo Bannon. Nenhum dos dois conseguia entender por que ele ofereceria uma entrevista.

Será que Bannon já era?

Não, não, não, defendeu Schwartz. Talvez esse tivesse sido o caso algumas semanas antes, quando Murdoch havia se juntado a McMaster e insistido para o presidente largar Bannon. Mas Schwartz afirmou que Sheldon tinha consertado.

"Steve ficou em casa quando Abbas veio", disse Schwartz. "Ele não ia respirar o mesmo ar de um terrorista." Essa foi exatamente a resposta que Schwartz daria aos repórteres nos dias seguintes, em seus esforços para estabelecer a virtude direitista de Bannon.

Alexandra Preate, o braço direito de Bannon, chegou esbaforida ao Joe's. Segundos depois, chegou Jason Miller, outro relações-públicas do time Bannon. Durante a transição, Miller havia sido cogitado para o cargo de diretor de comunicação, mas depois veio à tona a informação de que ele tivera um relacionamento com outra assessora, que tuitou estar grávida dele – na mesma época, a esposa de Miller anunciou também estar grávida. Miller, que havia perdido o cargo prometido na Casa Branca mas continuava atuando como porta-voz de Trump e Bannon do lado de fora, agora enfrentava, após o nascimento recente dos bebês – o nascimento recente dos dois bebês com mulheres diferentes –, mais uma onda de polêmica na imprensa. Ainda assim, até ele estava obcecado pelo que a entrevista de Bannon poderia significar.

A essa altura, a mesa já estava fervilhando de especulações.

Como o presidente reagiria?

Como Kelly reagiria?

Seria a morte?

Para um grupo de pessoas que estava em contato quase constante com Bannon, era incrível o fato de aparentemente ninguém compreender que a saída dele da Casa Branca, forçada ou não, era certa. Pelo contrário, o consenso foi de que a entrevista comprometedora acabou sendo convertida em uma tática genial. Ele não iria para lugar nenhum – especialmente porque não existia Trump sem Bannon.

Foi um jantar animado, um evento intenso com um grupo fervoroso de pessoas ligadas ao homem que acreditavam ser a figura mais instigante de Washington. Elas o consideravam uma espécie de elemento irredutível: Bannon era Bannon era Bannon.

Ao longo da noite, Matt Boyle começou um bate-boca furioso por mensagens de texto com Jonathan Swan, um repórter da Casa Branca que havia escrito uma reportagem afirmando que Bannon estava perdendo no confronto com McMaster. Pouco depois, quase todos os repórteres com uma boa rede de contatos da cidade estavam ligando para alguém da mesa. Quando alguém recebia uma mensagem, levantava o telefone para ver se aparecia o nome de um repórter conhecido. A certa altura, Bannon enviou uma mensagem para Schwartz com alguns tópicos de discussão. Será que aquilo era só mais um dia na rotina de drama interminável de Trump?

Schwartz, que parecia encarar a estupidez de Trump como um fato político, ofereceu uma análise rigorosa para explicar por que o presidente não podia ficar sem Bannon. E então, a fim de provar sua teoria, Schwartz disse que estava mandando uma mensagem para Sam Nunberg, tido por muitos como a pessoa que melhor compreendia os caprichos e impulsos de Trump, e quem sabiamente havia previsto a sobrevivência de Bannon em cada momento incerto dos últimos meses.

"Nunberg sempre sabe", afirmou Schwartz.

Segundos depois, Schwartz levantou o celular. Seus olhos se arregalaram, e ele ficou quieto por um instante. E então disse: "Nunberg falou que Bannon já era".

E, de fato, o que nem os bannonistas nem os mais próximos sabiam era que, naquele instante, Bannon estava com Kelly, concluindo sua saída. No dia seguinte, ele guardaria seus pertences e, na segunda-feira, quando Trump voltasse a uma Ala Oeste reformada – pintura nova, mobília nova e tapetes novos, uma decoração que lembrava o Trump Hotel –, Steve Bannon já estaria de volta à Embaixada Breitbart, perto do Capitólio, ainda confiante de que continuaria sendo o estrategista-chefe para a revolução de Trump.

Epílogo
Bannon e Trump

Em uma manhã escaldante de outubro de 2017, o homem que havia sido mais ou menos o único responsável pela saída dos Estados Unidos do Acordo de Paris subiu os degraus do edifício do Breitbart News e disse, com uma sonora risada: "Acho que o aquecimento global existe mesmo".

Steve Bannon havia perdido nove quilos desde sua saída da Casa Branca, seis semanas antes — ele estava fazendo uma dieta de apenas sushi. "Aquele prédio", disse seu amigo David Bossie, se referindo à Casa Branca de todos os governos, mas sobretudo à de Trump, "pega pessoas com saúde perfeita e as transforma em gente velha e doente." Mas Bannon, que Bossie havia declarado estar praticamente vivendo com a ajuda de aparelhos naqueles últimos dias na Ala Oeste, estava de novo, em suas próprias palavras, "pegando fogo". Ele havia se mudado do "abrigo" em Arlington e se instalado de novo na Embaixada Breitbart, fazendo dela uma sede para a próxima fase do movimento Trump, que talvez nem incluísse Trump.

Ao ser questionado sobre a liderança de Trump no movimento nacional-populista, Bannon assinalou uma mudança nada sutil no cenário político do país: "*Eu* sou o líder do movimento nacional-populista".

Um dos motivos para essa afirmação de Bannon, bem como para seu novo propósito, era o fato de que, por alguma razão que ele não conseguia imaginar, Trump havia apoiado o candidato do establishment escolhido por Mitch McConnell para a recente disputa no Partido Republicano para o Senado no Alabama. Bannon achava que o presidente deveria ter defendido a opção nacional-populista de candidato para a vaga no Congresso, que ficara disponível após Jeff Sessions ter se tornado procurador-geral. Afinal, McConnell e Trump mal se falavam. Durante as "férias de trabalho" em Bedminster, a equipe presidencial tentara organizar um encontro de reconciliação com McConnell, mas a equipe dele respondera que não seria possível, pois o líder do Senado estaria cortando o cabelo.

No entanto, o presidente — eternamente magoado e confuso com sua incapacidade de se dar bem com os líderes do legislativo e ao mesmo tempo enfurecido porque os líderes do legislativo não queriam se dar bem com ele — apostara tudo em Luther Strange, o candidato de McConnell, que havia concorrido com Roy Moore, o incendiário candidato de direita de Bannon. (Moore era radical até para os padrões do Alabama: ele havia sido exonerado como desembargador da Suprema Corte do estado por desafiar uma decisão judicial que determinava a remoção de um monumento dos Dez Mandamentos no edifício do fórum de Alabama.)

Para Bannon, o raciocínio político do presidente tinha sido no mínimo imbecil. Era muito provável que ele não conseguisse nada com McConnell — e, de fato, Trump não havia exigido nada em troca do apoio a Luther Strange, que fora anunciado em um tuíte impulsivo em agosto. As perspectivas de Strange não eram apenas difíceis; ele chegava a correr o risco de sofrer uma derrota humilhante. Roy Moore era nitidamente o candidato da base eleitoral de Trump — e era o candidato de Bannon. Portanto, a disputa seria de Trump contra Bannon. Na verdade, o presidente não precisava apoiar ninguém — ninguém teria reclamado se ele tivesse assumido uma postura neutra na disputa interna do partido. Ou ele podia ter oferecido um apoio tácito a Strange, sem reforçar com cada vez mais tuítes insistentes.

Para Bannon, esse episódio demonstrava não apenas a constante e estranha confusão do presidente a respeito do que ele representava, mas também a natureza volátil, descomedida e disparatada de suas motivações. Indo contra toda a lógica da política, Trump disse para Bannon que apoiara Luther Strange porque "Luther é meu amigo".

"Ele falou como se fosse uma criança de nove anos", comentou Bannon, horrorizado, destacando que não existia nenhum universo em que Trump e Strange fossem de fato amigos.

Os membros da equipe sênior da Casa Branca acreditavam que seria este o eterno conflito ao lidar com o presidente Trump: os porquês do comportamento frequentemente incompreensível dele.

"O presidente, em essência, quer que gostem dele", analisou Katie Walsh. "Em essência, ele precisa tanto que gostem dele que é sempre ... tudo é difícil para ele."

Isso se traduzia em uma necessidade constante de vencer em algo — qualquer coisa. Da mesma maneira, era crucial que ele *parecesse* um vencedor. Claro, tentar vencer sem refletir, sem planejar ou sem ter objetivos claros resultou praticamente apenas em derrotas. Ao mesmo tempo, a perturbação de toda a lógica da política, essa falta de planejamento, essa impulsividade, essa aparente beligerância haviam ajudado a criar a ruptura que, para a satisfação de muita gente, parecia destruir o status quo.

Mas, para Bannon, essa brincadeira estava enfim perdendo a graça.

Para ele, a disputa entre Strange e Moore havia sido um teste para o culto à personalidade de Trump. Com certeza, Trump ainda acreditava que era *ele* que as pessoas estavam seguindo, que ele era o movimento — e que seu apoio valia oito ou dez pontos em qualquer eleição. Bannon decidira testar essa hipótese da forma mais dramática possível: ao todo, a liderança republicana no Senado e outros gastaram 32 milhões de dólares na campanha de Strange, enquanto a campanha de Moore gastou 2 milhões.

Trump, mesmo ciente da profunda desvantagem de Strange nas pesquisas eleitorais, aceitara estender seu apoio com uma viagem pessoal. Mas sua aparição em Huntsville, Alabama, no dia 22 de setembro, diante de uma multidão ao estilo Trump, foi uma nulidade política. Foi um genuíno discurso trumpiano, com noventa minutos de tagarelice e improvisação: o muro seria construído (agora era um muro transparente), a interferência da Rússia na eleição norte-americana era uma farsa, qualquer pessoa de seu secretariado que apoiasse Moore seria demitida. Mas embora sua base tivesse comparecido em massa, ainda atraída pela sensação Trump, a reação ao seu apoio entusiástico a Luther Strange foi, no máximo, morna. À medida que a multidão foi ficando inquieta, o evento ia correndo o risco de se tornar um grande constrangimento.

Sentindo o clima da plateia e desesperado para achar uma saída, Trump de repente fez um comentário sobre o fato de Colin Kaepernick ter se ajoelhado durante a execução do hino nacional antes de uma partida da National Football League. O comentário foi aplaudido de pé. O presidente então abandonou imediatamente Luther Strange no resto do discurso e, ao longo da semana seguinte, continuou atacando a NFL. Ignore a estrondosa derrota de Strange cinco dias depois do evento em Huntsville. Ignore o tamanho e a escala da rejeição a Trump. Ignore o triunfo de Moore e Bannon, com a sugestão de mais problemas no horizonte. Agora Trump tinha um assunto novo, e era um assunto vencedor: o Joelho.

A premissa fundamental de quase todo mundo que entrou para a Casa Branca de Trump era: *Pode dar certo. Nós podemos fazer dar certo.* Agora, passados apenas três quartos do primeiro ano do mandato de Trump, literalmente nenhum membro da equipe sênior conseguia acreditar nessa premissa. É possível — e, em muitos dias, é certo — que a maior parte dos assessores acreditasse que o único lado positivo de se trabalhar na Casa Branca de Trump era poder ajudar a impedir que acontecesse algo pior.

No começo de outubro, o destino de Rex Tillerson, o secretário de Estado, foi selado — se é que a clara ambivalência dele em relação ao presidente já não havia feito isso — com a revelação de que ele havia chamado o presidente de "imbecil de merda".

Insultar a inteligência de Donald Trump era ao mesmo tempo algo que não podia ser feito e algo que — provocando gargalhadas e exclamações de "pelo amor de Deus" de toda a equipe — todo mundo já havia feito. Todos, cada um a seu modo, se esforçavam para expressar o fato óbvio e incontestável de que o presidente não sabia o suficiente, não tinha noção daquilo que não sabia, não se importava muito e, ainda por cima, tinha plena confiança e tranquilidade em relação a suas certezas irrefutáveis. Agora, várias pessoas pareciam aquele grupo no fundo da sala de aula trocando piadinhas sobre quem tinha chamado Trump de quê. Para Steve Mnuchin e Reince Priebus, ele era um "idiota". Para Gary Cohn, ele era "burro pra cacete". Para H. R. McMaster, ele era um "tapado". A lista era grande.

Tillerson se tornaria apenas mais um exemplo de subordinado que acreditava que as próprias habilidades conseguiriam compensar de alguma forma as deficiências de Trump.

O secretário estava alinhado com os três generais, Mattis, McMaster e Kelly, cada um acreditando representar maturidade, estabilidade e autocontrole. E cada um, claro, causava ressentimento em Trump por causa disso. A sugestão de que qualquer um desses homens pudesse ser mais concentrado ou até mais equilibrado do que o próprio Trump provocava cara fechada e chiliques no presidente.

A discussão diária entre o alto escalão, tanto os que ainda estavam lá como os que tinham ido embora — todos achavam que Tillerson estava com os dias contados no governo Trump —, era quanto tempo o general Kelly duraria como chefe de gabinete. Havia uma espécie de bolão informal, e a piada era que Reince Priebus provavelmente seria o chefe de gabinete que mais durara no cargo. A antipatia de Kelly pelo presidente era pública e notória — cada palavra e gesto dele eram atos de condescendência em relação a Trump —, e a antipatia do presidente por Kelly era ainda maior. O presidente se divertia desafiando o general, que havia se tornado a única coisa que ele nunca conseguira suportar na vida: uma figura paterna cheia de reprovação e censura.

Não havia nenhuma ilusão no número 1600 da Pennsylvania Avenue. O desgosto de longa data de Kelly por Trump só era comparável ao seu desprezo pela família do presidente — "Kushner", declarou ele, era "insubordinado". O desdém cáustico de Cohn tanto por Kushner quanto pelo presidente era maior ainda. Em troca, Trump não parava de maltratar Cohn — o ex-presidente do Goldman Sachs agora era um "completo idiota, mais do que burro". Na realidade, o presidente também havia parado de defender sua própria família, perguntando quando é que eles "entenderiam a deixa e iriam embora".

Mas, claro, ainda era tudo política: os que fossem capazes de superar a vergonha ou a incredulidade — além de puxar o saco dele e agradá-lo, mesmo com toda a grosseria e insanidade de Trump — poderiam obter uma extraordinária vantagem política. Por acaso, poucos eram capazes.

Contudo, em outubro, muitas pessoas na equipe do presidente passaram a prestar atenção especial em uma das poucas oportunistas que restavam em torno de Trump: Nikki Haley, a embaixadora junto às Nações Unidas. Haley, "ambiciosa como Lúcifer", havia chegado à conclusão de que a presidência de Trump duraria no máximo um único mandato, e que ela, com a devida submissão, poderia ser sua herdeira. Haley cortejara e conquistara a amizade de Ivanka, que a levara para dentro do círculo familiar, onde Haley atraíra a atenção particular de Trump, assim como ele a dela. Para o círculo da Segurança Nacional e Políticas Internacionais, era cada vez mais óbvio que Haley seria a escolha da família para a Secretaria de Estado após a inevitável demissão de Rex Tillerson. (E, com essa mudança, Dina Powell a substituiria na ONU.)

O presidente vinha passando uma quantidade considerável de tempo a sós com Haley no Força Aérea Um e parecia estar preparando a embaixadora para um futuro na política nacional. Muita gente achava evidente que Haley, uma republicana muito mais tradicional, com uma distinta tendência para a moderação — um tipo cada vez mais conhecido como "republicano Jarvanka" —, estava sendo orientada pelos ensinamentos de Trump. O perigo aqui, segundo um trumpista do alto escalão, "é que ela é muito mais esperta que ele".

O que agora acontecia, mesmo antes do fim do primeiro ano de mandato, era um verdadeiro vácuo de poder. O presidente, em sua incapacidade de transpor o caos criado, praticamente não tinha aproveitado as oportunidades. Mas, na política, com certeza alguém aproveitaria.

Nesse sentido, o futuro trumpista e republicano já estava indo além da Casa Branca. Bannon trabalhava do lado de fora, tentando tomar conta do movimento Trump. A liderança do Partido Republicano no Congresso buscava tolher o trumpismo — ou aniquilá-lo. John McCain fazia o máximo possível para constrangê-lo. O Gabinete da Promotoria Especial perseguia o presidente e muitos de seus asseclas.

Era muito evidente para Bannon o que estava em jogo. Haley, uma figura bem diferente de Trump, mas claramente a pessoa mais próxima ao presidente na Casa Branca, poderia usar de artimanhas políticas para incitá-lo a lhe passar a revolução Trump. Realmente preocupados com a influência dela sobre Trump, os seguidores de Bannon — naquela mesma manhã em que Bannon subira os degraus do edifício do Breitbart News sob o clima atípico de outubro — começaram a fazer todos os esforços para promover Mike Pompeo, da CIA, para o lugar de Tillerson na Secretaria de Estado.

Isso tudo fazia parte da fase seguinte do trumpismo: protegê-lo de Trump.

Com escrúpulo e pesar, o general Kelly tentava expurgar o caos da Ala Oeste. Ele começara segmentando as fontes e a natureza do caos. A fonte suprema, claro, era o próprio presidente, cujos rompantes Kelly não podia controlar e havia se resignado a aceitar. Quanto ao caos secundário, grande parte fora amenizada com a eliminação de Bannon, Priebus, Scaramucci e Spicer, criando assim uma Ala Oeste que na prática era controlada por Jarvanka.

Agora, com nove meses de mandato, o governo se via diante de um problema adicional, que era a grande dificuldade de contratar qualquer pessoa de porte para preencher as vagas do alto escalão. E o porte dos que permaneceram parecia diminuir a cada semana.

Hope Hicks, de 28 anos, e Stephen Miller, de 32, ambos praticamente estagiários quando começaram a trabalhar na campanha, agora estavam entre as figuras mais importantes do governo. Hicks tinha assumido o comando das operações de comunicação, e Miller na prática tomara o lugar de Bannon como principal estrategista político.

Depois do fiasco com Scaramucci, e ao ficar claro que o cargo de diretor de comunicação seria muito mais difícil de preencher, Hicks foi promovida ao posto de diretora "interina". Ela recebeu o título de interina em parte porque parecia improvável que fosse qualificada para administrar um serviço de mensagens já maltratado e em parte porque, se ela *recebesse* o cargo de modo definitivo, todo mundo acharia que na verdade era o presidente que estava tomando todas as decisões cotidianas. Mas, em meados de setembro, a interinidade foi discretamente convertida em permanência.

Na mídia externa e no mundo político, Miller — a quem Bannon se referia como "meu digitador" — era objeto de uma incredulidade cada vez maior. Ele raramente conseguia sair em público sem ter um arroubo insano, quando não escandaloso, de acusações e queixas. Na prática seria ele a mente por trás de políticas e discursos, porém até agora boa parte de suas atividades se limitara a apenas anotar o que lhe era ditado.

O mais problemático de tudo era que Hicks e Miller, bem como todos do lado de Jarvanka, estavam diretamente ligados às ações relacionadas com a investigação sobre a Rússia ou os esforços para deturpá-la, desviá-la ou mesmo abafá-la. Miller e Hicks haviam escrito — ou pelo menos digitado — a versão de Kushner da primeira carta escrita em Bedminster para demitir Comey.

Hicks, sob a orientação de Trump, se juntara a Kushner e a sua esposa no Força Aérea Um para compor o comunicado à imprensa sobre a reunião de Don Jr. e Kushner com os russos na Trump Tower.

De certa maneira, o tema fundamental da equipe da Casa Branca passara a ser este: quem estivera em qual sala inconveniente. E além do caos generalizado, o perigo jurídico constante reforçava um grande obstáculo na contratação de pessoas para trabalhar na Ala Oeste.

Kushner e a esposa — agora considerados por muitos uma bomba-relógio dentro da Casa Branca — passavam uma quantidade considerável de tempo cuidando da própria defesa e combatendo uma paranoia crescente, sobretudo em relação ao que ex-funcionários do governo poderiam dizer sobre eles. Curiosamente, em meados de outubro, Kushner acrescentaria Charles Harder ao seu time de advogados. Harder, especialista em casos de difamação, havia defendido Hulk Hogan em uma ação contra o site de fofoca Gawker, bem como Melania Trump na ação contra o *Daily Mail*. A ameaça velada à mídia e aos críticos era evidente: quem falar de Jared Kushner que se cuide. Isso também provavelmente significava que Donald Trump ainda dirigia a defesa jurídica da Casa Branca, inserindo seus advogados "marrentos" preferidos.

Além das peripécias diárias de Donald Trump, outro assunto pegava fogo na Casa Branca: a investigação em andamento conduzida por Robert Mueller. O pai, a filha, o genro, o pai deste, a prolongada exposição da família, o promotor, os subalternos tentando salvar a própria pele, os funcionários que Trump havia recompensado com desdém... isso tudo, na opinião de Bannon, corria o risco de fazer Shakespeare parecer as histórias infantis do Dr. Seuss.

Todo mundo esperou as peças caírem no lugar, para ver como o presidente, em sua fúria, reagiria e mudaria o jogo de novo.

Steve Bannon andava falando para as pessoas que acreditava haver 33,3% de chance de a investigação de Mueller levar ao impeachment presidencial, 33,3% de chance de Trump renunciar — talvez em resposta a uma ameaça do resto do governo de invocar a 25ª Emenda, segundo a qual o presidente pode ser deposto em caso de incapacitação — e 33,3% de chance de ele completar o mandato aos trancos e barrancos. De qualquer forma, com certeza não haveria segundo mandato, nem sequer uma tentativa.

"Ele não vai conseguir", comentou Bannon na Embaixada Breitbart. "Ele perdeu o jeito."

De forma menos eloquente, Bannon andava falando outra coisa para as pessoas: ele, Steve Bannon, se candidataria à presidência em 2020. A expressão "Se eu fosse presidente..." estava se tornando "Quando eu for presidente...".

Segundo Bannon, os principais doadores na campanha de Trump em 2016 eram aliados seus: Sheldon Adelson, os Mercer, Bernie Marcus e Peter Thiel. Em um curto período, como se já viesse se preparando há algum tempo, Bannon saíra da Casa Branca e logo montara as bases de uma organização de campanha. O Bannon que até então ficava nos bastidores estava se reunindo metodicamente com cada líder conservador do país — e, em suas palavras, se esforçando para "puxar saco e abaixar a cabeça para todos os anciões". E ele estava participando de uma série de eventos conservadores imprescindíveis.

"Por que Steve vai falar? Eu não sabia que ele era um orador", comentou Trump com seus assessores, intrigado e cada vez mais preocupado.

Trump também havia perdido espaço de outras maneiras. Ele faria uma entrevista importante no programa televisivo *60 Minutes* em setembro, que acabou sendo cancelada abruptamente depois que Bannon, em 11 de setembro, concedeu ao mesmo programa uma entrevista para Charlie Rose. Os conselheiros do presidente achavam que ele não devia se colocar em situações que permitissem uma comparação com Bannon. Todos os assessores estavam preocupados com o fato de a tagarelice e as repetições inquietantes (as mesmas frases ditas da mesma maneira em intervalos de minutos) terem sofrido um aumento considerável e com o fato de a capacidade de concentração de Trump, nunca muito grande, estar visivelmente menor, e por isso temiam que a comparação não fosse favorável para ele. Então, a entrevista com o presidente foi oferecida para Sean Hannity — com acesso prévio às perguntas.

Bannon também estava assumindo o grupo de pesquisa no Breitbart News — a mesma equipe de contadores forenses que tinha montado as revelações comprometedoras de *Clinton Cash* — e direcionado as investigações para o que ele chamava de "as elites políticas". Era uma lista abrangente de inimigos que incluíam tanto republicanos quanto democratas.

Acima de tudo, Bannon estava se concentrando em lançar candidatos para as eleições de 2018. Embora o presidente tivesse ameaçado várias vezes prestar apoio contra seus inimigos em disputas de primárias, no fim das contas, com essa dianteira agressiva, seria Bannon quem lideraria essas disputas. Era Bannon que estava disseminando o medo no Partido Republicano, não Trump. De fato, Bannon estava disposto a escolher candidatos excêntricos ou mesmo loucos — incluindo Michael Grimm, ex-congressista de Staten Island que havia cumprido pena em um presídio federal — para demonstrar, como já havia feito com Trump, a dimensão, a habilidade e o perigo do seu estilo político. Embora, pelas contas de Bannon, os republicanos estivessem enfrentando um déficit de quinze pontos na corrida de 2018 para o Congresso, ele acreditava que, quanto mais extremos os candidatos da direita parecessem, maior a chance de os democratas lançarem candidatos de esquerda malucos, ainda menos elegíveis do que os malucos da direita. A ruptura havia acabado de começar.

Na opinião de Bannon, o presidente era apenas um capítulo, ou até mesmo um desvio, na revolução Trump, que sempre fora mais sobre as debilidades nos dois partidos principais. A presidência de Trump — qualquer que fosse a duração — havia criado a abertura que permitiria uma oportunidade às pessoas que viviam fora daquele mundo. Trump era só o começo.

Parado nos degraus do Breitbart News naquela manhã de outubro, Bannon sorriu e disse: "Vai ser uma loucura da porra".

Agradecimentos

Agradeço a Janice Min e a Matthew Belloni, da *Hollywood Reporter*, que, há dezoito meses, me fizeram acordar cedo e pegar um avião em Nova York para entrevistar à noite o candidato improvável em Los Angeles. A meus editores Stephen Rubin e John Sterling, da Henry Holt, que não apenas deram um generoso apoio a este livro, mas também o acompanharam com entusiasmo e cuidado quase diários. A meu agente, Andrew Wylie, que fez este livro nascer, como sempre, praticamente da noite para o dia.

A Michael Jackson, da Two Cities TV, a Peter Benedek, da UTA, e a meus advogados, Kevin Morris e Alex Kohner, que incentivaram este projeto com toda a paciência.

Uma análise de possível crime contra a honra pode ser tão divertida quanto uma ida ao consultório do dentista. Mas, pela minha experiência, não existe advogado especialista mais equilibrado, sensível e estratégico do que Eric Rayman. De novo, foi quase um prazer.

A muitos amigos, colegas e pessoas generosas na mídia em geral e no mundo político que ajudaram a aprimorar este livro, incluindo Mike Allen, Jonathan Swan, John Homans, Franklin Foer, Jack Shafer, Tammy Haddad, Leela de Kretser, Stevan Keane, Matt Stone, Edward Jay Epstein, Simon Dumenco, Tucker Carlson, Joe Scarborough, Piers Morgan, Juleanna Glover, Niki Christoff, Dylan Jones, Michael Ledeen, Mike Murphy, Tim Miller, Larry McCarthy, Benjamin Ginsberg, Al From, Kathy Ruemmler, Matthew Hiltzik,

Lisa Dallos, Mike Rogers, Joanna Coles, Steve Hilton, Michael Schrage, Matt Cooper, Jim Impoco, Michael Feldman, Scott McConnell e Mehreen Maluk.

Sou grato às checadoras Danit Lidor, Christina Goulding e Joanne Gerber.

Muito obrigado, acima de tudo, a Victoria Floethe, pelo apoio, pela paciência e pelas sugestões, e também pela elegância com que permitiu que este livro tomasse tanto espaço em nossa vida.

Índice remissivo

ESTA OBRA FOI COMPOSTA PELA ABREU'S SYSTEM EM INES LIGHT
E IMPRESSA EM OFSETE PELA GEOGRÁFICA SOBRE PAPEL PÓLEN SOFT DA SUZANO
PAPEL E CELULOSE PARA A EDITORA SCHWARCZ EM MARÇO DE 2018